辻井重男『フェイクとの闘い——暗号学者が見た大戦からコロナ禍まで』コトニ社

本書は、中央大学研究開発機構ユニット「新常態環境下の情報セキュリティに関する総合的研究」の発展に向けて記述したものである。

プロローグ——理念と現実

本書は、自伝的回顧も含めて、話題が広がるため、「一体、何を言いたいのだ」と問われそうなので、初めに、その狙いをはっきりさせておきたい。いまから八〇年ほど前の小学校時代に受けた皇道イデオロギー教育から始まって、最近のサイバーセキュリティ・ソサエティ5・0（サイバー空間とフィジカル空間を高度に融合させたシステムによって、経済発展と社会的課題の解決を両立する社会）までの理念と現実の相克について考えた。そのうえで現実を、深く広い、そして長期的な視座から考えて、理念を構築することの重要性を改めて認識した。

ここ数年来、「フェイク」という言葉がよく取り沙汰されるようになった。しかし、「フェイク」は、それこそ「大本営発表」も国家による壮大なフェイクだったと考えれば、特に新しい話題ではない。インターネットによる情報化が始まった時から、「本人認証」にとって「なりすまし」は、「フェイク」だったし、それに対して暗号技術は闘いを挑んできたのだ。

さて、本書を書き始めた二〇二〇年三月、新型コロナウイルスの出現で、「監視社会vs.市民社会」「世界vs.国家」のあり方が改めて問われている。私は、国際協力がきっかけとなって、サイバー世界の機能をグローバルに充実させ、自国中心主義からの脱却を図り、国を超えた連帯が広がることを願っている。しかしながら、人々が幸せになるための普遍的な価値観・理念を、人類は本当に共有することが出来るのだろうか。

私が考えるサイバーセキュリティの理念は、「自由の拡大」「公共性（安心・安全等）の向上」「個人の権利・プライバシーの保護」の三つの互いに矛盾しがちな理念を三止揚することである。自由とは何か、という議論は後回しにするとしても、プライバシーについては、コロナ禍で、EUの厳しく設定された個人情報保護規定（GDPR）にも批判が高まっており、現実と理念の相克について、改めて考えさせられる状況になっている。

というわけで、長期的視座に立った理念の構築は私の手には負えない大きな課題かも知れない。しかしながら一方で、太平洋戦争末期の学童組も少なくなっていく中で、自らの戦争体験を伝えておきたいという気持ちもある。そこで、サイバーセキュリティの理念と現実を、太平洋戦争時代のそれらと交えつつ、書き残しておこうと思い、キーボードを打ち始めた次第である。

さて、このところ歴史認識をめぐる議論が続いているが、私が最も驚かされたのは、日本と中国・韓国の歴史学者たちの間での日清戦争をめぐる認識の違いである。日本の歴史学者は日清戦争を重要視していないのである。

「重要性の高い近代戦争を一〇挙げよ」というアンケートに対して、日本の歴史学者の多くは、「日清戦争を一〇番以内に入れるか入れないか」といった程度の認識のようである。例えば、二〇二〇年一〇月、日本学術会議の会員に任命されなかったことで話題となった六名の学者の一人で、『それでも、日本人は「戦争」を選んだ』の著者である加藤陽子氏は、日清戦争を九位に順位付けしている。これに対して、中・韓の学者の多くは、日清戦争をトップに持ってきたそうである（佐谷眞木人『日清戦争』講談社現代新書）。

私は素人なりに、日本人の国民性と国の組織・意思決定形態などを考えると、日清戦争はとても大きな意味のある戦争と考えている。というのも日清戦争から、さらに遡れば明治維新から、太平洋戦争敗戦に至るまでの歴史に、なかば必然性、つまり歴史的慣性を感じていたので、日本の歴史学者たちのこうした認識には驚いた。一方、中韓の学者は日清戦争をトップに位置づけている。高い学問的視座から眺めても、日清戦争の評価はこんなにも違うのだろうか。

もう一つ、最近、私にはつくづくと思うことがある。多くの人々にとって太平洋戦争が歴史上の出来事になってしまっていて、リアルに感じられないということについて、考えてみたい。現在、二〇歳の若い人にとって、太平洋戦争は、生まれる半世紀以上も前に起きた戦争である。一九三三年生まれの私にとって、生まれる五〇年前、つまり一八八三年前後はどうだったかと考えてみたら、一八七七年には西南戦争、一八九四年には日清戦争が起きている。この二つの戦争は、当然私にとって歴史の出来事だった。それを考えると、太平洋戦争は、現在の若者にとって、まさに「歴史」であるのは止むを得ない、というより当然だと実感させられるのである。

二〇一五年八月一五日は、戦後七〇年ということもあって、九〇歳前後の方々の貴重な戦争体験が多くメディアに流されたが、それらを見ながら、次は我々の世代が戦争体験を残しておく番ではないかと思っている。我々は、兵隊にとられるのは数年の差で免れた。実体験としての戦争は知らないが、銃後の日本でどんなことが起こっていたのかは身をもって知っているところもある。しかし、小学校(正しくは国民学校)では、我々より年配の世代よりも厳しく、軍人精神注入棒による軍隊式教育を受けた世代である。たとえそれが軍隊帰りの体操の先生たちからの真似事であったにせよだ。

また、教科書も、戦争賛美の美談で溢れていた。「……汝、ニッコリとして天涯を押し開き、仁王立ちとなって僚機に別れを告げ、天皇陛下万歳を奉唱、若き血潮に大空を彩りぬ」という高村光太郎の詩を読んだのは、国民学校五年生、学童疎開で東京を離れて間もなくのことだった。詩を暗記しないと食べさせて貰えなかったが、私は、そんなこととは無関係に、あまりに格好良いので、いっぺんで覚えてしまった。

『危険な「美学」』(津上英輔著、集英社インターナショナル新書)の、「第一章『美に生きる』ことの危険」に、高村光太郎について書かれている。その本に右記の詩は出ていないが、私の記憶に間違いはないと思っている。

本書の主題の一つである理念が創造される要因の一つは、美意識である。私の人生を決めたのも、後述するように、暗号・サイバーセキュリティ技術の基盤となる数理的理論の美しさに惹かれたからであった。

戦後、中学生（一九四七－五〇年〔昭和二二－二五年〕）になり、歴史の時間に分からないことがあったため父親に聞いたところ、「近所に、東大で歴史学を学んだ友人がいるから」と言われ、質問に行ったことがあった。その際、「北畠親房の『神皇正統記』が日本史の転換点」だと言われたことが、昨日のことのように思い出される。それまでは楠正成が湊川の戦いで、足利尊氏に敗れ、「七度生まれ替わって朝敵を滅ぼさん」と、弟、正季と刺し違えた、というような武勇物語を楽しんでいたが、その後、それを導く勤皇イデオロギーや理念に興味を持つようになった。

同時に、数学の時間に、先生が黒板いっぱいに、数式を書き、最後に、三角関数のある公式を導いたとき、今から見れば当たり前の初歩的な式だったが、その美しさに感動した。大学進学に際しては、歴史では食っていけそうもないし、また趣味でもやれるだろうと生意気なことを考え、数理系に進んだ。

大学では、回路網構成理論の美しさに溜息を洩らし、それを仕事に出来そうなＮＥＣに就職した。しかし、配属されたのは、情報伝送方式の開発であった。カラーテレビのデジタル化の先駆けとなる特許なども出したが、七年ほど勤めるうち、もう少し理論的・学術的研究がやりたいと思うようになり、大学へ転職した。そして、それまで主流だったアナログ信号処理に代わりデジタル信号処理に日本では早い時期に取り組んだ。

しかし、それにもあまり満足できずにいた一九七〇年代の末、公開鍵暗号という数千年におよぶ暗号の歴史上、画期的な方式が提案され、その理論的美しさに魅了された。以来、現在まで、四〇年近くその理論構築の一端に関わっている。

一九八〇年代から九〇年代は、「そうか、暗号は、戦争や外交だけでなく、電子社会にも必要なのか」とメディアにも持て囃された。大蔵省（当時）に呼ばれ、局長さんたちを前に、公開鍵暗号について講演した際、「ご著書は良く分かった。しかし、素数って、そんなにたくさんあるのですか？」と玄人裸足の質問も受けた。その後、公開鍵暗号を含めた現代暗号は、秘匿や認証・署名の社会基盤として縁の下に入り、技術史の常として話題性は薄れていった。しかし、このところは、ブロックチェーン・暗号資産、またコロナ禍によるテレワーク拡大による電子ハンコ（電子認証・署名）のための技術として、多少、盛り返しているようである。

二〇二〇年四月にＮＨＫで放送された「欲望の資本主義２０２０スピンオフ」という番組の中で、著名な経済学者であるスティグリッツが、「暗号資産システムにおいて暗号化によって取引が秘匿されると問題だ」という主旨の意見を述べていたようだが、誤解を招く表現である。暗号資産において、楕円曲線暗号などの公開鍵暗号は、その電子署名機能によって、取引の真正性保証を参加者が共有して行っているのであって、取引を秘匿するものではない（スティグリッツの真意は、「金融システムの中央管理vs.分散管理の課題」だったのだろうかもしれないが)。

さて、ブロックチェーンの技術基盤の一つは、楕円曲線暗号という公開鍵暗号である。これまで、電子政府暗号などで広く利用されているのはRSA暗号(桁の大きな数の素因数分解が困難である性質を利用した暗号。開発者三名の頭文字を組み合わせて命名された)であり、これは円に対応する。RSA暗号と楕円曲線暗号とでは、安全性・効率性に格段の差がある。

しかし、それでは円と楕円はどう違うのか?「大きな円を、素粒子一個分だけ横に広げたら楕円になるだろうか」と考えるとき、二六〇〇年ほど前のギリシャ人、タレスの幅のない線(縄のイデア)が問題となる。詳しくは、対話篇1を読んでいただきたいが、西田幾多郎の言う「幅なき線、厚さなき平面と同じく、実際に存在するものではない」(『善の研究』)というのは、大哲学者には申し訳ないが、数理的には誤りである。「純粋経験」という西田哲学の視点からは別として、幅のない線という数学的実在は、物理的・芸術的実在を超越して、ブロックチェーンなどですでに社会的実在となっているのである。要するに、理念と現実がぴったりと一致しているのである。新プラトン主義的に言えば、天(イデアの世界)から地上に降りるとき、全く汚れないのだ。技術的世界でもこのような例は希少だが、歴史的・社会的事象における理念と現実の違いとなるとなおさら簡単ではない。真理探究意欲に加え、正義感、社会改革への意欲、権力欲、意地、自尊心・自我、国家的存亡の危機、国民感情等の現実的要因や美意識、さらに宗教的な信念に起因する論理的根拠の薄い仮説等が、様々な理念を生み出してきた。この理念と現実はしばしば矛盾するのである。

小学校高学年だった私が、戦時下での授業中、よく聞かされた理念・スローガンは、「大東亜共栄圏」あるいは「八紘一宇」だった。八紘一宇は日本書紀にある「八紘《あめのした》を掩《おお》ひて宇《いえ》にせむ」、すなわち世界を一つの家にすることを意味する。死語だと思っていたが、二〇一五年三月の参議院予算委員会で、ある参議院議員が行った質問のなかで、「八紘一宇は大切にしてきた価値観」と発言し、話題となった。「天照大神・神武天皇が世界の中心」を横に置くとすれば、大東亜共栄圏も八紘一宇も（また、レベルは違うだろうが、京都学派の一人、高山岩男の「世界史の哲学」も）理念としての意義は、現在では当然と言える。一般に理念は、それがどのような背景の中で創られたかが問題である。南樺太も日本の領土だった当時、日本列島は、樺太から北海道、北海道から九州、九州から沖縄と三つの弓が連なる地形と見ることができた。小学校の先生が、日本地図を見せながら「この三本の弓は、アメリカから中国大陸を守っているのだ」とよく話していた。そこで、大東亜共栄圏という理念の形成は、欧米の植民地支配にまで歴史を遡ることになる。

このような個人的経験の中で、数理系と専門外ではあるが社会系の視点を通して、現実と理念の相克について考えてみたい。そして、サイバーセキュリティから見た理念を、「自由」「公共性」「個人の権利」の三つと考え、管理（Management）、倫理（Ethics）、法と技術（Law and Technology）によって、それらの互いに矛盾・相克しがちな三つの理念を、どこまで同時に持ち上げられるか、MELT-UPできるか、つまり三止揚できるか考えてみたいというのが、本書執筆の動機である。

なお、本書では、太平洋戦争中の文化人・思想家・作家たちの戦争協力に傾いた活動に対して批判的な書き方をしている。しかし、高みから断罪するような意図は全くない。私にそのような資格がないことは十分承知している。それにしても、政治家はもちろん、市井の人でも分かっている人が少なくなかった、「日本対米英の国力差という現実」を、なぜ文化人の多くが認識していなかったのかが、不可解なのである。街の中には「アメリカと戦争なんかしたらアカン」と言ったオジさん（私の父もその一人だった）やオバさんがいたというのに……。現在、出版されている多くの著書が、世論を先導すべきだった当時の文化人たちを批判するに際し、現実認識のあり様を指摘していないのが腑に落ちないのである。

というわけで、私なりに人生を振り返りながら、理念と現実の相克について考えてみたい。

また、ここで資料篇について、一言加えておこう。情報技術をご専門とされない方々は、縦書きの本篇だけを読んでいただければ、内容が十分わかるように書いてある。資料篇と本篇には重複があるが、右の理由による。ご理解を乞う次第。

フェイクとの闘い＊目次

フェイクとの闘い

［加藤尚武編］辻井重男語録——情報哲学入門

これは、二〇一三年五月一九日に行われた「ホモ・コントリビューエンス研究会」の討論用資料として、加藤尚武氏がいくつかの拙著のなかから要点を引用しまとめてくださったものの抜粋である。哲学界の大御所から「情報哲学」と呼んでいただいたのは恐縮である。

語録1　ＩＴ社会における安定性と自由

いわゆるＩＴ革命に対する感度は人により様々であるとしても、ＩＴが経済、行政、教育、文化、医療、福祉、環境など社会全般のインフラストラクチャとなり、グローバルなスケールで文明の構造と人々の心のありさまを変えつつあることは間違いない。

（……）

さて、ＩＴ社会が目指す人類の普遍的価値は何かと改めて問われれば、それは、安定性とのバランスが保たれる中での自由の拡大ではないだろうか。

哲学者ヘーゲルは、「世界史とは、人間の自由の意識の進歩のことであり、（……）その進歩の必然性を我々は認識しなければならない」と『歴史哲学講義』で述べている。「自由」には利便性の向上や自己決定・選択幅の拡大など多様な意味が込められよう。電子情報通信技術による自由の拡大は、様々な矛盾や相克あるいは摩擦を引き起こすことも事実であるが、それらのマイナス面を最小化しつつ、我々はヘーゲルの時代的、地域的制約を超えて、人々の幸福感を高めるような自由の拡大を目指したいものである。

（『情報社会・セキュリティ・倫理』コロナ社、二〇一二。一部表記を改めた）

語録2　ソーシャル、モバイル、クラウド、スマート

二〇一〇年前後から、ツイッターやフェイスブックなどのソーシャル・ネットワーキング・サービス（SNS）やスマートフォンが日常生活に溶けこみ、情報環境は大きな変革期に入った。その変革を四つのキーワードで表せば、ソーシャル、モバイル、クラウド、スマートということになるだろう。

なかでも、情報を自ら所有せず、データセンターなどに預けて必要時に利用するクラウド環境の普及によって、暗号の役割が再認識されるようになった。他人に情報を預ける以上、暗号化しておくのが安全であるというわけである。また、暗号研究の分野でも、暗号化したまま、平文《ひらぶん》に戻さずに加算・乗算や統計処理などを自由に行う方法の研究が活発に行われている。

ところで、ソーシャル、モバイル、クラウド、スマートというキーワードを「皆で仲良く動こう、雲の彼方へスマートに」と意訳すれば、自由で楽しげな感じがするかもしれないが、その裏側では個人情報や企業の機密情報の流出が深刻な社会的懸案となっている。情報漏洩を防ぐ有効な手段は、公開鍵暗号による本人確認と共通鍵暗号による秘匿である。こうした背景の中で、暗号の重要性が再認識されている。

（『暗号』講談社学術文庫、二〇一二）

語録3　矛盾と止揚

現代社会は様々なリスクを抱えている。あるリスクだけに着目して、そのリスクを完全に零にするためには、当該システムを全廃せざるを得ない。原発についてはその選択肢が議論されているが、個人情報を扱うシステムについては、それはあり得ない。

プライバシー保護を絶対視すれば、災害、医療、年金など様々な面で国民の生存権が脅かされることになる。プライバシー保護と生存権確保を完全に両立させることは不可能であるが、安易にバランスをとるのではなく、暗号などの技術や法制度・ＰＩＡ（Privacy Impact Assessment）システム等とその運用を適切に連携させて両者の相克を可能な限り超克し高度均衡を図ること、即ち止揚することが、我々の努めであろう。

さて、クラウド環境の普及に伴い、行政や医療分野などにおける多くの個人情報がクラウドに保管される状況が拡大している。このような状況下での深刻な課題は、個人情報の保護と利用のきわどい相克をどのように超克するかということである。例えば、災害時における被災者の安否が、個人情報保護法による制約のため、確認できないという問題が生じている。また、医療分野においては、複数の病院で診療を受けた経歴を持つ患者のデータが、個人情報保護の問題もあって、統合されていないために十分な治療が受けられない、あるいは医学の進歩の障害になっている、という課題も抱えている。

（「暗号化状態処理と社会的利用促進のためのコンソーシアム設置趣意書」二〇一二）

語録4　数学的実在はそのまま社会的存在となる

哲学者、西田幾多郎（一八七〇－一九四五年）は、名著『善の研究』において、次のように述べている。「物理学者のいう如き世界は、幅なき線、厚さなき平面と同じく、実際に存在するものではない。この点より見て、学者よりも芸術家の方が実在の真相に達して居る」（岩波文庫）。果たしてそうだろうか。

楕円も円も幅のない線で書かねばならないので、物理的には存在し得ない。数式として、数学的に存在するのみである（その意味では、『善の研究』の著述は「数学者のいう如き……」と改めるべきであろうが、当時、数学と物理は区別なく一体的に受け止められていたようである）。

一方、古代ギリシャでは、自然哲学者タレス（紀元前六二四－紀元前五四六年頃）が「幅のない縄、つまり縄のイデア」を提唱している。続いて、大哲学者プラトン（紀元前四二七－紀元前三四七年）が現れ、プラトンのイデア、中世キリスト教の人格神、近代の理性と、一九世紀に至るまで続く西洋哲学の源流を構築した。イデアの世界を本質的世界と見なし、現実世界をその下に見る物質的世界観、いわゆる二世界モデルである。この世界観が、近代科学の発展を促し、科学を基盤とする技術が産業革命を起こして、人々に豊かな生活をもたらした。しかし、そのさまざまなマイナス面が自覚されるに及んで、西洋の思潮も、一九世紀後半には、実存、多元、相対、関係、などで表現される方向に向きを変え始めるのだが、そのことは哲学書に譲るとして、ここでわれわれは、数学というイデアの世界について考えてみたい。

一、二、三、……というモノは実在しない。実在するのは、一人、二人、三人、……、あるいは、りんご一個、二個、三個、……などである。それにもかかわらず、未開人でも、一、二、三、……という抽象概念、すなわち、イデアの世界をもっている。したがって、上述の二世界モデルは、西洋に限った話ではないともいえるが、その概念的世界への認識の深さ、概念構築の厳密さに、西洋世界の特徴があるといえる。

技術システムは多くの場合、物理現象を利用して実現され、社会的に利用される。しかし、物理現象を厳密に理論値どおり実現することは難しく、近似的にしか実現できないことが多い。これに対して、楕円暗号の場合、有限体上の計算であるため、物理的には実在しない楕円という数学的実在が、直接、社会的な存在物として、例えばICカードに収められ、電子マネーなどとして利用されるのである。そして、宇宙の広がり程の半径の円に対して素粒子一個分だけの割合の離心率をもつ楕円であっても、円に対して格段に高い安全性をもって、社会的機能を果たしているのである。数学というイデアの世界が、物理的実在を超越して、見事に社会的実在となる典型的な例である。

（『暗号理論と楕円曲線』森北出版、二〇〇八。一部表記を改めた）

語録5　Digital technology makes analog society

情報化の進展による利便性、効率性の向上と諸課題は、ネットワークの持つ、情報を瞬時に地球上に伝達・拡散できるという特性と、大量の情報の記憶、編集、加工、あるいは、映像の生成などを可能とするデジタル処理の進歩が相まって、非占有性・共有性、拡散性、非可逆性などの情報が本質的に持っている特性を拡大・先鋭化していることによるものといえよう。

（『情報社会・セキュリティ・倫理』コロナ社、二〇一二。一部表記を改めた）

デジタル技術を基盤とするネットワーク化の進展は、社会の構造や機能をこれまで以上に連続化している。連続化をアナログ化と言い換えれば、技術的なデジタル技術の普及は、社会的なアナログ化という逆説的現象を生んでいるといえる。標本化定理に基づく技術的な意味でのＤ－Ａ変換とは異なるが、この社会的現象もＤ－Ａ変換と比喩的に表現することができる。"Digital technology makes analog society" とでもいえようか。（……）

情報化の進展に伴って、必然的に増大する矛盾・相克や二面性を低減し、解消し、乗り越えていくためには、一人ひとりの倫理や心理の内面、あるいは行動様式が問題となる。（……）

デジタル技術は、社会的構造・機能をアナログ化し、次に、アナログ化された社会的構造・機能に対して、再び、法制度という意味でのデジタル化が必要とされるが、最後に、人々の倫理観や価値観など人々の内面に宿るアナログ的なるものが重要ということになる。この技術→社会→法制度→倫理の流れを、比喩的にいえば、Ｄ１Ａ１Ｄ２Ａ２プロセスということになろう。

（同書。一部表記を改めた）

第1章　太平洋戦争をはさんで——暗号学者の小さな履歴書Ⅰ

数理系と人文社会系の両方の領域に関係する「理念 - 現実」という本書のテーマを考えるに当たり、まずは私の幼年期からはじまり、小学校から大学までの時代背景や経験を簡単に述べておこう。

国際連盟脱退の年に生まれる

私が京都市嵯峨天竜寺の近くで生まれたのは、一九三三年（昭和八年）九月、日本が満州事変に対して世界的批判を受け国際連盟から脱退した数ヵ月後である。松岡洋右代表が、脱退演説をしたあと席に戻らず、同行者たちに「出よう」と顎で合図して会議場を出て行く風景は、今でもしばしばテレビで放映される。あれは一九三三年三月のことだった。松岡は、「さぞ世論の非難を浴びるだろう」と危惧したそうだが、帰国してみたら意外にも国民から歓迎されたそうである。「政治×世論×メディア」の怖さでもある。また松岡は一九四六年A級戦犯として処刑された際、「悔いもなく　恨みもなしに　逝く黄泉路」と辞世の句を残して亡くなったのもどうかと思うが、それは後にして、話を進めよう。

一九三七年（昭和一二年）、日中戦争（当時「支那事変」と呼ばれていた）が始まり、京都市の出水小学校に入学したのは、「紀元は二六〇〇年……」という歌が大流行した一九四〇年（昭和一五年）だった。そして、翌年、一九四一年（昭和一六年）一二月、太平洋戦争に突入した。四年にわたる日中戦争は膠着状態、決着がつかない中で、ハワイ真珠湾攻撃成功に日本中が沸き立ち、多くの文学者・作家たちが「これでモヤモヤが晴れた」という気分だったようだ（『ドナルド・キーン著作集　第五巻――日本人の戦争』など参照）。後にも触れるが、東工大時代に文学概論を教わった伊藤整教授もその一人だった。当時の文化人たちの、日本の国力や技術力に対する認識と現状分析の低さは不可解だが、小学二年生の私は、ラジオのニュースを聞いて、大変なことが起きたようだと感じながら、無邪気に世界地図を眺めて楽しんでいた。

幼稚園の頃から、講談社の絵本で、東郷元帥・乃木希典の絵本を繰り返し読んでいた私は、帰宅するや机に向かい、東郷さんの似顔絵描きに熱中していた。絵の才能がない私でも、だんだんと似てくるのは不思議なことだった。

観客席から眺めるかのような戦争

小学校三年になった一九四二年（昭和一七年）、父の転勤で東京へ引っ越した。

戦争が始まると、日本軍は連戦連勝、香港、シンガポール陥落のニュースが相次いだ。連日報じられる、「敵戦艦、三隻撃沈、大破炎上せしめたり」というフェイクニュース（大本営発表）を、小学校低学年だった私は、まるで、「大リーグで大谷翔平選手がまたホームランを打ったか」というような感覚で喜んでいた。近所のおばさんに、「今日、また戦果あった?」と尋ねたり、軍神広瀬武夫中佐の流行り歌を歌って「重男ちゃんは忠義な子ね」と褒められたりしていた。

戦争というのは、その悲惨さが身近に迫るまでは、観客席から眺めるように対象化されてしまうのが恐ろしい。最近も、ある漫画家がテレビで「戊辰戦争も、会津戦争がなかったら淋しいですよ」と言っていたが、会津藩家老、西郷頼母の妻が、幼い子供たちを道連れに自決する光景をどう見ているのだろうか。

しかし、私も、そう思うようになったのは後の話であった。当時小学二年生の私は世界地図を広げ、今にアメリカの緑色が、赤色(日本地図と同じ色)に塗り替えられる、とニコニコしていた。ちなみに、幕末、吉田松陰は「インドまで取れ」、橋本左内に至っては、「アメリカまで取れ」と言っていたそうである。防衛と過剰防衛・侵攻の区別は難しい。吉田松陰の皇道理念には、本居宣長の国学や水戸学が強い影響を与えており、それが、長州の勇ましい志士たちのエネルギー源となって現実を動かし、明治維新へつながった。

話を戻そう。私の父は、普通のサラリーマンだったが、連戦連勝の頃から「この戦争は負ける」と口癖のように言っていた。母は「こんなに勝っているのに、なぜそんなことを言うのだ」と不思議がっていた。早くも、一九四二年(昭和一七年)六月、日本海軍はミッドウェー海戦で壊滅的打撃を受ける。連戦連勝は、半年くらいで幕を引き、以後、山本五十六連合艦隊司令長官は懊悩として楽しまなかったそうだが、そのような真相は、もちろん秘密にされていた。

なお、ミッドウェーの敗因について、半藤一利氏は二〇一七年頃だったたか、「暗号なんかで負けたのじゃありませんよ。驕慢《きょうまん》です。驕慢」とテレビで声を大きくしておられた。ハワイ真珠湾に出撃する際は、艦隊が出港するまで乗組員にも、攻撃先を秘していたのに比べて、呉の軍港からミッドウェーへ出撃する際は、「ミッドウェーへ行ってくるよ」というような雰囲気だったようなので、驕慢は間違いないだろう。しかし、米国のチェスター・ニミッツ提督が、後年「日本海軍の暗号を解読していなかったら、ミッドウェーで米海軍が負けたのは確実だった」と明言しているように、暗号解読が直接的要因であったにちがいない。のちほどやや詳しく説明するが、暗号鍵交換が難しかったことが背景にあった。暗号鍵配送・管理は、現代暗号にも共通する歴史的難題である。

コロナ禍以降、テレワークが普及し、ネットワークの様相が大きく変わった。我々は、現在、新しい鍵配送・管理システムの開発に取り組んでいる。

集団疎開と飢餓

さて、さっそくだが、戦中の話をしたい。一九四二年（昭和一七年）末から四三年にかけて、「ガダルカナル撤退」（大本営発表では「転進」）のニュースが流れると、「転進」という言葉に胡散臭いものを感じた人も多かったようだ。その後、一九四三年（昭和一八年）五月末、アッツ島玉砕という暗いニュースが新聞のトップ記事となる。こうなると私の母も「やはり、日本は負けるのかねぇ」とつぶやいていたことを記憶している。

その朝、学校へ行くと、先生が、伊藤君という生徒を指さして、「伊藤、玉と瓦とどちらが大事か？」と問いかけた。伊藤君はニコニコして「瓦です」と応え、「馬鹿者」と叱られていた光景が今でも目に浮かぶ。「刃も凍る北海の気温は零下四〇度……山崎大佐指揮を取る」という歌がしばらく流行した時代でもあった。

学校では、兵隊帰りの先生が、軍隊式教育を持ち込んだ。当時の文部省は陸軍省文部局と皮肉られていたそうである。先生が、「天皇陛下」と一言いえば、サッと鉛筆を置いて姿勢を正す。いたずらをする生徒が一人でもいると、連帯責任ということで「全員、股を開け、歯を食いしばれ！」と怒鳴られ、往復ビンタで頬が痺れた。

一九四四年（昭和一九年）七月、サイパン島玉砕、いよいよ本土が空襲されるというので、学童疎開が始まった。私のいた豊島区椎名町の長崎第四小学校の生徒たちは、福島県浜通りの小高という小さな町へ集団疎開することになった。太平洋沿岸の無線局で有名だった原ノ町の近くである。二〇一一年の東日本大震災で、「南相馬市」という地名が聞かれたのに、「原ノ町」が出ないのが不思議だったが、のちに町村合併で市町名が変わったことを知った。

高度経済成長期になって「あー、上野駅」という、井沢八郎の歌が、東北から東京へ中学卒業生たちの集団就職で一九六四年（昭和三九年）以後広まったが、学童集団疎開はそれとは逆方向。私は小学校（国民学校と改名された）五年生になっていた。母たちに見送られて、上野駅から福島県浜通りの小高へ出発した。あるお母さんが、我が子の名を呼びながら、走り去る列車を追いかけていたのを友達と笑いながら見ていたくらいだから、その当時の私にはあまり悲壮感はなかったようだ。

一九四五年（昭和二〇年）の春も過ぎると石巻が艦砲射撃に晒されるようになった。浜通りは危ないというので、学童たちは福島市の近くの土湯温泉に移住した。疎開先では、ご飯が段々と少なくなり、ガリガリに痩せ、風呂に入ると皆のあばら骨が浮き出ているのが分かるようになっていった。授業中、虱を取り合ったりもしていた。畑に入って桑の実を盗んで、地元の子に追いかけられたこともあった。私は足が遅いので、さっさと降参したが、逃げた同級生も、結局は捕まり、痛い目にあったようであった。

山へ遠足に行くと、松根油をとるため、土を掘っている人たちがいた。いくら新聞で、「日本は勝つ」と宣伝されていても、これで飛行機を飛ばそうと言うのでは、勝てるはずはない。そう思いながら眺めていた。「本土決戦、我に必勝の算あり」という見出しが躍る新聞を、寮母さんの肩越しに覗き込んで、「本土決戦必ず負ける」とふざけたら、彼女も、「うふうふ」と笑っていた。その時、私も六年生になっていたので、少しは状況が分かるようになっていたのだ。

国民学校では、「本土決戦になったら、君たちも手榴弾を持って、敵陣に飛び込むのだ」と教えられた。「手榴弾などないから竹槍だな。いずれ死ぬのだな」とは思ったが、それほど差し迫った感じはなく、覚悟したというほどではなかった。「戦況、必ずしも我に利あらず」どころではなく、敗色濃厚なことは子供でも分かる。負けるとは予想したが、「日本の辞書には降伏という文字はない」から、本土決戦は必至だと漠然と考えていた。

一九四五年（昭和二〇年）四月一三日、東京の椎名町にあった自宅が戦災で焼けた。前日、ルーズベルト大統領がなくなったので、その仕返しだろうなどと噂していた。親から「モリニイルアンセヨ（森にいるから安心せよ）」という電報が届いた。「あの辺に森があったかなぁ」と不思議だったが、後で聞いたら森脇という目白の親戚の家に、肩身の狭い思いをして、家族三人、身を寄せていたとのことだった。目白と椎名町は近いのだが、目白駅の辺りは焼けなかったのだ。当時はあまり深刻には感じなかったが、戦後になってから、戦災で親に死なれ、上野駅の地下道などに寝ていたホームレスの小学生が多かったと聞いて、やるせない気持ちになった。

「こんな戦争、早く止めてしまえ」

その内、私の家族は、目白から埼玉県飯能に疎開した。親が、東京を離れれば、子供も、親の元に戻る資格ができるというルールだったようで、終戦の一ヵ月前の一九四五年（昭和二〇年）七月、父が、福島県土湯温泉の疎開先まで予告なしに迎えに来てくれた。その姿を見たときの嬉しさは忘れようもない。

実は、親に「帰りたい」という手紙を出して、検閲で捕まった同級生が何人かいたので、私はそれまで「沢山食べているから安心して下さい」という殊勝な手紙を親に出していた。しかし、ついに我慢できなくなり、本音を書いた手紙をこっそり出したのだが、運よく検閲を免れ、親はびっくりして迎えに来てくれたという次第。飯能へ帰る途中、郡山市が丸焼けになっていた。その光景は、今でも目に焼きついている。

しかし、飯能でも、夜中、空襲警報が鳴ると米櫃を抱えて郊外へ避難した。終戦直前のある晩、八王子方面の空が赤く燃えているのを横目に、私と反対側の田舎道を歩いていた父が、警察官に「何だ、君は」と言って殴られていた。あとで聞くと「こんな戦争、早く止めてしまえ」とつぶやいたからだという。

父よ　あなたは強かった
兜も焦がす炎熱を
敵の屍と共に寝て
泥水すすり草を噛み
荒れた山河を幾千里
よくこそ撃って下さった

当時流行した歌とは正反対の父だったが、当時、四〇歳過ぎで運よく兵役を免れた。一、二歳若ければ、敵の屍と共に亡くなっていただろう。

さて、玉音放送の二、三日前、ポツダム宣言を受諾し日本は降伏するそうだ、と父がある筋から聞いてきた。これで命は助かったか、とホッとしたのは、大日本帝国の少年として恥ずべきことだったのだろうか。それからが大変だったことは『日本のいちばん長い日』（半藤一利）に描かれているが、その時は知る由もなかった。

情報秘匿の末の洗脳と敗戦

やがて、八月一五日正午、昭和天皇の玉音放送が始まり、ラジオのある隣の家に集まった。襖一つ隣に間借りしていたある軍人の奥さんも一緒だった。「奥さん、どうぞお上がりになって」と勧められても、「いいえ」と言って、炎天下の庭に直立不動。私の母は畳に正座。その家の親父さんは、裸のまま胡坐、片手に団扇。三者三様だった。放送が終わるや、軍人婦人が「わっ」と泣き崩れた姿が目に焼きついている。もっとも、後で聞いたところでは、ラジオの雑音で玉音放送が良く聴き取れない、あるいは表現が難しくて理解できず「勝つまで頑張れ」と受け取った人も少なくなかったようだった。

それからしばらくは、連日、新聞に「〇〇方面の皇軍降伏」との記事が出るのを不思議な気持ちで眺めていた。「皇軍」に「降伏」ということがあるのか。「皇軍降伏」とは語義矛盾のように思えたのである。子供は洗脳されやすい。いや、玉音放送の録音盤を奪って、本土決戦に持ち込もうとした陸軍将校たちの洗脳のされ方はもっと恐ろしい。いずれにしても、情報が秘匿され、フェイクニュースが溢れた状況下での洗脳であった。ちなみに現在はどうか。真実が知らされない場合もあるだろうし、情報は溢れているようにみえて、実は自分が気に入った情報だけを選びとり、情報閉鎖空間に自ら閉じこもっている劣化傾向もあるように思える。

それはさておき、一九四五年九月、飯能小学校で新学期が始まった。ある先生が、「必ず、仇を討とう」と訴えていたのが印象に残っているが、これはその時のみ。その後、教育方針は一八〇度転換し、民主主義教育が始まった。しばらくして、学童疎開の後遺症による栄養失調で、「青白く痩せている」とからかわれた。私は飯能小学校を休学することとなり、一九四六年（昭和二一年）春、川越の小学校に転校した。その頃、習字の時間に最も多かった標語は「男女同権」だった。男女同権は、その頃の理念の一つだった。日本の男女平等を示す度合いは、先進国中いまだに下位に低迷している。こうした現状を見ると、理念を現実化することの難しさを改めて思い知らされる。

一九四六年(昭和二一年)の暮れに東京へ戻り、青南小学校に転向した。川越から原宿駅に着いて見渡した時の、あたり一面焼け野原の風景は忘れ難い。終戦の年の五月、表参道は、死体の山だったという。今でも、青山通りと表参道の交差点にある石の灯籠には血痕が残っている。二〇〇七年(平成一九年)、港区政六〇周年にあたり、戦争で亡くなった人々への慰霊碑がここに建てられた。

「頑張らなくてもよい、劣等は劣等で良いのだ」——戦後、一八〇度転換

一九四七年(昭和二二年)四月、私は新制中学第一期生として、青山中学に入学した。やがて、新憲法も発布され、「敵が攻めてきても、抵抗しないのだ」という絶対平和主義が唱えられるようになっ

た。それはないだろうと思ったが、こんな立派な憲法は他にないと教えられた。また、戦争中は、もっぱら軍歌を歌っていたが、戦後は、「青い山脈」や岡晴夫の「憧れのハワイ航路」「青春のパラダイス」などの明るい歌が、「湯の町エレジー」のような哀歌とともに流行した。

戦時中、「いざ来いニミッツ、マッカーサー。出てくりゃ、地獄へ逆落とし……」と勇ましく歌っていた大和魂はどこへやら。マッカーサー元帥が、対中国戦略で、占領軍トップの座を免職になった直後は「マッカーサー神社を作ろう」という話もあったくらいだった。米国へ帰国後、元帥が「日本人の精神年齢は一二歳だ」と言っている、との噂が聞こえてきて、神社建設の件は沙汰止みとなった。一二歳と言われるのもむべなるかな。

敗戦によるコンプレックスを抱えていた私は、国語の作文で「日本民族は劣等か」という作文を書いた。いろいろとない知恵を絞り、いくつも例を挙げながら、「劣等ではない」と結論づけて提出した。ところが年配の先生から、「そんなに頑張らなくてもよい、劣等は劣等で良いのだ」とコメントされた。なるほどとも受け止めたが、小学生時代、天照大神・万世一系の天皇をいただく日本は、世界に類のない素晴らしい国だ、と教え込まれた身になってみれば、思い惑うのも無理はなかった。

遠く振り返れば、七世紀、唐・新羅連合軍との白村江の戦いに惨敗し、国力を結集すべく、『古事記』『日本書紀』で正統化され、冒頭に述べた『神皇正統記』等を経て、江戸時代に国学や水戸学で構築された万世一系の理念は、明治維新の尊王・倒幕で大きな役割を果たした。しかし、勢いあまった。つまりは歴史的慣性の法則が効きすぎて、無謀な太平洋戦争に突入する一因ともなったのであろう。日々振り返る中で、現実と感情、憂国の心や意地と欲などが理念を創り、その理念が現実を動かす相関関係について、自分なりに整理したいと考えている。

日比谷高校の自由

一九五〇年（昭和二五年）、青山中学を卒業し、日比谷高校へ進学した。自宅が近かったので入ったのだが、旧制中学の頃は、府立一中、続いて、都立一中と呼ばれた名門校だった。明治一一年（一八七八年）創立。その頃は、東京には中学は一つしかなかったから、夏目漱石をはじめ多くの著名人を輩出している。漱石よりだいぶ後になるが、後述する「近代の超克座談会」の出席者の一人、小林秀雄（一九〇二－八三年）や河上徹太郎（一九〇二－八〇年）も府立一中卒で、私が在学中、河上徹太郎は、日比谷高校の講堂でピアノを弾いていたのを覚えている。

戦後、新制高校になって学区制になったから、半数近くの生徒は寄留組（仮住まい）だった。毎年、東京大学に百数十名が合格していた。一中、一高、東大、大蔵省が最高の出世コース、一番偉いのは、大蔵省（現・財務省）のお役人の奥さん、などと冗談を言っていた。

同級生には、のちに、著名な評論家となる江藤淳氏（本名、江頭淳夫）がいた。江藤氏が歴史の時間に、いきなり立ち上がり、一〇分ほど、フランス語の作文を読み上げたのには驚いた。先生も先生で、有名なソプラノ歌手を姉に持つ大谷先生は、遮ることなく喋らせていた。そのような気風の高校だった。

江藤氏とは不思議な縁があった。高校時代は、とても近寄れないと思っていたが、のちに、二人が東京工業大学助教授（現在の準教授）になったのが、同じ年一九七一年（昭和四六年）四月だった。江藤氏は、在野の著名人だったが、東工大の教養部に招かれ、私は山梨大学から転職した。そのタイミングがたまたま一緒だったのだ。江藤氏の就任は、新聞で大きく扱われていた。

その後（一九九一年）、私は東工大の将来計画委員長を務めることになり、江藤氏も教養分野の将来計画を担われ、飲み会でも議論を重ねた。江藤氏は東工大の定年三年前に母校の慶應義塾大学教授に就任されたが、最後の教授会で「春弥生　弟子とても無き　別れかな」と詠まれたのが印象に残っている。

日比谷高校に話を戻そう。先生たちは、「小説を読むのは今だ。受験勉強なんかするな」と口癖のように説いていた。そのためか、一年浪人してから東大に進学する生徒が多かった。入学直後の国語の時間に、先生から「これまでどんな小説を読んだか」と質問され、私は、徳富蘆花の『思出の記』と答えた。続く同級生たちは、恰好よく、ロシア文学者の代表作等を次々に挙げていた。

私は小説よりも、厨川白村《くりやがわはくそん》の『近代文学十講』を面白く読んでいた。東工大の入学試験で、国語の問題に、芥川龍之介などの日本の作家一〇名とアナトール・フランスなどの海外の作家一〇名が、左右に列挙され、関係の深い二人を結びつける問題が出た。ホイきたとばかりに一〇本の線を直ぐに結びつけた。入学してから、比較文学専門の教授がおられることが分かった。そうか、入学試験も、どのような教授がいるか確認してから戦略を立てることが大事だな、とその時に痛感した。

講義では、化学が苦手で、クラスで最低点を取ったこともあったが、日本史や世界史では学年で最高点をとったりもした。歴史は無理に暗記しなくても頭に入っていったが、化学記号はそうはいかなかった。それで、なぜ東工大へ？　ということになるが、数学は好きだったし、失業を経験した父親が、「専門を持っておけ」と理工系を強く進めたことも大きかった。自分はフランス文学にはまっていながら、私が『芥川龍之介全集』などを読んでいると、「そんな時間があったら、物理・化学の本を読め」などと口うるさく言っていた。

のちに四〇代後半になって、整数論を基盤とする現代暗号の研究を始めることになるが、古典暗号は歴史を裏で動かしてきたという意味では文系的である。また、サイバーセキュリティは、暗号技術をはじめ、プライバシー・個人情報保護、情報倫理や経営・管理を含めた総合科学である。結果的に、文理両面に興味を抱く自分に適した道を選んだと今では思っている。高校を卒業したのは、一九五三年（昭和二八年）、「もはや戦後ではない」と意識され始めたころであった。

教養課程から電子工学へ――著名な学者に囲まれた東工大時代

一九五四年（昭和二九年）、東京工業大学に入学した。初めの一年間の教養課程では、宮城音弥（心理学）、鶴見俊輔（思想）、伊藤整（文学）等、著名な学者から講義を受けた。先にも触れた伊藤整教授は、『チャタレイ夫人の恋人』の翻訳や数々のベストセラーで有名だった。また、ノーベル文学賞の候補だったそうである。のちに、政府系のある委員会で、たまたまご子息とご一緒したが、「親父は真面目な人だった」と言っておられた。人のつながりとは面白いものである。

鶴見俊輔先生からは、二学期連続で講義を受け、前期の試験は六〇点、後期は一〇〇点だったと記憶している。前期は、誰かの論説をコピーしてレポートとし、後期は、拙いながら自分の考えをまとめた。よく見られているな、と感心した。ご承知のように、鶴見俊輔は日米開戦前、ハーバード大学に留学し、開戦後、敵国人として米国の治安当局に身柄を拘束された。そこで、便器の蓋を机にして、卒業論文を完成させ、大学はそれを審査し、学位を与えられた。日本の大学では考えられないことだが、鶴見先生の凄さを今さらながら痛感させられる。そんな偉い先生にコピー&ペーストのレポート提出とは情けないことをしたものである。

美術論のある非常勤講師は、「弟は、土木工学の専門家だが、私の家に来て、レオナルド・ダビンチの絵を見て、ダビンチは絵も描くのか、と感心していた。君たちは、そんな風になっては駄目だ」と話していたことをよく覚えている。専門バカではいけないと教育されたのである。

こうしたことから、文系を広く学べるのも決して悪くないが、この程度なら岩波新書を読めば良いのだから、理工系の主専攻と合わせて文系から一つの分野を集中的に選ぶ副専攻という制度があったら良かったのに、と思った。

一九九一年（平成三年）に、東工大の将来計画委員長を務めた際、そのような副専攻制度はどうかと提案した。しかし、それより電気工学を主専攻、化学工学を副専攻という方が良い、という意見が多かった。東北大学卒で、島津製作所で研究した田中耕一博士や、東工大で研究した白川英樹博士が、大学時代の主専攻と隣合わせの分野でノーベル賞を受賞された例を見るとたしかにそれも良いかも知れない。他方、サイバーセキュリティや、地球環境などの総合科学的分野となると、私の案が良いであろう。学生の適性に合わせて、選択できるようにするのが望ましいのではないか。

なお、慶應義塾大学では、「新しいタイプの理系博士人材育成のための文理融合型大学院教育の先駆的取り組み」として、五年間で文系と理系の二つの修士号と一つの博士号取得などの制度を設けられたようである。我が意を得たりと感じている。

さて、私はというと数学を最も使えそうな電気系を選んだ。電気系はさらに、強電（電力）と弱電（エレクトロニクス）に分かれている。私は、弱電系を選んだ。川上正光教授（のちに東工大学長・文化功労者）から回路網構成論の講義を受け、その美しい構成論に感激していたのだ。

アナログからデジタルへ——第一希望はNEC伝送工業部

一九五八年（昭和三三年）三月、東工大を卒業し、NECに入社した。大学院は設置されていたが、いまだ大学院修士課程へ進学する学生はほとんどいない時代だった。一九六〇年（昭和三五年）、安保騒動で岸内閣が倒れ、池田内閣による所得倍増計画が始まった。NECの新入社員数は、一九五六年（昭和三一年）は理工系六名だったが、翌年から急増し、一九五八年は文系一三名、理工系七六名だった。半導体、コンピュータが話題の時期だった。

入社式の日の面接で、希望する部門を聞かれた際、「伝送工業部です」と答えたら、小林宏治常務

（のちに社長。ＮＥＣ中興の祖と称された）が、「よし」とばかり笑顔で受け止めてくれた。新入社員の多くが、その頃、立ち上がってきた半導体、コンピュータ系を希望した中で、伝送希望者は珍しかったのだろう。

この頃のＮＴＴは電電公社と呼ばれ、電電公社総裁は郵政大臣（現在の総務大臣）と同格であった。その下で、ＮＥＣの伝送工業部は、富士通と共に、日本の伝送路の製造を支えていた。伝送工業部には、回路網構成論で優れた論文を学会誌に掲載した渡部和氏がおられたので、その下で回路網構成の開発をやりたく、伝送工業部を、いやＮＥＣを希望したのだった。しかし、不運なことに、「回路網構成は、人が足りている」ということで、同軸ケーブル用の増幅器の開発を五年ほど担当した。その後、日本で初めてのデジタル伝送方式（ＰＣＭ［Pulse Code Modulation］）の開発に参加した。

ＮＥＣには、一九五八年から一九六五年まで、七年間勤務したが、初めの五年間はアナログ技術、後半二年間はデジタル技術だった。現在、「デジタル、デジタル」と毎日聞かされるが、アナログからデジタルへの変換は、そのころからすでに始まっていたのである。デジタル化によって、大量生産型工業社会から情報化の時代へと大きく舵がきられた。経済構造も変貌した。日本は、平成の三〇年の間、その波にのり遅れ、中間所得者層が減っていった。格差社会が到来したのだ。今振り変えれば、その前兆はＮＥＣ時代の製造現場にあった。アナログ製品は、多数の工業高校卒の社員が、一台ごとに、共振周波数を合わせるような調整をして製品に仕上げなければならない。我々が開発したばかりの中継器をそのまま製品として電電公社に納入することもあった。製造現場の係長が、不器用な私が半田ゴテで汚した納入品を見て、「これを電電に納めるのか。NECも地に墜ちたものだねぇ」と嘆いていた。そのときはさすがに情けない気持ちになった。デジタル信号処理技術による製品は、規格を満たす製品が人手を介さず一律に生産されるから、生産効率は飛躍的に改善される。

同軸ケーブルによるアナログ伝送路には、負帰還増幅器が利用されるが、その設計には、高度な理論が必要である。しかし、ゆっくりと勉強している時間はない。上司から、『回路網と饋還の理論』（H・W・ボーデ著、喜安善市訳）を、「昼ご飯のオカズと思って、休み時間に勉強しろ」と言われた。魅力のある理論だった。この本のおかげで昼飯が不味くはなかったのは、懐かしい思い出である。

特許の出願

さて、同軸ケーブル伝送方式の開発が一段落した一九六三年（昭和三八年）頃、KDD（現在のKDDI）研究所から白黒テレビジョン信号の世界初のデジタル化を依頼され、半年ほど、その開発に携わった。

当時のテレビジョン信号の最高周波数は四・三メガヘルツであり、標本化周波数は、その二倍以上、余裕を見て一〇メガヘルツが、切りが良く自然であった。だが、当時のトランジスタでは、一〇メガヘルツの処理はできなかったので、エサキダイオードを用いざるを得なかった。湯川秀樹氏、朝永振一郎氏に次ぐ日本で三人目のノーベル物理学賞受賞者、江崎玲於奈氏の発明によるダイオードである。しかし、一方向増幅ができるトランジスタと違って、二極構造のダイオードは、両方向であり、不器用な私は実装に苦労した。

その苦労の最中に、私はふと考えた。今は白黒テレビだが、将来カラーテレビ時代がきたらどうなるか。当時、日本はアメリカと同じく、NTSCというカラーテレビ方式を採用していた。NTSC方式は、三・五八メガヘルツの正弦波を垂直同期信号に乗せる方式である。カラーテレビに対しても、標本化周波数を一〇メガヘルツにすると、三・五八メガヘルツの三倍、すなわち、一〇・七四メガヘルツと一〇メガヘルツの変調積で、テレビ画面に縞模様の雑音が出るのではないかと考えられる。そこで、一〇・七四メガヘルツを標本化周波数にするのが良いと思い、私は上役の松島孝夫氏に、「こういうのは特許になりませんかね?」と問うたところ「君、そういうのが特許なのだよ」と喜んでくれた。

二倍では標本化定理にもとるし（元の映像が再現できないし）、四倍ではもったいない（標本化定理とは、アナログ信号をデジタル信号へと変換するときに、どれくらいの間隔でサンプリングすれば良いかを定量的に示した定理のことである）。二・九九倍や三・一倍などでは、標本化にならないから、三倍しかないわけである。そこで、松島・辻井で特許出願した。ヨーロッパのカラーテレビは、異なる方式なので関係ないが、日本は米国と同じNTSC方式だったので、米国へ出願しておけば、NECは大きな利益を上げられたのだが、惜しいことをした。米国に特許料を払わずに済んだということで満足しておこう。

カラーテレビが実用化になると、通信企業各社も、当然、右記の方式に気づいた。しかし時すでに遅し、「何だ。特許になっていたのか」と嘆いたそうである。私は、特許が通る前にNECを退社し、山梨大学に移っていたので、その後のことは知らなかったのである。特許出願のご褒美は一〇〇〇円、通れば一万円という社内規則だったので、一〇〇〇円をありがたくいただいて辞めたのだが、それから一〇年くらい経って、関東地方発明表彰をいただくことになった。

さらに、それから、何十年か経って、山梨大の辻井研究室出身で、NECの放送事業部で部長クラスになっていたS君が「今日、放送事業部があるのは、あの松島特許のお陰だ」というので驚いた。あの頃は、論文でも、特許でも、誰のアイデアかに関係なく、上役の名前が筆頭になるので、通称「松島特許」と呼ばれていたのである。

私は、出来が悪い社員で、松島氏にもいろいろご迷惑をかけたので、恩返しができて良かったと思っている。もっとも特許取得からだいぶ経って、ある理由から、標本化周波数は、三・五八メガヘルツの三倍ではなく四倍が使われるようになったとのことであるが、その辺のいきさつは分からない。

二〇一四年（平成二六年）、私は、NECの財団が出しているC&C賞をいただいた。それは、「情報セキュリティ総合科学への寄与」によるもので、カラーテレビ特許とも、かつてNECに勤務していたこととも無関係だったが、内心では、「NECにも、多少は貢献しておいて、良かったな」という勝手な感慨を抱いたものである。

その後私は、伝送路のデジタル伝送方式の開発に参加した。その当時の電話加入者は、加入者ケーブル当たり、周波数分割のアナログ変調方式で三チャンネルしか送れなかった。しかし、時分割の符号変調方式（PCM［Pulse Code Modulation］）によって、二四チャンネルに増やす、という電電公社（当時）の企画によるPCM二四チャンネル方式の開発にたずさわった。アメリカに遅れること二年、ヨーロッパ諸国より早く実用化することができた。

理念と現実の相克のきっかけ

NECの勤めは、なかなか忙しく、朝八時開始。土曜日も夕方まで勤務。自宅は、現在と同じ、地下鉄銀座線、表参道（当時、駅名は明治神宮前）だった。今は、ごった返しているが、当時は朝七時頃、駅に行くと、ホームには五、六人。よく同僚の佐々木元氏（のちにNEC会長・経団連副会長）と一緒になった。武蔵小杉駅で下車し、玉川工場まで一五分くらい。佐々木氏は、背が高く、足が速い。追いつくのが大変だった。

また、二〇二〇年（令和二年）一〇月二三日、「日本経済新聞」夕刊の追想録に「経営・技術つないだ国際派」と大きく出ていたNEC元社長の金子尚志氏は、私と同じ年だった。電子情報通信学会でも活躍され、のちに、私の次に会長に就任された。二〇二〇年、惜しくも亡くなられた。

残業時間は、毎月一〇〇時間近く（土曜日は、通常勤務で勘定に入らない）、多い月は一五〇時間。体重は五〇キロを割った。五〇キロに戻ると、「君、また、残業できるね」と言われたりもした。しかし、今振り返っても暗い気持ちにならないのは、好きな分野の仕事だったことと合わせて、日本が戦後復興の上り坂だったこともあるのだろう。

だが、より学術的な研究をしたいという気持ちは強かった。電電公社に納める図面にアースを書き忘れ、訂正に行くと一時間ほど、公社の課長からお説教されたりもした。たまに図書室を覗くと、東大の博士課程の頃の伊理正夫先生が、フーリエ変換について書かれた論文に目が留まった。本書のテーマである、理念と現実の相克を考える一つのきっかけとなる、無限の過去、永劫の未来に関する理論である。その話は対話篇1で述べるとして、立派な研究にして、こんな優雅な青春もあるのだな、とも思った。

研究者の道へ――山梨大学へ

終電車で、数学書を読んだりしていたが、もう少し学術研究の時間が欲しかった。一九六四年（昭和三九年）、東京オリンピックが開催された年、山梨大学助教授に就任した。

一九五七年（昭和三二年）、ソ連がスプートニク一号による人工衛星打ち上げに成功し、焦ったアメリカが、多くの大学に電子工学科を設置し始めた。日本も後を追った。しかし、人材は多くない。私のようなたいした業績のない研究者が、助教授に採用される良き時代であった。

博士の学位も取っていなかったので、まず、NEC時代の経験をベースに波形伝送で論文をまとめた。山梨大学は武田神社（武田信玄が祭神）の近くにあり、富士通から移った同僚の森英雄講師と散歩しながら議論を楽しんだ。森氏は、胃のレントゲン写真のパターン認識の研究を始めていた。その後、盲導犬ロボットの研究をはじめ、今でも続けておられるようだ。最近「AI、AI」と毎日話題になっているが、一九六〇年代からのテーマだったのである。

時代は、一九六〇年（昭和三五年）に岸信介総理が辞め安保騒動が終わりを告げ、池田勇人内閣による所得倍増政策へと舵が切られた効果が出はじめ、経済は成長していた。池田総理（当時）は、戦時中、大蔵省（当時）の課長として軍事予算を担当していた。戦後、それを反省し、経済で国民を豊かにしたいと考えたそうである。明治以来、政府は富国強兵を大きな理念とし、富国よりも強兵に重きを置いたが、逆にすべきだったということだろう。

一九六七年（昭和四二年）、明治一〇〇年の年の「朝日新聞」に、フランス文学の大御所で私の父と京都府立一中の同級生だった桑原武夫氏の一文が掲載されているそうである。竹田篤司『明治人の教養』（文春新書）から引用する。

日本はイギリス、フランスより先進国になりつつあるのではないか（……）、もはや近代化は西洋化でない。

象徴的に見よう。パリにはオートマチック・ドアはおそらく三つほどしかない。日本にはパチンコ屋にまである。

これには驚いた。竹田氏は、遠慮したのだろうか、「これでよいのかと思うくらいに明快である」とコメントしている。当時の人々にとっては、心地良かったのかも知れないが、論壇の重鎮であり、世論を先導すべき文化人が、こんなことで良かったのか。桑原氏は、戦後、有名な俳句第二芸術論をぶったり、「日本語をローマ字に変えよ」と主張していたようでもある。極論を言う癖があったので、割り引いて受け止めるべきかもしれない。また、池田総理（当時）の訪問を受けたフランス大統領が、その後の記者会見で「日本のトランジスタ製造会社の社長から話を聞いているようだった」と皮肉っていたのを記憶している。日本の半導体産業が活発化した時期でもあった。

私が本書で訴えたいのは、「現実を深く広く長く洞察して理念を構築すること」の重要性であるが、ドアの自動化率が近代化の現実指標というのでは困ったものである。

公開鍵暗号から情報セキュリティの総合科学へ——東工大へ

さて、山梨大時代は私にとっての青春であったが、一九七〇年（昭和四五年）、川上正光先生と岸源也先生から声がかかり、一九七一年四月に東工大へ教える側として戻ることになった。その頃から、デジタル信号処理が始まった。それまでは、コイル、コンデンサー、抵抗とトランジスタを組み合わせたアナログ信号処理の時代だった。一九六〇年頃NECに勤めていた時代、工業高校卒の技術者がずらりと並んで、コイルを微調整していたのによく立ち会ったことは先に述べた。アナログ処理を多くの人手が支えていたのだ。その後、信号処理のデジタル化技術は、電子回路の生産性を革新的に向上させる技術だったのだ。

NECの金子研究員（先述のようにのちの社長）から、現在の電子情報通信学会誌に、デジタル信号処理の国際的研究動向を解説論文として掲載して欲しいと依頼され、その当時助手だった鎌田一雄氏と七〇編ほどの海外論文を整理したのがきっかけとなって、しばらくデジタル信号処理の研究を続けた。しかし、アナログ回路網理論と違い理論的魅力は余り感じなかった。

その後、私は一九七七年から七八年にかけて、イギリスへ在外研究に出かけた。学会活動としての暗号研究は、一九八〇年代の初め、盟友の笠原正雄氏（当時、大阪大学助教授、現在、京都工芸繊維大学名誉教授）らが興した情報理論研究会で、続いて今井秀樹氏（当時、横浜国立大学教授、現在、東京大学名誉教授）らが設立した電子情報通信学会、情報セキュリティ研究会（ＩＳＥＣ）で始まった。

現在、連日メディアを賑わしている量子コンピュータや量子暗号について言えば、耐量子暗号の一つ、多変数公開鍵暗号（ＭＰＫＣ［Multi-variable Public Key Crypto-system］）は、松本・今井暗号（ＭＩ暗号）が一九八三年、続いて一九八五年、私が回路解析からヒントを得て順序解法型ＭＰＫＣを提案した（多変数公開鍵暗号は、耐量子コンピュータ公開鍵暗号の一つであり、一九八〇年代に研究していたのは、日本の今井研究室と辻井研究室のみであった）。

研究室からは、二人の逸材を出すことができた。黒澤馨氏と趙晋輝《ちょうしんき》氏である。黒澤氏は、東工大での卒業研究はデバイス系だったのだが、大学院修士課程から辻井研究室に移った。ちょうどその年、私は、在外研究でイギリスへ渡ったが、ネットワーク理論をテーマに、手紙（この時はまだインターネットはなかった）で議論を進めて論文にまとめ、電子情報通信学会の論文賞を受けることができた。その後、黒澤氏を暗号研究に誘ったのは大成功だった。暗号理論構築、標準暗号の提案などに、大きな成果を挙げ、米国の評価機関が選ぶ国際的暗号研究者として日本から三人選ばれている中の一人になっている。現在は茨城大学名誉教授である。六〇代後半ではあるが、茨城大を定年退職し、現在も我々と毎週ゼミを楽しんでいる。

趙晋輝氏は、一九八〇年代に中国から辻井研究室に留学生としてやってきた。適応的デジタル信号処理でいくつも業績をあげ、電子情報通信学会の論文賞を二度受賞して博士課程を修了した。中国へ帰国する予定だったが、一九八九年、あの天安門事件が起き、「中国へ帰っても、研究はできそうもない」ということで、東工大の助手を務めてもらうことにした。数学が得意だったので、ちょうどそのころ提案された、楕円曲線暗号をやったらどうかと勧めたのだが、彼はその分野で優れた国際的成果をあげた。中央大学数学科の、フェルマー予想などで著名な教授たちとも議論を重ね、「そんな数学の最先端理論が実用になるのか」と驚かれるような成果をあげたのである。

趙氏は十数年前から、楕円曲線暗号と合わせて、視覚認証や新たな数学的基盤によるAIの表情認識の分野でも目覚ましい活動を展開している。

さて、コンピュータ化が大きく進展した一九八〇年代当時、暗号は情報を守るための技術としてモテモテだった。

しかし、私は、「暗号だけで情報セキュリティが保証されるわけではない」と考え、一九九三年(平成五年)、保険までを含む情報セキュリティ総合科学構築の必要性を、映像情報メディア学会(当時、テレビジョン学会)の招待論文として掲載した。それ以来、「情報セキュリティ総合科学」は、私の研究テーマの一つとなっており、また二〇〇四年（平成一六年）、情報セキュリティ大学院大学（IISEC）の初代学長に就任した際に掲げた設立理念ともなった。

研究と共に、学内では、大学の将来計画、学外では、電子情報通信学会の運営や郵政省の委員会などで、夕食を自宅で摂ることはほとんどなかった。東工大の将来計画委員会では、末松安晴学長（当時）の下で、先に述べたように、江藤淳教授（当時）らと共に、計画を練った。のちに、ある元東工大教授が出版した本に、東工大改革についても書かれていたが「歴史とは（と言っても小さな歴史だが）後者の歴史（のちの世の者が書いた歴史＝物語）」なのだな、と感じさせられた。

ついでに話を広げれば、よく歴史作家などが歴史学者から、「一次資料にないことを推測で言うな」と苦言を呈される場面を見受ける。しかし、一次資料も必ずしも当てにならず、一次資料と総合的な流れを合わせて振り返ることの必要性を素人なりに、つくづく考えさせられる。

文理両分野にわたる研究——中央大学研究開発機構を設立

当時、東工大は六〇歳で定年であった。一九九四年（平成六年）四月、私は折良く設立されたばかりの中央大学理工学部情報工学科へ教授として呼ばれ、勤めることとなった。その前年、東工大で辻井研究室の助手を務めていた、趙晋輝氏が中央大学の電気電子工学科に在籍していたので、いろいろ協力してもらい研究室を立ち上げた。

東工大では、卒業研究学生は毎年四名くらいだったが、中央大学では一〇名以上を指導することになり、テーマを広げ賑やかに議論した。

一九九七年（平成九年）、中央大学では「研究開発機構」と称する組織を設置し、私が初代機構長に就いた。文理両分野にわたり公的機関や産業界から資金を導入してもらった。この組織は、文理両分野にわたって研究開発活動を展開し、二〇一九年（平成三一年）には二〇周年を迎えた。

七〇歳で、定年退職する一年あまり前、私が研究代表者となって応募した文部科学省のCOE（Center Of Excellence）に辛勝した。このプロジェクトも研究開発機構で実施することとなり、退職後も研究代表者を続けている。同プロジェクトで、五年の期限付きで採択したポスドク研究者たちは、COE終了後も、定職はなく、三年刻みで、大型プロジェクトの申請に奔走した。その間、やる気のあるシニア研究者が集まりだし、第3章に述べるように光輝会（後期高齢者の会）の発足にも繋がっていった。

昭和の天皇、平成の天皇

若い頃、「明治は遠くなりにけり」とよく耳にした。昭和もすでに遠くなり、平成生まれの人たちが活躍する時代となった。私は、一九三三年（昭和八年）に、畏れ多くも明仁上皇（平成の天皇）より三ヵ月早く生を受けた。天皇というと昭和天皇が目に浮かぶ。昭和天皇が亡くなられたとき、英国のあるメディアに「I am the happiest person in the world」という見出しが載ったが、冗談ではなく大変なご生涯だった。

一九三六年（昭和一一年）二月二六日、私はまだその時三歳だったこともあり知る由もなかったが、「昭和維新」を唱えた陸軍皇道派（青年将校を中心に組織され、昭和維新を目指した）の二・二六事件が勃発した。いまだ三〇代だった昭和天皇の「朕、自ら征伐せん」とのご決断はたいしたものだった。

しかし、テロとは怖いものだ。陸軍の皇道派に代わって、統制派（幕僚将校を中心に、軍の一元統制のもと国家改造を目指した）が覇権を握り、太平洋戦争へと突き進む結果となった。昭和天皇の戦争責任がよく問題になる。もちろん天皇に責任がないとは言えない。しかし、誰が天皇であったにせよ、戦争は止められなかったであろう。最近、公開された資料では、昭和天皇は亡くなるまで、戦争責任問題を悩んでおられたようだ。終戦直後の吉田茂内閣の頃、戦争責任について述べたいと望まれたのを、吉田茂首相が、政治上の都合でおさえたという経緯も明らかになった。それからだいぶ経って落ち着いた頃、テレビの公開番組で、昭和天皇は突然戦争責任について質問され、「そういう文学的な問題には言及できない」と答えておられたのは不思議である。悩みを率直に打ち明けられた方が良かったのではないだろうか。

昭和天皇の弟君、秩父宮は、陸軍大学卒、二・二六事件の首謀者の一人安藤大尉とも親しかったとのこと。もし秩父宮が天皇だったら？　これも歴史のIfになるが、つい想像してしまう。

終戦直後、一九四五年（昭和二〇年）九月二七日、昭和天皇がマッカーサー元帥に会いに行かれた。戦時中は「現人神」だった天皇が、こちらから挨拶に行かれるのかと釈然としなかった。私より、一歳年長の女優、岸惠子氏は、二〇二〇年五月四日掲載の「日本経済新聞」の「私の履歴書」に、こう記している。

敗戦を実感したのは、八月一五日の玉音放送ではなかった。九月二七日、赤坂の米大使館で昭和天皇がＧＨＱ（連合国軍総司令部）の最高司令官ダグラス・マッカーサーと対面した写真を見た時だった。ラフな開襟シャツのマッカーサーの隣で正装した天皇陛下は直立不動の姿勢だった。

しかし、出迎えた時のそっけない元帥の態度が、見送る時は「鞠躬如《きっきゅうじょ》として」に変わったそうである（鞠躬如とは、貴人に対して身をかがめる様子）。お付の人が、テレビで話していた時の表情から見て、嘘ではないと私は思った。天皇が、戦争責任は自分にあると言われたことに元帥が感動したようである。東京裁判で、昭和天皇が戦犯にならなかったのは、もちろんそのような甘い話ではなく、占領統治を穏やかに進めるためだったのだろうが。

私は、日本史上感謝したい人物が二人いる。一人は勝海舟、もう一人は昭和天皇である。勝が、薩長の武力倒幕派に負けてやらなければ、日本は内乱状態、今の日本はなかっただろう。そして昭和天皇と鈴木貫太郎元総理のペアがいなければ、一億玉砕ではなく、一億総崩れ、国土は、ロシア（ソ連）と英米によって分断。どうなっていたことか。

昭和天皇は、七世紀に始まり明治維新で利用された皇道理念の終着点で決着をつけられた。誠にご苦労様でしたと申し上げたい。

次に平成の天皇におかれては、真面目なお人柄だけに、昭和天皇の戦争責任問題を受け継がれ、また、「象徴天皇とは」という課題に悩まれたことと拝察する。真面目なお人柄を痛感したのは、日本国際賞の授賞式の際である。毎年、授賞式に、両陛下が招かれ、天皇は祝辞をお読みになる（二〇二〇年〔令和二年〕は、新型コロナの関係で中止）。私は、二〇一〇年（平成二二年）頃、数年間、審査委員を務めた関係で、長尾真元京都大学総長が受賞された際、宮中へご説明に伺い、平成の天皇に長尾氏の言語の機械翻訳の業績をご説明申し上げた。官庁や企業のトップは、式典などで配下の人間が書いた原稿を読み上げる場合が多い。だが、平成の天皇の場合は、私の説明をメモされ、ご自分で祝辞を書かれていた。そのことに少なからず驚いた。「えっ、長尾さんというのは、言語学者なのですか」などと質問されていた。同席された皇后陛下（当時）も朗らかに笑いながら相槌を打っておられた。

また、その何年か前、光通信システムを世界に先駆けて開発した末松安晴元東京工業大学学長が、同じく日本国際賞を受賞された際の晩餐会で、平成の天皇と末松氏が、会食中終始話し合っておられるのを離れた席から見ていた。私が後で「何を話しておられたのですか？」と尋ねたところ、「天皇から『どのようにして研究費を獲得したのか』と尋ねられた」とのことであった。

さらに、両陛下（当時）は、若手研究者に興味がおありとのことで、毎回、晩餐会の後に、若手研究者との懇親会も催されていた。当時若手の山田功東京工業大学教授（現在）を美智子皇后陛下（当時）に紹介した際、デジタル信号処理における雑音消去が話題になり「雑音と逆向きの音を発生して打ち消せば良いのじゃないですか」と言われたのには、アイデアの良い方だなと感心した（もちろん数十年前から、エコーキャンセラーという方式が利用されてはいたが）。

そのような両陛下だから、象徴天皇という明解でないお役目をどう果たすべきか、さぞ悩まれたことだろうと推察する。

古くは、五世紀の雄略天皇のように、自ら武力で全国制覇を目指した時代から、権力と権威を併せ持った時代、江戸時代のように将軍に権威として利用され、江戸の町人は天皇の存在すら知らず、また京都の商人は貧乏なお公家さんたち（現在の京都御苑に約二〇〇家）を「御っ所はん」と親しみを込めて呼んでいた時代、そして天皇イデオロギーを基盤として中央集権国家を作り上げた幕末から明治時代、勢い余ってアジアへ侵攻した昭和前期と、約一七〇〇年の間に天皇の位置付けも様々に変わってきた。現在の天皇制に対しては、終戦後の占領軍の関与があったにせよ、結果的に良かったのではないか、と思っている。駄目な王朝は取り換えてもOK、という中国の易姓革命の方が合理的とも言えるが、天皇制は日本の長い歴史的遺産として継続して欲しいと願っている。幕末の長州過激派のように、「玉（天皇）を奪った方が勝ちだ」というように、象徴システムが利用されることは、もうないだろうから。

本章の要点

●一九三三年に生まれ、戦争を経験してきた自らの幼年期を振り返りながら、太平洋戦争の前と後で一変していく「理念」について語った。

●戦前と戦中を支配した「皇国史観」とは何であったのか、そしてそうした「理念」の延命のために流され続けた「フェイク」(大本営発表)とはいったい何であったのか、その理不尽さなども含め語った。

●終戦を迎え、時勢が一八〇度転換していくなかで、消え難いコンプレックスを抱えつつも、日比谷高校そして東京工業大学で「自由」を謳歌しつつ大いに学んだ、その過程を辿った。

●「もはや戦後ではない」。そう言われ久しい時代をくぐり抜け、NECへ就職、そして研究者への道へと入っていく。そこで学び、経験した事柄、出逢った人々について触れながら、現在に繋がる暗号研究への端緒について語った。

第2章　戦時中の文化人・作家たちの現実認識を問う

ここで、あら探しをするわけではないが、戦時中、戦争を賛美した文化人たちを通して、理念と現実の相関関係について考えてみたい。私の意図は、戦時中の文化人たちの、結果的に時代に阿《おもね》ってしまったその人格や責任を非難することではない。そもそも私にはそのような資格はない。また、自国が侵略された場合の防衛戦争も悪である、といった絶対平和主義を唱えているわけでもない。世界情勢や日本対米英の国力差という現実を果たして見ていたのだろうか、という点にのみ焦点を絞り考えてみたい。

二〇一九年（令和元年）一二月八日の「朝日新聞」の「天声人語」によれば、武者小路実篤は、太平洋戦争が始まる一七年前に、日米戦争のうわさが出ていることを懸念し、「文藝春秋」に「日米が戦えば結果は明らかだ。米国も損をするだろうが、一番ばかを見るのは日本だ。日本の運命は今実に大事な時で、狂いかけているのを感じる」と載せていたそうである。しかし、それから一七年、開戦直後には様変わりし「僕は米英と戦争が始まった日は、昂然とした気持ちで往来を歩いた」と書いている。言論弾圧とそれに対してメディアが迎合する中で、有識者ですら、周囲の勇ましい声に押され、客観的思考力を失っていくようだ。

このような例は枚挙に暇《いとま》がないが、そのことを考える際、次の著作等が参考になる。


津上英輔『危険な「美学」』集英社インターナショナル新書、二〇一九年。

中島岳志『親鸞と日本主義』新潮選書、二〇一七年。

佐藤優『学生を戦地へ送るには——田辺元「悪魔の京大講義」を読む』新潮社、二〇一七年。

菅原潤『京都学派』講談社現代新書、二〇一八年。

竹田篤司『物語「京都学派」』中公文庫、二〇一二年。

河上徹太郎・竹内好他『近代の超克』冨山房百科文庫、一九七九年。

佐伯啓思『西田幾多郎』新潮新書、二〇一四年。

永井均『西田幾多郎』角川ソフィア文庫、二〇一八年。

『ドナルド・キーン著作集　第五巻——日本人の戦争』新潮社、二〇一二年。

大橋良介『京都学派と日本海軍』PHP新書、二〇〇一年。

加藤陽子『戦争まで』朝日出版社、二〇一六年。

納富信留『プラトンとの哲学』岩波新書、二〇一五年。


しかし、これらの著書には、文化人たちの現実認識不足についてはほとんど記されていない。それはいったいなぜなのだろうか。

戦中・戦後に親しんだ文化人たち

①高村光太郎（一八八三－一九五六年）の場合

「プロローグ」にも述べた高村光太郎の詩を改めて思い出す。

汝、ニッコリとして天涯を押し開き、仁王立ちとなって僚機に別れを告げ、天皇陛下万歳を奉唱、
機は忽ち空中分解を起こしぬ。
敵高射砲弾は汝が機の胴体を貫きつ。
若き血潮に大空を彩りぬ。

この句は、津上英輔氏の著書には載っていない。

『ドナルド・キーン著作集　第五巻』には、高村の左記の詩が載せられている。

記憶せよ、十二月八日。
この日世界の歴史あらたまる。
アングロ　サクソンの主権、

この日東亜の陸と海とに否定さる。
否定するものは彼等のジャパン、
渺《べう》たる東海の国にして
また神の国たる日本なり。
そを治《しろ》しめたまふ明津御神《あきつみかみ》なり。

（「十二月八日」より）

津上氏によれば、こうある。

一九四二年「必死の時」という戦争賛美の詩を発表した。（……）磨き抜かれた文語体の詩で綴っている。（……）結果的に彼ら〔兵士たち〕を死にいざなった。戦後光太郎はそれを反省し、岩手県花巻郊外の山中で自己懲罰の七年を過ごすが、結局かつての過ちの原因が「美に生き」たことにあるという点に気づくことはなかった。

この詩がなくても、多くの若者が戦死しただろうが、美しい詩に励まされたことは確かだろう。戦時中、よく耳にした「生きて虜囚の辱めを受けず」は島崎藤村作とも伝えられているが、文才がこのような効果をもたらすことは否めない。藤村は、戦時中に亡くなったし、光太郎は反省したが、反省しなかった文化人も少なくなかったようだ。過ちの原因が「美に生きた」ことにもあるだろうが、その前に、現実への認識不足があったことについては、津上英輔氏は書いていない。

私は、過ちの原因は、『美に生きた』ことと『現実認識不足』にあるという点に気づくことはなかった」ことにあったのだと思う。

②吉川英治（一八九二－一九六二年）の場合

私は、中学生の頃、『宮本武蔵』『太閤記』『三国志』などの吉川英治の作品を夢中になって読んでいた。しかし、『宮本武蔵』は、戦後になって大幅に書き換えられたそうである。以下、中島岳志『親鸞と日本主義』を引用する。

吉川の描く武蔵は、「皇国の志士」だった。そこに表現されたのは神国日本の「天皇崇拝」に他ならなかった。武蔵の求道精神は、日本主義のイデオロギーへと吸い寄せられていった。（……）「大東亜戦争」が勃発すると、吉川は文学者の先頭に立ち、戦争の大義を訴えた。（……）彼は日本の勝利と正義を疑わなかった。（……）終戦の日、吉川は声をあげて泣いた。（……）戦後、しばらくの間、吉川は沈黙する。（……）そして、戦前の皇国的イデオロギーから脱却し、戦後民主主義的価値観へと適応していった。『宮本武蔵』は大幅な改訂がなされ、日本主義的側面は脱色された。吉川は武蔵が至った究極の哲理である「無刀」に、戦争放棄の精神を見出し、戦後の価値観の中に武蔵を定置した。

そうだったのか。これには驚いた。価値観とはそのように器用に変えられるものなのか。論理性より情緒性が強い日本人の平均的性向だろうか。こういった性向の国民が多いのだとしたら、理念と現実をどうやって折り合いをつけていくのかという課題は、いよいよむつかしいものとなるだろう。

③亀井勝一郎（一九〇七－六六年）の場合

父親と同年配の亀井勝一郎が、戦後のラジオ放送で、民主主義などについて分かりやすく説いていたのを、中学生だった私は良く覚えている。しかし、終戦までの亀井勝一郎については、何も知らなかった私は、『親鸞と日本主義』を読んで、またしても驚いた。詳しくは、同書を読んでいただくとして、亀井の生い立ち・経歴を、まずはこの本から要約したい。

亀井は、函館の裕福な家に生まれ、中学生（旧制）になって、富める者の罪を痛感した。そしてマルクス主義に走り、一九二八年（昭和三年）、治安維持法により、亀井は検挙・投獄された。その後、出獄し、一九三五年（昭和一〇年）、保田與重郎らとともに『日本浪曼派』を創刊し、徐々に日本主義に傾き、マルクス主義から離れていった。

一九三七年（昭和一二年）、初めて訪れた奈良の街に感動した亀井は、急速に仏教思想にのめり込み、新たな思想の境地を拓いていった。そして、純粋な仏教精神を日中戦争で戦う兵士たちの内に見出した。「敵の殺戮は、単に命を奪う行為ではない。『敵の内面にある敵を殺す』行為であって、それによって敵が覚醒されることを待つことが、兵士の使命である。殺戮は無慈悲なのではなく、慈悲の表れなのである」。

二〇一六年（平成二八年）に起こった介護施設での凄惨な殺人事件を何やら連想させる勝手な理屈だ。自分が殺される立場となって考えたことがあるのだろうか。平和な時代に殺人に利用されれば刑務所行きだが、戦争中には戦意高揚の理屈として認められるから困ったものである。亀井も悩んだようだが、やがて親鸞と出会う。親鸞といえば、弟子の唯円が親鸞の教えをまとめた『歎異抄』が良く知られている。『歎異抄』は映画にもなり、また司馬遼太郎は「島流しにされて、一冊だけ本を持って行って良いと言われたら、『歎異抄』だ」と言っている。司馬の著作を多く読んでいるつもりの私は、それを聞いてはたして彼の本心であろうか？　と首を傾げている。私も『歎異抄』を枕元に置いてはいるが、よく読んではいない。親鸞は、一切の自力を否定して絶対他力を説いたとされている。絶望の中に光を見出すというマイナス思考なのか。

亀井の日記に『歎異抄』が登場するのは、一九四一年（昭和一六年）四月、真珠湾攻撃の八カ月前だった。そして、亀井は、親鸞についての思考を一冊にまとめ、終戦の前年、一九四四年（昭和一九年）に刊行し、戦後も読み継がれている。しかし、戦後になって刊行された『親鸞』には、戦時中の時局に対する亀井のメッセージが込められた、ハイライトの部分が大幅に削除されているそうである。再び、中島岳志氏の『親鸞と日本主義』を要約する。

亀井は、近代理性主義を「人間自力主義」と呼び、そのような、近代精神の中に、「自力の悲劇」を見出す。近代精神は、ヨーロッパの帝国主義となって現れた。では、この近代合理主義からどのように脱却すれば良いのか、人間自力主義をどのように克服すれば良いのか。亀井は、ここで、阿弥陀佛に「皇神」を、そして、弥陀の本願に、「天皇の大御心」に重ね合わせていく。すべてを大御心に任せることこそが、我が国の最高の叡知だった。かつての日本人は、近代理性主義への覚醒がないがゆえに、高貴な精神を持つことが出来た。そして、本居宣長の国学を親鸞と接続させる。

要するに、阿弥陀佛＝皇神・天照大神ということになるが、それはなぜか？　自力を捨て、つまり論理を捨て思考停止状態になって、一切を大御心に委ねるということなのだろう。本居宣長は、天照大神こそが、世界の創始者であるというように説いている。

また、「近代理性主義への覚醒がないがゆえに、高貴な精神を持つことが出来た」もいただけない。近代理性主義だけで、人生も社会も上手くいかないのは当然なことである。だからといって近代理性主義が必要でないわけではない。一般に、社会的課題は、一つの理念・スローガンを掲げただけでは、偏狭な社会になってしまう。そうせざるを得ない戦争状況下は別として、複数の理念をどのように止揚するか。これは、サイバーセキュリティを考えるうえでも大いに関わってくる。このことについては、本書の後半で改めて考えたい。

「大東亜戦争は、近代合理主義の悪弊に止めを刺す戦いである。近代を超克するための戦いである。『人間自力主義』を崩壊に導く戦いである。大東亜戦争の勝利によってこそ、新しい世界が切り開かれる」と説いた亀井は、敗戦によって一転し、「敗戦の自覚とは……罪の自覚でなければなるまい」として、親鸞を器用に利用し続けた。私の中学生時代、ラジオで聴かされた亀井の良い話にはそういう背景があったのか。それにしても、若い頃、金持ちの息子であることに悩んだ純粋さは、どこへ消えたのだろうか。

ここで、理念と現実について考える時、理念と宗教の関係という難題についても考えておかねばならない。宗教は、現在の日本国憲法が明記しているように、個人の内面に留めておくべきであり、国策的理念に利用すべきではない。だが、多層的な親鸞の思想は、政治にも利用されやすく、これが種々の問題をさらに大きくしてしまった一つの要因であった。

④伊藤整（一九〇五‐六九年）の場合

東工大の学生時代に教養課程で教えを受けた伊藤整先生を批判するのは気が引けるが、お許しいただこう。

ドナルド・キーン『日本人の戦争——作家の日記を読む』（文藝春秋）によれば、伊藤整は真珠湾攻撃成功のニュースを聞いて、次にように日記に記している。

大和民族が、地球の上では、もっともすぐれた民族であることを、自ら心底から確信するためには、いつか戦わなければならない戦いであった。

他にも、同じような感想を持った著名な文学者や作家が少なくない。「大和民族が、地球の上では、もっともすぐれた民族である」という信条は、本居宣長ら多くの識者に見られるが、その根拠とはいったい何なのか。知りたいものである。

後世の歴史の外野席から批判するのは誰でもできると言えばそれまでだ。しかし、たとえ平凡なサラリーマンであっても、経済と科学技術の知識をある程度持ってさえいれば、日米戦争が始まったその当初から、敗戦を予想することはそれほど難しいことではなかったはずだ。山本五十六は、「戦争を始める前に、アメリカへ行って煙突の数を数えてこい」と言ったそうだが、当時のいわゆる文化人たちは日米の経済力が一桁違うことや技術力の差をどう認識していたのだろうか。日露戦争までは、必ずしも総力戦ではなかったが、第一次世界大戦以降、大戦争が総力戦になっていくことに、日本の文化人たちは気がつけなかったのか。

これまで教養といえば、文学や哲学に偏っていたが、経済や科学技術を通して現実を広く見通す目を養うことも、特に世論をリードする人たちには求められる。著名な文化人たちは、本人が意識しているかどうかは別として、その発言は結果的に世論に大きな影響を与える立場にある。その社会的影響は大変に大きい。

こうした古い話を持ち出したのは、情報化の流れを読めない人々が現在も少なくないからである。国民にＩＤ番号を持たせようとすると、決まってプライバシー侵害論が出てくる。二〇〇三年（平成一五年）頃の住民基本台帳カードに関する議論の折もそうであった。それだけが要因ではないが、今や日本の行政電子化は欧米や韓国に大きく遅れをとってしまっている。

国民がＩＤ番号を持つことは、自己のプライバシーを守りつつ、年金、税金、介護、医療などの情報を知るための権利なのである。官民連携による健全なデジタル化を阻害することは、日本経済を停滞させ、国民を不幸にする。仮に自分の年金の状況を、自分だけのＩＤ番号で確認できる電子私書箱のようなものがあったとすれば、二〇〇七年（平成一九年）の「消えた年金」はおそらく起こらなかっただろう。

著名な文学者や評論家を、一工学者の私が批判するのはいかにも僭越の沙汰だと言われそうである。だが、物事は総合的、長期的、そして大局的に見る必要がある。それは一つの分野でいかに傑出した人間でも簡単に出来ることではない。著名人へのブランド信仰的な敬意は、禍《わざわい》の元と言うほかないのかもしれない。リーマンショック後の経済不況に当って、経済界の大物や著名な経済学者がいたく反省している姿を見て、その感を深くしているのは私だけではないだろう。同時代にあって正しいことであっても、歴史という長い時間の流れの中で見てみると評価が変わることは往々にしてある。私がこうして批判できているのも、時を経て、より高所から見ることができるおかげなのである。

世界的哲学者たちの現実認識とは？――京都学派について

日本を代表する独創的な哲学者、西田幾多郎とそのグループ、田辺元、および四天王すなわち四人の高弟（鈴木成高、高山岩男、高坂正顕、西谷啓治）が、なぜ戦争協力へ傾いたとされてしまったのだろうか。

四高弟たちは、私の父親世代である。高坂正顕の子息、高坂正堯氏は私より一歳年下で、国際政治学者として著名だった（惜しまれつつも一九九六年［平成八年］に亡くなった）。英国サッチャー首相が来日した際は、テレビで対談していたのを覚えている。

高山岩男『ヘーゲル』や高坂正顕『カント』は当時の世界最高水準の研究書とされているようである。このような世界的レベルの研究者たちは、その活動最盛期と第二次世界大戦とが一致したため、時流に飲み込まれ、戦争協力へと傾いていった。戦争協力に墜ちた学者は、他大学でも少なくないが、京都学派がその当時一流であったために、戦後より厳しい評価を受けることとなる。

時の流れにより、視点・視覚も幾分か変わっただろうし、事実を把握するのは難しいようだ。京都学派も参加した、戦時中の有名な「近代の超克」という座談会が開催されたのは、一九四二年（昭和一七年）七月二三、二四日の二日間であった。対米英開戦による知的戦慄の中で、延べ八時間にわたり激論が展開された。皮肉なことに、その前月である六月初めには、ミッドウェーの敗戦で日本の勝ち目はなくなっていたが、言論統制の下、座談会参加者はそのことを知る由もなかった。

①西田幾多郎（一八七〇－一九四五年）の場合

さて、西田幾多郎は一九三八年（昭和一三年）、文部省教学局の依頼により、「日本文化の問題」と題する講演を行なった。その中で、こう述べている。

我々は、我々の歴史的発展の底に、矛盾的自己同一的世界そのものの自己形成の原理を見出すことによって、世界に貢献しなければならない。それが、皇道の発揮ということであり、八紘一宇の真の意義でなければならない。

「矛盾的自己同一的世界」の意味はよく理解していないが、私が考えているサイバーセキュリティの矛盾に満ちた世界を表現するのには、ぴったりな言葉である。用語として借用したいと考えている。自由と安全とプライバシーは、しばしばトレードオフの関係にあり、両立・三立が困難である。それらが矛盾しつつも「同一的世界」を形成できれば、ありがたいことである。

さて、菅原潤『京都学派』によれば、西田は「皇道」の「覇権化」や「帝国主義化」を強く戒めているそうだし、海軍との結びつきを強め、終戦工作を模索したりしたようである。しかし、彼が語った「八紘一宇」は私の小学生時代、よく聞かされたスローガンであり、戦後という視点から見ればいただけない。当時としては、使わざるを得ない空気だったことは理解できるが……。ちなみに、西田は終戦直前に亡くなっている。

日米戦争の前、西田は、軍部を代表した高木惣吉の訪問を受け「日米開戦のほかに方法はない」と聞かされ、「君たちは国の運命をどうするつもりか！　今まてさえ国民をどんな目に会わせたと思う。日本の、日本のこの文化の程度で、戦いもできると考えているのか！」（大橋良介『京都学派と日本海軍』PHP新書）と激怒して言ったそうである。

その高木惣吉も良識のある海軍軍人だったが、西田訪問の際は、軍部全体の立場を述べざるを得なかった。

②田辺元（一八八五－一九六二年）の場合

次に、西田幾多郎の弟分的研究者である田辺元については、佐藤優『学生を戦地へ送るには――田辺元「悪魔の京大講義」を読む』に詳しいので、以下、菅原潤『京都学派』と合わせて参考にしながら、話を進めたい。

田辺元は、領土や資源を「持たない国」が「持つ国」に、既得権益を返せというのが、大東亜戦争の論理だと主張している。そういえば、戦争中、持てる国・持たざる国という言葉もよく耳にしたのを覚えている。オランダやフランスも、アジアを植民地支配していたし、当然の論理とも受け取れる。以下、佐藤優氏の右記著書より引用する。

これは今、中国が日本に対して、あるいはアメリカに対して異議申し立てをしている論理でもあります。

中国は、ちゃんと田辺元とか高山岩男などを翻訳しているんですよ。彼らは京都学派をよく研究しています。そして今、京都学派の論理を使って、日本に対して尖閣諸島を奪取しようとか、いろんな行動に出ているわけ。

そうだったのか。現在でも、この論理は、自由の定義に「無智のベール」として使われている。マイケル・サンデル氏によれば、自由には、自由至上主義と自由平等主義があり、自由平等主義とは、自分が無智のベールを被っていて、どのような資産や能力を持っているかが分からない状態の中で、つまり平等という前提の下で、自由とは何かを考察しよう、と定義される。これは、現在のＩＴ社会の価値観の考察にも適用できるだろう。

田辺元は、「種の論理」を提唱している。「種の論理」では、世界を個（例えば人間）、種（例えば国家）、類（人類、神など）の三階層から成ると考え、三者の間の弁証法的関係を考察している。人と人類の中間に、種（例えば国家）を設定したことが、人間は国家のために死すべき存在であるという論理ともつながるそうだ。このあたりの論理は、私には理解できないが、田辺の「種の論理」は太平洋戦争における特別攻撃隊（特攻）を正当化する論理にもなったそうである。戦後、独自の哲学体系を構築し、新京都学派を代表する立場にもなったと言われる上山春平は、戦争末期、田辺の演説を聞いて、人間魚雷「回天」に乗り込んだ際（彼は生還したが）、上の論理を受け止めていたそうである。社会を導く論理とその解釈は何に由来するのだろうか。時代の熱気による要素も大きいように思われる。

個人、国家、人類の三階層は、地球温暖化やサイバーセキュリティ、そしてコロナウイルスなど、世界に広がる普遍的な課題において、当然、対象とすべき構造である。二〇二〇年当初から急速に拡大した新型コロナウイルスは、ビッグデータやAIの実用化を背景に「全体主義的な監視強化と個人の権限強化のどちらを選ぶのか」、および「国家の孤立か世界的連携のどちらか」という課題を我々に突きつけたとも言える。

しかし、二〇世紀末から、情報セキュリティの理念として、「自由の拡大」「公共性・安全性の向上」「プライバシー等の個人の権利」という三つの理念を同時に止揚することを提唱してきた私としては、上の二つの課題についても、「どちらか」ではない解決を模索するプロセスが始まることを期待している。

このような現代的課題の解決のためにも、田辺の思考については、より深く知らなければならないと思っている。戦後、京大を定年退官した田辺は、軽井沢の山荘に隠棲したが、戦時中の講演「死生」をはなむけに優秀な学生たちを戦場で死なせてしまったことに、痛恨の思いがあったようである。しかし、戦前・戦中・戦後を通じて、田辺哲学の基本構造は変わっていないそうである。文化勲章を授与されているが、授賞式には出なかった。後ろめたさがあったのであろうか。

③高山岩男（一九〇五－九三年）の場合

さて、次は四天王の一人『世界史の哲学』で知られる高山岩男について。まずは、菅原潤『京都学派』から引用させていただく。

まずは「世界史の理念」から見ておこう。高山は当時のアジアの台頭を「ヨーロッパ世界に対して非ヨーロッパ世界が独立しようとする趨勢」と理解する。それまでアジアはヨーロッパ世界に内属させられていた感があったが、今やアジアは日本を先頭にしてこうした内属化から脱却し、それとともに世界の唯一の基準と見なされてきたヨーロッパ世界が、数ある近代的世界の一つに過ぎなかったことが明らかになったというのである。

これこそが、私が小学生時代、毎日のように聞かされた大東亜共栄圏の理念である。そして、現在の世界の現実、すなわち中国、日本が二位、三位の経済大国となり、インドや東南アジアも力をつけてきた状況から見れば、これは当然であり、高山の「世界史の理念」は、時代に先駆けた先見的理念だったとも言える。

しかし、高山がどう考えていたかは別として、大東亜共栄圏は日本中心の理念であり、実際は日本がアジアの王国だという意識が強かった。戦時中、インドネシアの町を歩いたある陸軍軍人は「インドネシア人は、帝国軍人に向かって敬礼をしない。無礼だ」と怒っていたそうである。支配者意識が強かったのだろう。

また、満州事変の首謀者、石原莞爾が五族協和（和・韓・満・蒙・漢）による新国家理念を比較的純粋な気持ちで唱えても、日本の権益を広げようとする政治的軍人たちはそれを利用するだけであり、理念と現実の開きはあまりに大きかった。中国本土（当時）まで、手を延ばす結果となったことからも分かるように、理念と現実の開きは大きいと言わざるを得ない。石原が武藤章をいさめても、武藤は「閣下がやられたようにやっているのです」と言って、中国本土（当時）への侵攻を止めなかった。

④田中美知太郎（一九〇二 - 八五年）、下村寅太郎（一九〇二 - 九五年）らの場合

私は、戦後（一九四五 - 一九五〇年代）、田中美知太郎の名をよくラジオで耳にし、新聞でも目にした記憶がある。その後、田中は「西田先生や京都学派のように、独自の哲学を創ろうというのは、日本人にはまだ早い。ギリシャ哲学を原文で熟読し、深く理解すべきだ」と主張していると何かで読み、そんなことを言っていたら、いつまで経っても、日本独自の哲学は構築できないのではないか？　と思ったこともあった。

最近、納富信留『プラトンとの哲学――対話篇をよむ』を読んでいたら、次のような一文が目に留まった。

ギリシア哲学の若手研究者として活躍していた田中は、一九三八年一〇月から一九四三年一二月にかけて雑誌『思想』にプラトン哲学をめぐる一連の論文を発表します。米英と開戦し戦局が逼迫していく中で、押し殺したような学問的態度でプラトンと対話をつづける姿に、人々は鬼気を感じたかもしれません。

そして、こう続く。

天皇の名のもとで御国のために尽くすことが義務であり、美徳であり、それがアジアに平和をもたらし、世界秩序を実現する、そう信じられていました。そのための戦争には大義があり、懐疑や批判は、「非国民」の態度でした。学校でも社会でも、「大日本帝国」や「大東亜共栄圏」という名目がすべてを奉仕させる力でした。そんな名目に強いられて戦場に送られ死に晒されたのは、おもに若者や学生たちでした。

繰り返すが、これが私が受けた小学校教育そのものであった。そして、『プラトンとの哲学』は、『現在』を盲目的に絶対視する時勢に対して、田中はこう問いかけます」と続き、ソクラテスやプラトンのイデア論の話になる。詳しくは原著を読んでいただくとして、ここで私の感想をいくつか述べたいと思う。

田中の言う現実は、『現在』を盲目的に絶対視する時勢」自体であり、「大東亜共栄圏」という名目（当時の理念）の是非は別として、米英と日本の国力差という現実ではない。そんなことは、学問一筋の若い学徒の関心外だったのだろうが、私が本章で問いたいのは、国力差という「現実認識」のことである。

田中は、当時まだ三〇代で、政府への配慮はしなくて良かったのだろうが、当時、すでに大物になっていた哲学者、思想家や評論家たちは、政府への配慮もあり、結果的に、戦争協力へ傾斜せざるを得なかったのだろうか。

私の父は、田中より二歳齢下だった。第1章で述べたことを繰り返すが、父は開戦当初から「この戦争は負ける」としきりに言っていた。そのことを、現在の五〇歳前後の研究者に話すと「それは、父上は市井の方だから（政府に遠慮も要らなかった）」と言われるのだが、はたしてそういうことなのだろうか。

京都学派の中でも、数理哲学者の下村寅太郎などは、「もう、『近代の超克』座談会の連中とは、議論しない」と言っていたようで、大学に職があれば、時代に阿《おもね》る必要もなかったのではないか。やはり、国力差という、当たり前の現実認識が不足の学者・評論家が多かったように思われる。

なお、田中美知太郎は西田幾多郎の弟子でもあり、その関係について、知りたいと思い、検索していたら、納富信留氏の「西田幾多郎と田中美知太郎――日本哲学とギリシャ哲学の協働のために」（『日本哲学史研究』京都大学大学院文学研究科日本哲学史研究室）が目についたので、ここに紹介しておく。

ここまで理念と現実の関係について見てきたが、次に、理念とイデアの関係について考えてみたい。その前に、そもそも理念とは何か、を定義しなければならない。しかし、これが難しい。「悟性認識に最高の統一を与える理性認識の形式」などと言われても、悟性認識とは？　理性認識とは？　ということになり、堂々巡りすることになる。数学と異なり、用語をきちんと定義できない。和英辞典によれば、「idea」「philosophy」と出ている。「philosophy ＝哲学」となると少し広すぎる感じもする。イデアとなると、理念よりは狭いが、理念がイデアを含むと考えられるので、ここはイデアについて考えてみたい。その前に、イデアとは何か？　まずはここを定義しなければならない。

グーグルで検索すると、『『イデア』とは、現象界には存在せず、想像の世界にのみ存在する理想の真理のことです」「イデア論は古代ギリシャの哲学者であるプラトンが唱えた概念です」「プラトンは現実の世界を『現象界』と呼び、現象界とは別に絶対的な真理の世界が存在すると考えました」といったようなことが出てくる。そんなところだろう。

恐縮ながら加藤尚武氏が編集してくださった本書の巻頭に収録した「辻井重男語録」のなかでもすこし説明しているが、はたして一、二、三……は存在するのだろうか。一人、二人、三人、りんご一個、二個、三個、一円、二円、三円は存在しても、一、二、三は存在しない。しかし、誰でも日常的に使用している。南アメリカのある部族の人たちに、いくら説明しても、一、二、三を理解してもらえなかったという話を聞いて、さもありなん、とも思ったが、人類は、大方無意識の内に数というイデアの世界が構築されていると考えている。

だが、点とは何か、線とは何か、となるとそうはいかない。今後、暗号資産だけでなく、社会基盤となるブロックチェーン（分散処理システム）の基盤である楕円曲線暗号は、先にも述べたように、幅のない線で構築される。

のちほど述べるように、江戸時代の和算のレベルは世界的であった。RSA暗号（大きな合成数の素因数分解の困難さを利用した暗号。ロナルド・リベスト、アディ・シャミア、レオナルド・エーデルマンの頭文字による）という、現在、広く利用されている公開鍵暗号の理論的基礎である久留島・オイラー関数は、一七五七年に亡くなった久留島義太が、一八世紀ヨーロッパ最大の数学者オイラーよりも早く発見している（オイラーは一七六一年。通常は、オイラー関数と呼ばれているが、私はナショナリストではないが、世界で唯一人、久留島・オイラー関数と呼んでいる）。しかし、優れた和算家たちも、八代将軍吉宗の頃、ユークリッド幾何学の概念を聞いて、なぜこのような面倒なことを？　と首を傾げたそうである。ある数学者は、江戸時代の数学を和算芸事と呼んでいる。一般に、ユダヤ人やインド・ヨーロッパ語族の方が、アジア系民族より、イデアの世界が広いように思われる。もっとも、江戸時代に、三浦梅園のように万有引力を考えたり、安藤昌益のように、男女同権、四民平等を説いた『忘れられた思想家』（E・ハーバート・ノーマン著、岩波新書）もいたので、一概には言えないが、そのような新しい発想を受け入れる国民の意識が問題となるだろう。

以上は、私の感想であるが、西田哲学に批判的な三宅剛一は、菅原潤『京都学派』を引用すれば、次のように考えていたそうである。

西洋哲学において幾度となく話題になる「無限」や「永遠」という概念が、ギリシア哲学とキリスト教神学が結合しては分離するなどして、時代によってさまざまな含蓄を呈してゆくことが知られるようになり、その視点に立つと、京都学派および高橋里美の体系は、暗黙裡にある種の東洋的なものを前提としているがゆえに、西洋哲学の水準に達するだけの十分な基礎づけがなされていない（……）。

例えば、日常、誰でも「周波数」という言葉は分かったつもりで使っているが、厳密には、無限の過去から永劫の未来の時間軸上、定義されるものである。これはイデア界、つまり理念の世界での話であり、現実世界では大雑把に近似利用しても不自由はないというだけのことである。後で述べる楕円曲線暗号とは大違いである。

西田哲学は、宗教哲学、あるいは哲学的宗教とも言われている。ヘーゲル哲学の大家、加藤尚武氏が「西田哲学は、一九世紀のドイツの哲学の教科書の読み違いから生まれた」とある本に書かれていた、と聞いて、東京のとある書店に出向いたところ、この本はすでに絶版とのことだった。しかし、西田哲学に関する本は、大きな棚一杯に並んでいる。日本人向きなのだろう。そういう私も、西田の本は『善の研究』しか読んでいないが、西田哲学の解説書はいろいろと読んできた。また、金沢市郊外の西田記念館を訪れ、親友、鈴木大拙が「西田が死んだ、西田が死んだ」と泣き崩れた部屋も見ている。

小林秀雄と必勝の信念

京都学派ばかりを後世の人間の視点から批判するのはいかがなものか、東京大学をはじめ東京系の文化人たちの多くも戦争協力に傾いていたのではないか、と言われそうである。仰せの通り。京都学派の哲学的業績が、日本で群を抜いていたがゆえに、戦後の批判が大きかったのだろう。私は、京都生まれの東京育ちなので、京大vs.東大には関心がないが、ここで、東京代表として、私の出身、日比谷高校（元東京府立一中）の大先輩、小林秀雄に登場していただこうと思う。

小林秀雄が、西田幾多郎の弟子である下村寅太郎と次のようなやり取りをしていたと記憶している。

小林　アメリカの機械文明は、大和魂には勝てないのだよ。

下村　いや、機械文明を創った精神が問題なのだ。

小林が、そのような考えを持っていたことは確かであり、戦後、「利口な奴は反省すりゃいいさ。俺は反省なんかしねーよ」と言っていたようである。

また、二〇一五年（平成二七年）一月五日の「朝日新聞」に次のような内容の記事が掲載されている。

小林は、一九四三年（昭和一八年）、台湾、朝鮮、「満州」の作家らが集まった会議で、「我々は必勝の信念を固めております。勝つことに於て英米が勝算がある筈がない」と発言していたことが記された資料が発見された。この資料を発見した西田勝元法政大学教授は「歴史を合理的、科学的に見ることへの強い拒絶が鮮明で、現実を見ようとしていない。当時の状況の中でリベラルな未来はないと思ったのだろう。実際、彼は日中戦争、さらには、アジア・太平洋戦争に加担していくことになった」と分析している。

なるほど、小林は、現実が分からなかったのではなく、未来への絶望の中で、現実を見ようとしなかったのかもしれない。小林秀雄といえば、著書『本居宣長』が知られている。本居宣長といえば、もののあはれ、「とにもかくにも人は、もののあはれを知る、これ肝要なり……」が思い浮かぶ。論理性よりも情緒性が好きな日本人の傾向を表している。それは良いのだが、冷徹に現実を見極め、世論を先導する必要に迫られた際にはいかがなものか。ここにも、日本における理念と現実の相克をめぐる、困難な問題が見え隠れするのである。

いずれにしても、下村寅太郎が言う通り、「機械文明を創った精神」が問題で、その源流を訪ねれば、理念・イデア・古代ギリシャに行き着くのではないだろうか。

ヨーロッパ文明は「はじめに言葉と論理ありき」、日本文化は「はじめにもののあはれありき」と言えば、割りきりすぎかもしれないが、最近のＳＮＳの普及で、言葉と論理が軽視されている風潮は日本の将来にとって大きな課題であろう。

本章の要点

●戦前、戦中にあって、「理念」を正確に導くべきその当時の文化人、研究者、作家たちは、日米の国力の違いという決定的な「現実」を認識できず（あえてせず）、誤った方向に人々を扇動し、破局へと導いた。そのことを「京都学派」を中心に改めて確認した。

●論理性よりも情緒性が強い日本人において、「理念」と「現実」との関係性をどのように捉え、行動へと移していく必要があるのか。これが、今後の大きな課題であることを確認した。

対話篇1
天国からの恩師のご下問に応えて――楕円曲線暗号から情報セキュリティ総合科学まで

――一体、君はこの本で、何を書きたいのかね。あまり話題を広げると分からなくなるから、気をつけたまえ。

私も気になっているところです。私も今年二〇二一年、米寿となります。小学校高学年で太平洋戦争を体験した末に、コロナに見舞われた世代も少なくなりつつあります。そこで、長かったような、あっという間だったような人生を振り返りながら、理念と現実の相克について考えながら書こうと思っているしだいです。

――なるほど。それにしても、暗号理論からサイバーセキュリティ総合科学までは、君の専門だとして、明治維新にまで口を出すのはなぜだ。

歴史が趣味だということもありますが、学童疎開で親と離れるなど子供なりに苦労させられた太平洋戦争は、明治維新とどう繋がっているのか。明治以降、皇道理念ばかりが強調され過ぎたのではないか、といった問いを持っています。また、大正デモクラシーは、経済的困窮もあって長続きしませんでした。そういった日本にあって、根本からサイバーセキュリティを考えたいのです。

サイバーセキュリティという社会的課題は、「自由」「公共性」「個人の権利」という三つの理念を考える必要があると思っています。同じく、明治から昭和前期までも、皇道理念・強兵は半ば歴史的必然として、公共的基盤、そして福沢諭吉の言う個人の独立自尊という三つの理念を同時に考えるべきだったのでしょう。

――本書では、「三止揚」とか言って、三つの理念をできるだけ高度均衡させることを考えているようだが、理念に限らず、三者間関係を同時に良くするのは難しいな。二者ですら難しいのに。例えば、夏目漱石が『草枕』で、「智」「情」「意地」について言っているように。

そうですね。漱石の言っていることを、図にしてみました(図1)。こんな感じでしょうか。サイバーセキュリティについては、後で述べますが、図2‐4のような検討をしています。

――いきなり話が飛ぶが、君は、現役の頃は、大した研究をしていなかったが、最近は究極の本人確認などについて、少しはマシな論文を書いたりしているようだな。

天国から見ていただいてお恥ずかしいですね。公開鍵暗号の秘密鍵に、マイナンバー・STR(Short Tandem Repeat[DNA])を秘密に埋め込むという三階層公開鍵暗号の提案などしています。デジタル庁を設置するとか、日本も遅ればせながら、デジタル化に本腰を入れる気運が出てきたようですが、いろいろ難しい課題がありますね。

――二〇二〇年一〇月二五日の「朝日新聞」に「外国人マイナンバー誤付与　名前と生年月日が同じ」と出ていたな。

よく読んでおられますね。マイナンバーも本人が持って生まれた情報ではありませんので、誤用・悪用に留意する必要があります。私は、現代暗号が始まった一九八〇年頃、公開鍵暗号による本人確認ということがしきりに提唱されていたのに対して、「本カード確認に過ぎないのでは?」と言っていました。要するに、

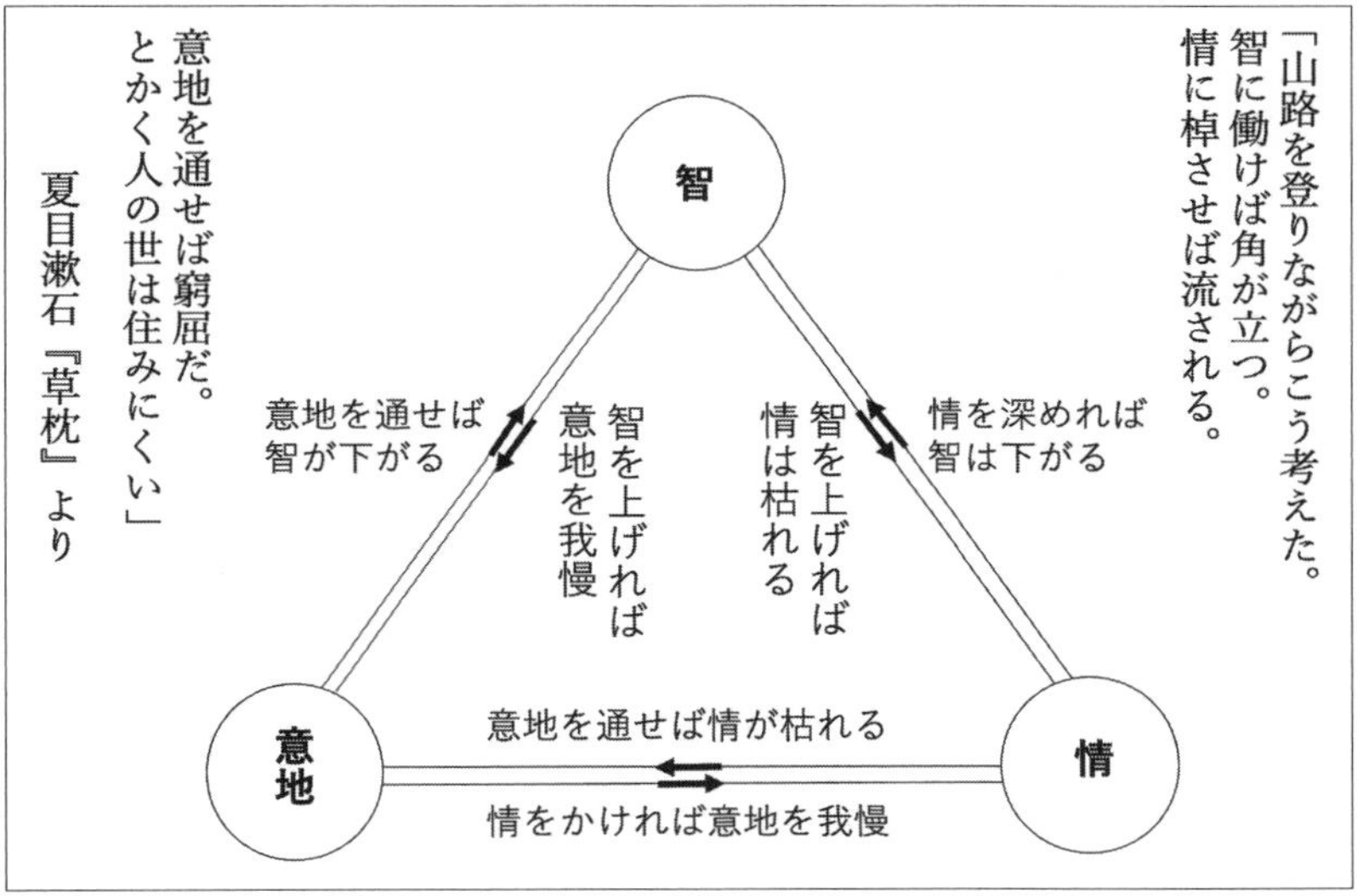

図1　智情意の相克（三者関係の難しさ）

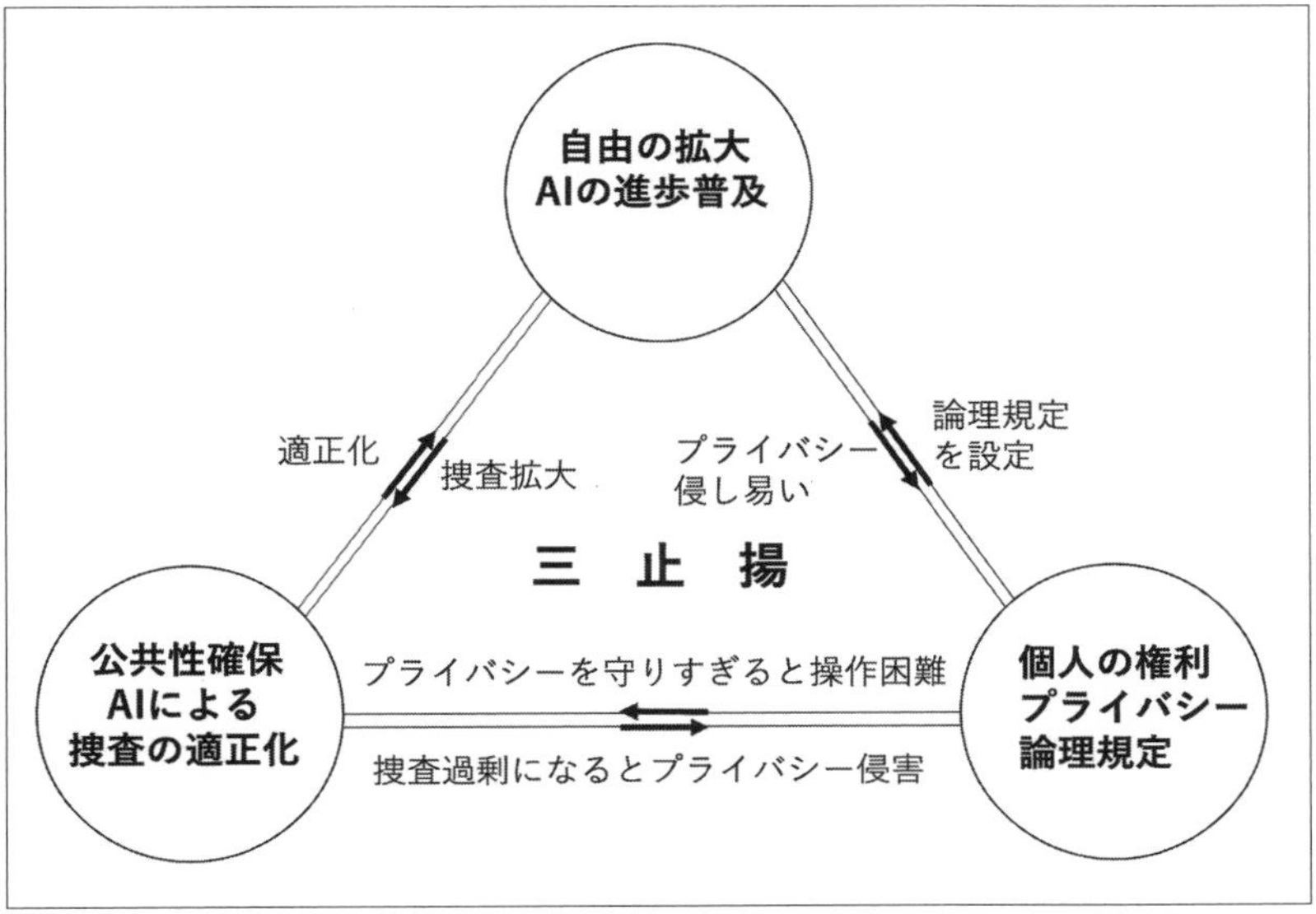

図2　AIによる不正捜査の拡大に伴う個人の権利保護と公共的安全性の三止揚

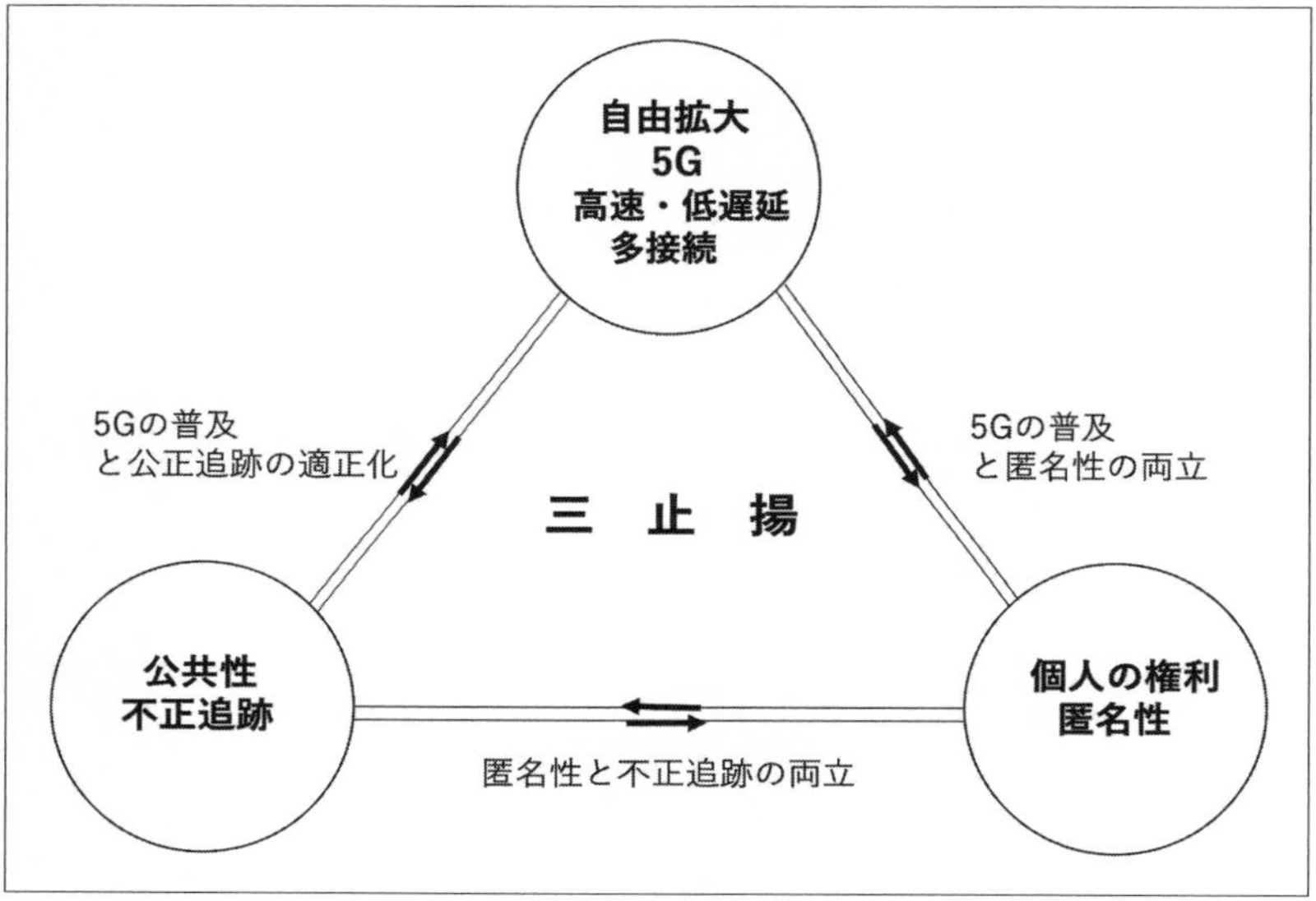

図 3　5G の普及に伴う個人の権利と公共的安全性の確保の三止揚

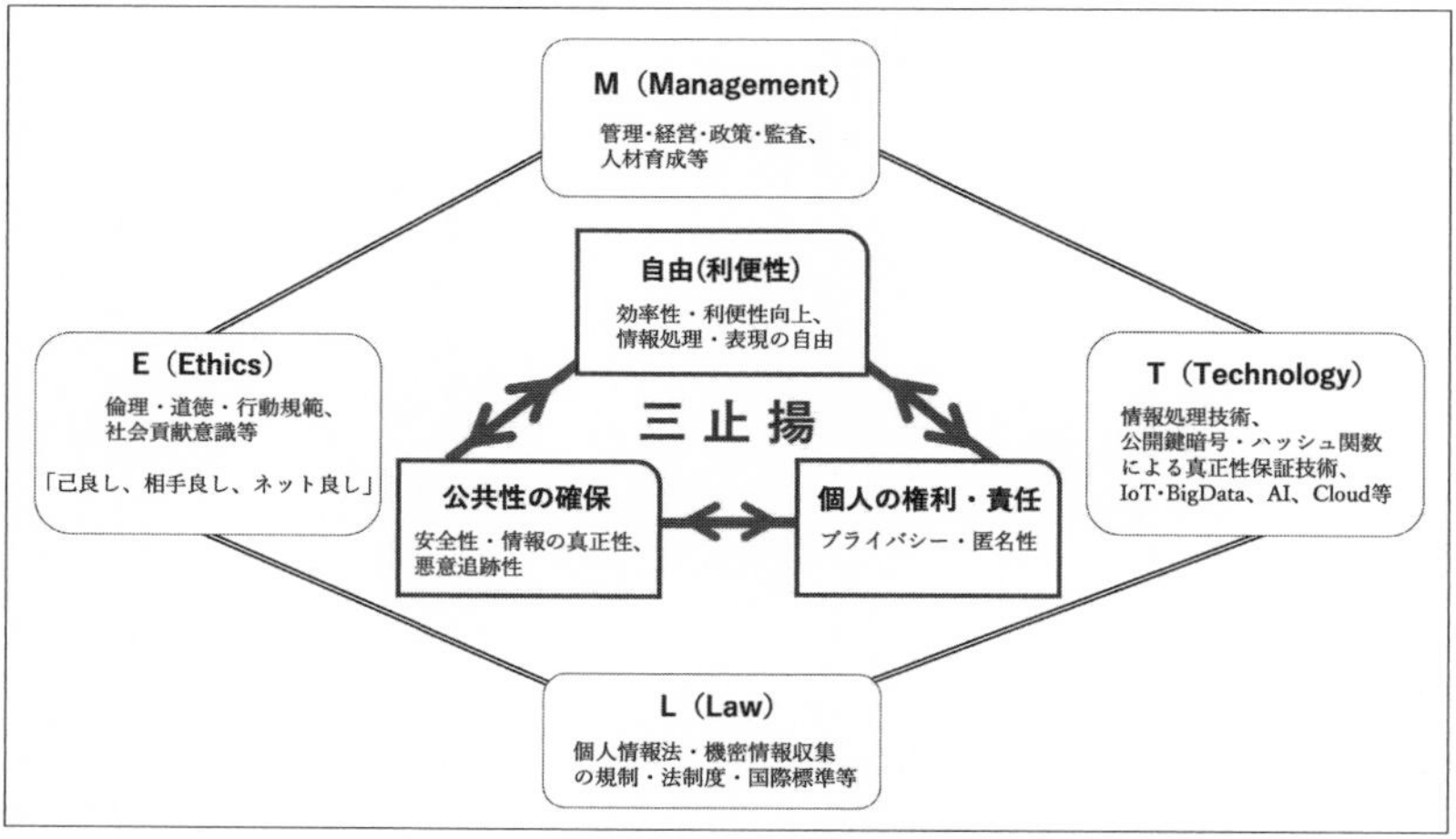

図 4　サイバー・フィジカル世界の三止揚・MELT-UP

「カード」の本物か偽物かのみを確認していただけで、カードを持っているのが本人かどうかはわからないわけです。私が言いたいのは、カードと本人の結びつきが大事だということです。最近では、銀行口座の不正利用もあり、二要素認証なども普及しているようですが。

――顔認証技術も進んでいるようだな。AI技術と融合したりして。

美空ひばりに今の歌を歌わせたりしていますね。まだまだですが、そのうちなりすましが本人だと騙せるようになるでしょう。フェイクが本人の時代がやってくるかもしれません。

――真偽判定という点では、イタチごっこということか。

その点で注意は必要ですが、真偽の判定にアナログ的な生体認証は馴染みますし、利用は進むでしょう。しかし、本人確認確率を上げることはできても一〇〇パーセントにはならないので、生命・財産に関わる場合は別途考える必要があります。

――それでは、君が提案しているSTRという、センシティブな個人情報は含まないDNA情報を公開鍵暗号の中の秘密鍵として密かに内蔵させるという方式はどうなのだ。

両親から受け継ぐ、固有のデジタル情報を先祖代々繋げていくと、何兆人に一人でも誤りなく同定できます。それを公開鍵に埋め込めば、私が四〇年前に抱いた「本カード確認」の課題を解消することが出来ます。

――本人とカードが直接結びつくというわけか。いつ頃、提案したのだ?

二〇年ほど前ですから、二〇〇〇年頃です。NTTデータの取締役だった板倉征男さんの学位論文にしました。国際会議に論文も発表し、特許も取りました。

――しかし、DNA鑑定には、時間も金もかかりそうだな。

そういう意味では、早過ぎましたね。公開鍵とは関係ありませんが、この三年くらい、警察庁でDNA（STR）による本人確認は進んでいるようです。いまだ、一件当たり、数時間、数万円がかかるそうですが。しかし、この提案のような方式が普及してくれば、速く、そして安くなっていくでしょう。

——海外ではどうだ？

五年ほど前から開発が進んでいるようです。日本でも関心が広がることを期待しています。

——ブロックチェーンが、金融だけでなく、社会インフラや行政などに普及すると、公開鍵・秘密鍵の真正性保証がますます重要になるな。

そうなのです。それほど大事ではないデータなら良いのですが、生命・財産にかかわる大事なデータに対しては、ブロックチェーンは耐改ざん性があるだけに、秘密鍵を盗まれて悪用されないように、秘密鍵の本人性を厳重に確認する必要があります。

——しかし、DNAとなると、プライバシーが気になるな。

皆さん、気にされるかと思いますが、STRには身体情報や病気などのプライバシー情報は含まれていません。親子関係も直接には分かりません。

——先祖代々、何千世代ものSTRから三〇世代くらい任意に選択すれば一兆人に一人を特定できるのだから、その選択のランダム性を、秘密情報として分散管理してはどうだ？

鋭いですね。そのようなシステム構成を提案しています。

——ところで、話を戻すようだが、公開鍵の発明は画期的だったな。ヒトに限らず、何百億という万物が情報を発するIoT環境の中で、公開鍵暗号によるヒト・モノ・コトの真正性保証は、ソサエティ5・0社会の基盤的役割を担

っているね。

ある科学史の本に「公開鍵の発明は、火薬の発明に匹敵する」と書かれていますが、社会的認知は進みませんね。私が驚いているのは、アメリカ西海岸での公開鍵暗号の発明は「暗号化の鍵を公開できれば嬉しいが、そんな手品みたいなことはできない、つまり、公開鍵暗号は創れないことを証明しよう」ということが切っ掛けだったことです。

――「アメリカ西海岸での公開鍵暗号の発明は……」と言ったが、それはどういうことだ？

実は、イギリスの諜報機関が、アメリカ西海岸より数年早く、暗号化の鍵を公開する方式はないか？　という動機から、公開鍵暗号の概念とＲＳＡ暗号と同じような方式を発明していたとのことです。

――アメリカ西海岸での発明は、「情報社会で、手書き署名が出来なくなったら、どうする？」が動機だったのに対して、イギリスの諜報機関の動機は、第二次世界大戦で、鍵を秘密配送することに苦労したということか。

おっしゃる通りです。日本でも、ミッドウェー海戦の際、鍵の更新がもう一カ月早くできていたら、惨敗しなかったとも言われているように、鍵の配送が大変だったことはよく分かります。白昼堂々と鍵を送れないか、というのが、イギリスの諜報機関の動機です。

――公開鍵暗号でも、秘密鍵の管理に注意が要るようだな。

古典暗号と現代暗号に共通する最大の課題は、鍵の管理です。公開鍵暗号の秘密鍵は、通常、送る必要はありませんが、ブロックチェーンなどで問題になっているように、秘密保管が大変です。そこで、私は、万々が一、秘密鍵が盗まれた場合を考慮して、冒頭に申し上げたように、本人のデジタル情報を秘密鍵に内蔵する三層構造の公開鍵暗号を提案しているしだいです。

――デジタル・フォンレンジック（コンピュータ犯罪に関してデジタルデバイスの記録の回収と分析調査を行うことなどの証拠保全全般に関するシステム）**の本質的課題だな。そういったことも含めて、理念と現実という問題に話題を広げようか。さて、冒頭でも聞いたように、君が書いているこの本は、理念と現実を軸にしているようだが、難しい課題だな。君の能力を上回っているのではないかと案じている。**

私自身もそう思いながら、筆を執り始めて……いやキーボードを打ち始めています。数理暗号の数学的理論と歴史的視点からの理念・現実を貫くものは何かという興味もあるのですが、サイバーセキュリティは、暗号の数学的理論から情報倫理・法制度・管理経営という、理念と現実が絡む総合的システムですから、私の研究課題でもあるのです。

しかし、そもそも理念とは何か、という言葉の定義からして難しいですね。イデア、正義、価値観等、似たような意味合いの言葉が、いろいろありますしね。

――内村鑑三は、「西郷隆盛は、正義を国家より重視していたようだ」と言いながら、それに同調しているように思われるが、そもそも「正義とは何か」が難しいな。正義感は時代や環境によって変わるしね。当時は、人権意識も希薄だったし、平和という理念も強くなかったようだな。まずは、分かりやすい数理系の課題から始めてもらおうか。

承知しました。

――数理系でも、理念と現実にはギャップがあるね。宇宙には、始まりがあるとも言われているし、永遠に続くとも思われないけれど、数学的理念の世界では、無限大（∞）**という記号を当然のように使って、フーリエ変換やシャノン・染谷の標本化定理をデジタル社会の技術基盤としている。**

そうですね。フーリエ変換については、伊理正夫先生が若いころに「無限の過去から永劫の未来にわたって積分するのは、現実に合わない」ということで、中間領域の（有限時間の）フーリエ変換を提案されました。また、川上正光先生の高弟、岸源也先生は、現在の信号の大きさ（振幅値）を求めるのに、未来永劫の離散的時間の振幅値を利用するのは理屈に合わない、と口癖のように言っておられました。のちに、坂庭好一氏（東工大名誉教授）と共に、岸・坂庭の標本化定理を創られ、電子情報通信学会の論文賞に輝きました。しかし、両者とも、公式が複雑で、実用には向いていませんでした。

岸・坂庭の標本化定理は、電子情報通信学会の論文賞には選ばれましたが、論文賞の中のトップ賞には、当時、勃興期だった公開鍵暗号の論文が選定されました。理学と工学の違いですね。

――周波数という概念自体にも、理念と現実の差が大きいね。周波数という言葉は誰でも使っているが……。

厳密には、無限の過去から、永劫の未来まで続く正弦波――という言い方もおかしいのですが――に対して周波数が決まるのだから、一般に使われている周波数は、数学的にはいい加減なものなのですが、誰も困りません。理念が天上から現実世界に少し汚れながら降りてくるが、現実には困らない、というしだいですね。

ついでですが、昔、標本化定理の話を、ある数学者に話したら「実数値が、離散値で置き換えられるなんて、そんな馬鹿な話があるか？」と呆れられました。周波数帯域制限という前提から説明して分かってもらいました。

――『ピダハン――「言語本能」を超える文化と世界観』（みすず書房）という面白い本がある。南米のピダハンという民族の言語には、一、二、三という数の概念がないというので驚いた。しかし、考えてみれば、一、二、三はどこにある？　ということになるね。

猫が一匹、二匹、三匹……、あるいは蜜柑が一個、二個、三個なら実在しますが、一、二、三を見せろと言われても困りますよね。普通、人間は、本能的に抽象化能力を持っているということでしょうね。

――しかし、蜜柑だって、旨さや大きさも色々だからな。小さな蜜柑二個と大きな蜜柑一個が等価にもなる。だから、ピダハン族は抽象化しないのだとも言われている。

いずれにしても、普通、人間は子供のころから、無意識の内に帰納的抽象化能力を備えているので、一、二、三の実在性などは考えないのでしょうが、数学は一、二、三というイデアの世界から始まるわけです。

――「物理学者のいう如き世界は、幅なき線、厚さなき平面と同じく、実際に存在するものではない。この点より見て、学者よりも芸術家の方が実在の真相に達して居る」と西田幾多郎は、『善の研究』に書いているね。

『数学者』のいう如き……」と書くべきだったのでしょうが、明治四〇年代ですから、数学と物理の違いは意識されていなかったのでしょうね。西田幾多郎先生は、哲学の思考に疲れると、「数学でもやって遊ぶか」と言われていたとも伝わっていますが、「先生、冗談じゃありませんよ」と言いたいですね。

――冗談は止めるとして、古代ギリシャでは、紀元前六世紀頃に、タレスが縄のイデア、つまり、幅のない線という理念を提唱している。君は、近頃、「幅のない楕円曲線の数学的実在が、物理的実在を超克して社会的実在となる」ことを、鬼の首でも取ったように、楕円曲線暗号を例にとって示しているね。

そうなのです。楕円曲線暗号は、電子ハンコ（電子認証・署名）など、デジタル社会に不可欠な公開鍵暗号で、今、話題のブロックチェーン・暗号資産などに使われています。円に対応するRSA暗号に比べて、安全性・効率性が桁違いに高いのです。

――楕円曲線とは、楕円のことかね？

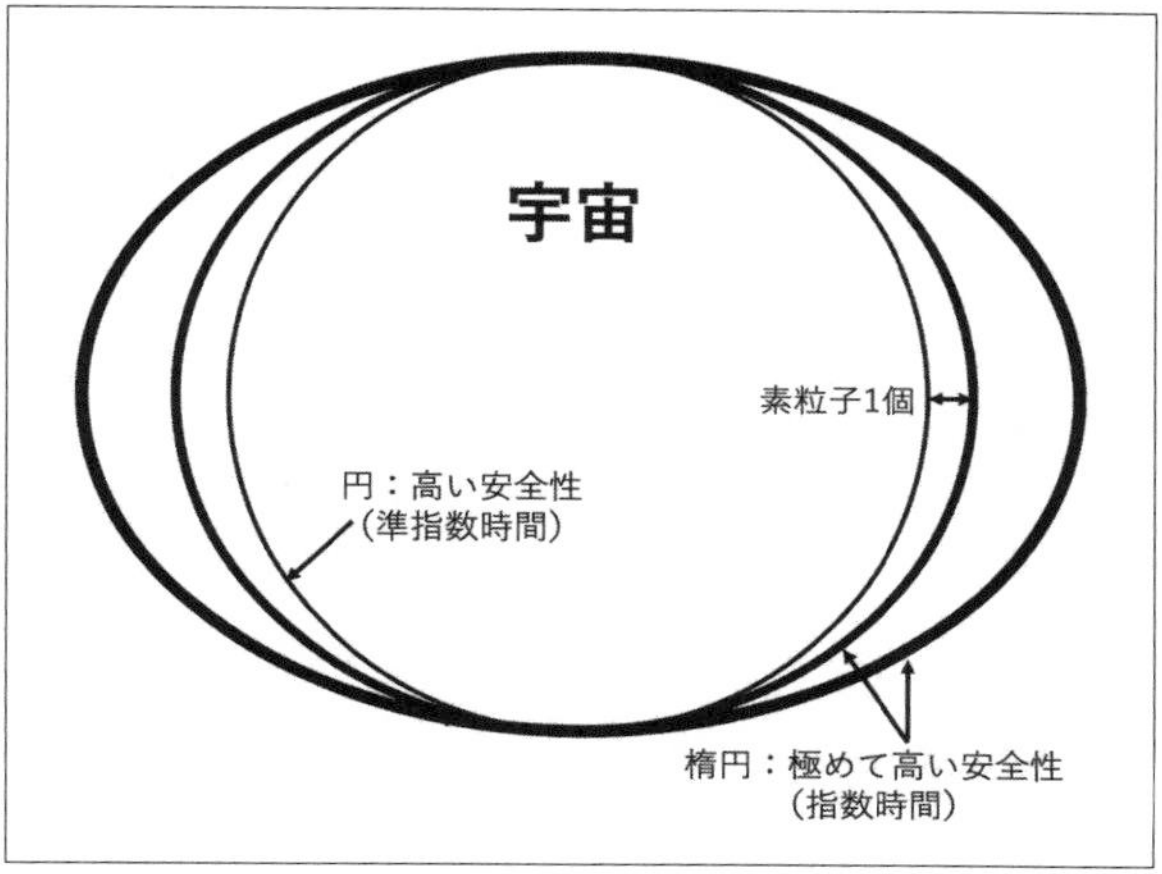

図5　円と楕円による安全性の違い

楕円そのものではありません。数学の歴史を遡れば、まず楕円の周囲を求めるのに、楕円関数が定義されました。楕円曲線は、その楕円関数を使って定義される三次曲線です。

――RSA暗号の方が、早くから普及しているね。それはどうしてだ。

RSA暗号が発明されたのは、一九七〇年代、楕円曲線暗号は一九八〇年代。マーケット支配はRSA暗号の方が早かったのです。

――限りなく円に近い楕円曲線を利用したら、楕円曲線暗号も、RSA暗号並みの安全性に下がるのか？

そこなのです。「円満な人格」と「楕円満な人格」の違いには答えられませんが、暗号についてなら、はっきりお答えできます（図5）。

今、地球くらいの大きな半径を持つ円を想定しましょう。この円に対応するRSA暗号の安全性に要する鍵長を二〇四八ビットとします。他方、地球くらいの大きな半径を持つ円の横幅だけを一ミリ――ゼロでなければ、無限に小さくても良いです——広げた楕円を考えましょう。両者の相違は、神の目にしか分かりません。このような楕円に対応する楕円曲線暗号の鍵長は、上のＲＳＡ暗号と同じ安全性を保つのに、一〇分の一の二〇〇ビットくらいで済みます。

——ホンマかいな？

数学の先生に聞けば当たり前だとおっしゃるでしょうが、二〇〇〇年頃、中央大学の卒業研究で、シミュレーションしてみました。長径の異なる楕円を一万本くらい発生させて、素人目にも楕円と分かる場合と、円との差が極めて小さい楕円との差を調べました。両者の安全性には、全く差がありませんでした。

——先ほどの周波数概念と違って、理念と現実の差がないのだな。そうなると、楕円曲線暗号は、特殊な例外か？

それは、数の世界が狭いからでしょう。

——暗号で扱う世界が、大小性も連続性も問題にしないということか？　情報を漏らさないためにはその方が有利だな。

さすがです。＋、－、×、÷が不自由なくできれば良いわけですから、有限体と呼ばれる数の世界で良いのです。五月みどりに「一週間に一〇日来い」と言われても、三日行けば済むわけです（「対話篇２」を参照）。

——なるほど。湿度一〇〇パーセントの演歌が好きな君にしては、ツレナイことを言うな。幅のない線は、物理的には生成することは出来ないが、数学的には生成出来て、ソフトでなら計算もできるから社会的実在として、皆さんのマイナンバーカードにも保管できるというわけか。一、二、三……は、イデアの世界から、下界に降ろすには、一個、二個、三個というように、具象化する必要があり、それについて計算が必要な場合には、イデアの世界に持ち上げて、一、二、三……で計算するということになるね。というわけで、新プラトン主義的に言えば、楕円曲線暗号は、イデアの世界から、全く汚れずに、下界に降りて来られる良い例になるね。

そうです。天国でタレスやプラトンに会われたら、ご報告をお願いします。

——ところで、数理の世界では、一つの理念に対して、現実との対応を考えれば良かったのだが、情報セキュリティ総合科学では、自由、公共的安全、個人の権利・プライバシーという、明確な定義も難しく、相互に関連し、矛盾相克しがちな三つの理念と現実との対応を考えねばならないから大変だな。

それは、社会的・歴史的課題を考えるとき、常に深刻な課題となりますね。

——それでは、情報セキュリティ総合科学の前に、明治維新の理念について考えてみようか。

そうですね。討幕・明治維新を進める際、薩摩藩などの財政再建と共に、吉田松陰らの皇道理念が必要だったでしょう。その際、複数の理念が混在していると事は進みませんから、一つの理念を掲げて、突進するよりほかありません。

——君は明治維新が成功だったと思っているのか？

難題ですね。今から十数年も前、ゴルフの後の懇親会で、私が「明治維新は成功だったのか？」と問いかけたら、怪訝な顔をしている人が多かったですね。最近は、そのようなことを問題にしている本も出ているようですが……。

私は、どちらかというと公武合体派です。公武合体では、改革は遅れたでしょうが、幕末、諸藩は財政難だったから、廃藩置県も進められたでしょうし、明治政府ほど、勢い良くは体制変換が出来なかったとしても、徐々に改革は進んだでしょう。

——歴史のIfは無意味という人もいるが、Ifを考えてこそ、歴史から教訓が得られるのだから続けよう。日清戦争も、西南戦争・不平士族などとつながっているようだな。日清戦争の前、「西郷死するも清の為、大久保殺すも清の為……」

というような歌が流行ったとも聞いている。よく分からない理屈だが、そんなムードが、民衆やメディアに広がり、日清戦争に繋がったようだ。

司馬遼太郎氏は、「明治は良かった。昭和（前期）は悪かった」と言っていますが、私は、ニュートン力学に似た慣性の法則が歴史にもあり、日清・日露戦争から満州事変・日中戦争・太平洋戦争まで、大正デモクラシーを挟んだ連続性があるように思います。もちろん、歴史の道は、必然性と偶然性が織りなしており、二〇二〇年、政府から日本学術会議会員に任命されず話題になった加藤陽子氏（東京大学教授）が「太平洋戦争を避けるチャンスはいくらでもあった」と言っておられるように、太平洋戦争が不可避だったとは言いませんが……。

内村鑑三は日清戦争には賛成し、日露戦争には反対したと伝わっていますが、歴史的な慣性法則を考えると、そうはいかなかったということでしょう。三国干渉・臥薪嘗胆は予想できなかったでしょうけれど。

――明治維新と理念の関係に話を戻せよ。

明治維新が成功だったかどうかはさておくとして、革命的に事を進めるときは、一つの理念を中心にせざるを得ません。しかし、革命が終わってからも、成功したのはこの理念のお陰とばかり、一つの理念に凝り固まるのは良くないと思います。けれど、歴史の慣性によってそうなりがちです。二〇二一年一月末に亡くなられた歴史探偵の半藤一利氏が「どうしてあんな馬鹿な戦争をやったのか」と語られた場面を、NHKの追悼番組で見ました。

しかし、歴史の慣性法則を考えると、半ば必然的とも思えます。ニュートン力学のような普遍性はないとしても、国民感情やメディアの経営状況を、非良識的な政治家や軍部が利用するとこういうことは往々にしてある、と思います。メディアも軍に取り入らないと情報が受け取れないということもあったようですね。半藤さ

ん も、「明治のツケで」と言っておられましたが……。

——明治憲法をどう創るか、という問題もあったしね。伊藤博文が、ドイツの学者たちに相談したら、「我々は日本の歴史を知らないのに、コメントなんかできるか?」と冷たく返され、七年ほどかけて、井上毅らと共に「大日本帝国は、万世一系の天皇これを統治す」で始まる大日本帝国憲法を創ったそうだ。もっとも、天皇の権限は制約されてはいたのだが。

技術的・軍事的・経済的には西洋的近代化を進める中で、理念的には、皇道イデオロギーで進んだのが、明治から太平洋戦争までの日本だったのです。

安藤礼二氏は「近代日本は、ヨーロッパ型の国家を目指したが、当事者として選ばれたのは、神道という宗教のトップである天皇だった。矛盾の極みともいえる体制によって、様々な問題が生じてくる」と明確に表現しておられました。

——大正デモクラシーもあったのだし、もう少し、いくつかの理念を闘わせれば良かったのだが、昭和の初めは、世界的経済不況も影響して、国粋主義が強力になってしまったということか。経済不況という現実は大きいね。ヒトラー政権の誕生も、第一次世界大戦の賠償金が多すぎたことが影響しているしね。

戦後、GHQに日本が提出した新憲法草案は、明治憲法の理念とあまり変わらず、「天皇これを統治す」だったようですね。

——複数の理念を闘わせて、良い現実解を出すのは難しいな。そうなるとさっきも言ったように、君の課題である情報セキュリティ総合科学も簡単ではないな。

そろそろ、そちらに話題を本題に移しましょうか。

――君は、この二〇年ほど、情報セキュリティについて、三止揚（Drei Aufheben）という理念を提案し、それを「MELT-UP」によって現実化しようと、大きなことを言っているが、ヘーゲル哲学などをきちんと勉強したのか？

とんでもありません。ヘーゲルの論理学と付き合ったために、一生を棒に振ったと悔やんでいる哲学者が何人かいると聞いています。三回くらい人生を送れたら、その内の一回は、哲学・倫理に充てたいとは思いますが、実際にはとてもそんな時間はありません。

私の言う「止揚」は、哲学用語ではなくドイツの下宿のおばさんの言う意味です。

――まずドイツの下宿のおばさんの話から聞かせてもらおうか。

時は第一次世界大戦（一九一四―一九一八年）が終った頃、日本はうまく便乗して戦勝国、ドイツは敗戦国、円高・マルク安……。まだ三〇歳になった頃のハイデガー（一八八九―一九七六年）を家庭教師に頼めた時代でした。日本のある青年が、ヘーゲル哲学を勉強すべく、気負い立ってドイツのある下宿先に着き、「ヨイショ」と荷物を下ろした途端、おばさんから「ちょっと、その荷物、アウフヘーベン（Aufheben）してよ」と言われて、ガックリしたという、よく聞かされた話です。

アウフヘーベンは、ドイツ語の辞書には、「持ち上げる」というような日常的な意味と、哲学用語としての「止揚」が出ています。私は「三止揚」を、三者（自由、公共的安全性、個人の尊厳・権利・プライバシー）をできるだけ高く、同時均衡的に持ち上げる、という意味で勝手に使っています。

――まったく勝手だなぁ。ヘーゲルを直接読む時間はなくても、『京都学派』（菅原潤）くらいは読んだのだろうな？

あの本は、一応読んでいます。その中に、三つの理念を止揚することの哲学的な難しさも説明してありますね。

——三つの理念と言うが、まず自由とは何だ？

講演会などで、うっかり「自由」と口にすると、「自由って、何ですか？　自由の定義は二〇〇くらいありますよ」と反論されたりします。ヘーゲル哲学の大御所、加藤尚武先生に「自由とは？」とお尋ねしたところ、「利便性・効率性だ」と言われました。私は、情報セキュリティ分野で仕事をしているので、「情報技術による、利便性・効率性の向上、つまり、情報処理・保管・伝送・表現能力等の拡大を、自由の拡大と呼ぶ」ことにしています。

——まぁ、いいだろう。公共的安全性、個人の尊厳・権利・プライバシーも、定性的な定義でやるより仕方がないか。コロナ禍の中、一人、一〇万円を貰える権利とプライバシーの両立が難しいから、きれいに整理できないという前提で考えるというわけだな。

そうですね。三つの理念も互いに独立しているわけではなく、個人の尊厳・権利には、当然、個人の自由も含まれますしね。プライバシーについても、個人情報保護法の先導者、堀部政男先生も「プライバシーは法制度化出来ない」と言っておられました。プライバシー感覚は、国民により、個人によっても違います。EUは、プライバシーに厳しいようですが、スウェーデンでは、お隣の収入・税金などを知っているのが普通だとも聞いています。

——数学系のイデア・理念のように、明確な定義が出来ないのは仕方ないとして、それらの理念を、どうやって現実化するかが、次の課題だな。それについても、「MELT-UP」などと言っているようだが……。

「MELT-UP」のMELTとは、管理（Management）、倫理（Ethics）、法と技術（Law and Technology）ですが、これらをPDCA（計画Plan、実行Do、評価Check、改善Action）のように、相互に連携・循環させて、三止揚の高度均衡性を向上させようというわけです。

私が提案している「究極の本人確認」などを例に、のちほどお話しします。

――天国へ来る前にやってくれよ。

そもそも先生のように天国へ往けるかどうかは分かりませんが、ともかくやってみましょう。

――青年層とシニア層の対比という観点から、理念と現実の相克を考えるとどうかな？

私は、理念と現実に関わる人たちを三階層に分類しています。もちろん数理のように、明確に分けることなどできませんが……。

①理念派　イデオロギーに準じるタイプの人
②理念・現実派　理念と現実を両目で見る人
③現実派　理念はどうでも良いが利用だけする人

同じ人でも、青年時代と高齢期では変わって来ますね。私は、「日本のいちばん長い日」という映画を二回観ました。先生も御覧になったでしょうが、一九四五年（昭和二〇年）八月、終戦直前の御前会議などの状況を描いた映画でした。

昭和天皇は、それまで「天皇は君臨すれども統治せず」という明治憲法に従って二・二六事件などは別として、表向き直接的指示は余りされませんでしたが、国の存亡に関わるとして、戦争終結のご聖断を下されました。「天皇中心という物語が崩れるのなら、一億玉砕すべし」といった皇道イデオロギーを、多くの軍人が、そして小学生だった私も信じていました。
万世一系の主人公である昭和天皇が、皇道イデオロギストだったら今の日本はどうなっていたでしょう。そして、昭和天皇とペアを組んだ鈴木貫太郎総理大臣がいなかったら、やはり今の日本はなかったでしょう。その鈴木貫太郎も、若いころは血気盛んな軍人で、「鬼貫」と呼ばれたそうですが、年を取ってエネルギッシュだが真っ直ぐで狭い世界より、広い世界が見えてきた、と言われています。二〇二一年のＮＨＫ大河ドラマの主人公、渋沢栄一も若い頃は、勇ましかったようですね。

――昭和天皇は、第一次世界大戦後、ヨーロッパを訪れその惨状を見、「戦争は悲惨だな」とつぶやかれ、傍にいたある武官は「こんな天皇で良いのか」と嘆いたと伝えられているけれど、絶対平和イデオロギストではなかったね。戦争開始時も悩まれたが、国力差から見て、英米に勝つことは絶対に不可能と思われなかったのだろうか。あるいは、国力差情報を進言する側近はいなかったのだろうか。日独同盟を組んだって、日本が攻められたとき、助けに来てくれるとは思えなかっただろうに。

それは、私も不思議に思っています。いずれにしても、昭和天皇も鈴木貫太郎も、上の私の分類で言えば、エラそうな言い方ですが、②理念・現実派、つまり理念と現実を両目で見る人になります。

――純粋な理念派にはどんな人がいるかな。例えば、河上肇かな。共産主義に準じて、京大を辞め獄中死しているよね。

京大を辞するときの句、「荷を下ろし　峠の茶屋に　雲雀聴く」は印象的ですね。私は、京都学派の四高弟、鈴木成高、高山岩男、高坂正堯、西谷啓治が、戦後、戦争賛同派として公職追放になったのが、気になっています。

――正堯氏は、高坂正顕氏のご子息だよ。

そうでした。よく間違えます。正しくは、高坂正顕。ご子息も、国際政治学者として有名でしたね。残念ながら、だいぶ前に亡くなられましたが、イギリスからサッチャー元総理が来日された時、テレビで対談されていました。「th」の発音が悪くて、聞き返されていたのが印象に残っています。

西田幾多郎をはじめとした京都学派の四高弟等については、本書の第2章で述べた通りです。

第3章　サイバーセキュリティをめぐる活動——暗号学者の小さな履歴書Ⅱ

「情報セキュリティ大学院大学」学長として――サイバーセキュリティ総合科学へ

二〇〇四年（平成一六年）三月、七〇歳となり一〇年間勤めた中央大学を定年退職し、横浜駅前に新設された「情報セキュリティ大学院大学」の学長に就任した。岩崎学園の岩崎幸雄理事長（当時）の先見の明により設立が企画された大学である。前年の秋、同大学院を設立するから学長を引き受けてくれないかと依頼を受け、急遽、セキュリティ分野の教員集めに奔走した。「天の時、地の利、人の和」というが、タイミングも良かったし、通勤も便利だったが、人の繋がりも幸運だった。

岩崎氏は福井俊彦日銀総裁（当時）とはゴルフ仲間、副学長をお願いした林紘一郎慶應義塾大学教授（当時）は富士通総研で福井氏と研究仲間だった。林氏は、東大法学部卒だが、経済学博士を先に取得後、法学博士となり、NTT勤務中はアメリカ研究所の所長も務め、電電公社が民営化した当初は、技術系も含む組織の長も務めた文理両分野と理論・実務にまたがる見識のある方である。情報セキュリティを暗号理論から総合科学へ発展させたいと考えていた私にとって、またとない人材だった。

二〇〇九年（平成二一年）三月、私が退職した後、林氏が二代目学長を務められた。

そして、コンピュータ工学の専門家が欲しいと思っていたところに、国立情報学研究所（NII）の評価委員会で、久しぶりに田中英彦東大教授（当時）と同席した。以前、電電公社時代、伝送部門の技術委員として視察旅行などを共にしたが、一〇年振りに再会した。会議の合間に、「田中さん、そろそろ、東大定年ではないの？」と聞くと、「来年三月定年」「それじゃ、今度できる大学へ来てよ」ということで決まった。会議の席順が、アイウエオ順で、田中、辻井と並んでいたのが幸いした。田中氏は、林氏の後任として、三代目学長に就任した。

その他、NTTデータの取締役の後、情報セキュリティ関連企業の社長を務めていた、板倉征男氏や、情報セキュリティ全般に明るい内田勝也氏、私の研究仲間の松尾和人氏、有田正剛氏、土井洋氏など、教員候補を文部科学省に提出し、設立認可のための委員会が開かれた。

「情報セキュリティ大学院大学」設置認可委員会では、こうした質疑応答が行われた。

委員　情報倫理の先生がいませんね。
辻井　非常勤講師にお願いします。
委員　倫理は大事だから、専任の教授を雇用すべきだ。
辻井　倫理の重要性はよく分かっています。デジタル技術（D）は、逆に社会をアナログ化（きめ細かく連続化）し（A）、そのために、次々に社会的にはデジタルな細かい法律（D）を施行せねばならず、窮屈になります。住みよい社会の基本は、アナログ的な人の心、心理までを含めた広い意味の倫理（A）、つまり、情報社会の「DADAism」の中で、Management（経営・管理）、Ethics（倫理・社会的規範）、Law（法制度）、Technology によるMELT-UPにより、三止揚（自由の拡大、安全・安心の向上、プライバシー・個人の権利の確保という矛盾相克しがちな三者の高度均衡）を図ることが大事だと存じます。倫理の専任教授採用については、今後、検討します。

（……）

委員　学生は集まりそうですか？

辻井　横浜駅の東口から、この西口まで行列ができるでしょう。

といった具合で、認可委員会を通り、大学設置が認められた。

「東口から西口」までと豪語したが、そうは問屋が卸ろさなかった。日本の場合、学部から大学院への進学は連続性が強く、学部卒の入学は少なく、社会人学生が主だった。NEC時代から中央大学まで、営業活動とは無縁の人生だったが、七〇歳を過ぎて、学生集めに伝手を頼りに企業のトップへの挨拶回りに明け暮れた。若い社員が入学したがっていても、上司が認めてくれないことも多かった。幸い電電公社分割で、NTTデータ、ドコモなどに分かれていたので、NTT系からはかなり入学してもらい、その後、多岐にわたる政府系機関や企業からの入学者が増えていった。

理工系学部を出た社会人が、法制度を学ぶというようなケースも多く、情報セキュリティ総合科学という理念に近づけた面も感じられた。

二〇〇四年（平成一六年）、情報セキュリティ大学院大学発足に際して、NHKのラジオ放送で、開学の趣旨を説明したことがあった。事務局担当の三浦弘美さんに同行してもらった。「万里の長城、胡を防げず、明王朝は内部から崩壊した。つまり、“fire wall”を設置するだけでは駄目ですよ」と述べたら、三浦さんから、あれは面白い譬えだったと言われたことを覚えている。同氏は、大学創設以来、現在（二〇二一年）に至るまで、継続して大学の発展に尽力している。

さて、現在、NIST（米国情報技術標準局）が「ゼロトラスト」（「何も信頼しない」を前提に対策を講じるセキュリティの考え方）で説明しているように、組織間ネットワークの多くの「長城」は複雑に入り組み、総合的なセキュリティ対策を具体的に示すことは難しい状況にある。NISTのガイドラインも、概念的方針になっており、組織ごとに独自に対策を立てねばならない。しかし、それも難行している。社会人学生の多い情報セキュリティ大学院大学は、互いに社外秘は漏らさない範囲で、知恵を出し合う場としてピッタリではないかと思っている。現在、同大学は、後藤厚宏第四代目学長の下、研究教育活動を展開している。

私は、二〇〇九年（平成二一年）三月、情報セキュリティ大学院大学を七五歳で退職した後、現在までの一〇年余りは、仲間と好きな研究をやりながら、活動を自由に続けている。

次に、その活動について述べてみたい。

「中央大学研究開発機構」教授として

中央大学理工学部教授は、二〇〇四年（平成一六年）三月定年退職したが、それ以降、現在まで、一七年間、中央大学には研究開発機構教授として勤めている。理工学部教授在職中の一九九九年（平成一一年）、中央大学に産学共同のための研究開発機構が設置され、私が初代機構長を仰せつかった。政府系プロジェクトをはじめ、企業などから外部資金を集めて、文理にまたがり研究活動を推進する機関である。研究グループの単位をユニットと呼んでいる。国際的な経済学者である宇沢弘文先生も名を連ねていた。

二〇〇二年（平成一四年）、文部科学省は、二一世紀COE（Center Of Excellence）プログラムの公募を始めた。全国の国公私立大学が、名誉を賭けて獲得競争を繰り広げた。私が代表者として公募した「電子社会の信頼性向上と情報セキュリティ」は辛うじて、最下位争いに勝ち残った。情報系に限れば、旧帝大のほぼ半数、東工大も不採択であった。「先生、母校を裏切りましたね」と冷やかされたが、最下位争いの相手は違っていたようだった。

発足した研究開発機構は、情報系、数学系、経営系の研究者に加え、数名のポスドクを研究員として採用した。ポスドクは、研究成果を挙げても大学教員として定職が見つかる状況ではないから、COEの研究期間である五年が終わっても就職は難しい。そこで、総務省、経済産業省、国立情報学研究所（NII）などから、ほぼ三年おきに人件費の出せる研究費獲得に辛苦を重ねてきた。その後彼らが、大きな研究成果を挙げ、社会に貢献したことは言うまでもない。

ところが、さらに日本の研究力向上に貢献できる、思わぬ副産物があった。シニア研究者の活動の場所ができたのである。多くの大学教授は、六五歳で定年退職する。企業などの研究者はもっと早い。それらの退職者で、やる気満々なシニア研究者たちが、この研究開発機構に集まり出した。周知のように、日本の研究力低下は、目を覆うばかりの悲惨な状況にある。これまで多くの有識者やメディアがそれを訴えているが、その中で高齢研究者の活用はほとんど話題になっていない。このことは、本章の最後で紹介するとしよう。

『情報社会・セキュリティ・倫理』の執筆

私は電子情報通信学会で、長い間、教科書委員会の委員長を務めているが、情報セキュリティ総合科学を中心とする情報社会論に関する書物の必要性を痛感していた。情報セキュリティ大学院大学学長を退職し、時間ができたので、二〇一〇年（平成二二年）頃に一冊の本を次のような構成で書き始めた。

第Ⅰ部　情報社会
1．情報化の進展と社会の変容
2．デジタル技術による社会的矛盾の拡大
第Ⅱ部　情報セキュリティ
3．情報セキュリティの概念と理念

4. 情報セキュリティ技術
5. 情報セキュリティに関する法制度
6. 情報セキュリティに関する経営・管理
7. 情報セキュリティと人間
8. 情報セキュリティ総合科学の構築へ向けて
第Ⅲ部 情報社会と倫理
9. 情報倫理とは何か
10. 哲学史の流れ――プラトンの二世界モデルから現代思想へ
11. 社会規範と企業倫理
12. 技術者の悩みと倫理
終わりに――情報社会の教養と人材育成

以上の点を踏まえながら、社会のための総合的学問である「情報セキュリティ」について、理系の学生、文系の学生問わず、あるいは学生であるか社会人であるかも問わないかたちで、これからの社会を生き抜くすべての方々に向けて書いたつもりである。のちに、コロナ社から『情報社会・セキュリティ・倫理』という書名で二〇一二年（平成二四年）に上梓された。なお、『情報社会・セキュリティ・倫理』は哲学界の大御所、加藤尚武先生のお目にとまり、本書（『フェイクとの闘い』）冒頭にも転載したように、ある研究会の資料に「情報哲学」という過分な名称をつけていただき、抜粋していただいた。

「デジタル時代のNHK懇談会」座長として

二〇〇五年（平成一七年）、NHKの橋本元一会長（当時）から「デジタル時代のNHK懇談会」座長を依頼され、約二年間にわたり梶原拓全国知事会会長（当時）やノンフィクション作家の吉岡忍氏（のちに日本ペンクラブ会長）など、多分野の有識者らと熟議を重ねた。

真偽不明な情報がSNSなどで飛び交う昨今、高い視座からの長期的視野にたった、多視点的な信頼できる情報を発する公共放送の役割は、増すばかりであると考えている。参考までに、当時、筆者が記述した「公共放送NHKの再生に向けて」を左記に転載しておく。

ここ一〇年来、市場原理、経済優先の考えで、放送と通信の融合、連携の議論が進んでいるように見受けられる。端末と伝送路の融合をベースとした事業拡大という流れの中での検討が多いように思われる。これに対し我々の懇談会では、公共放送のあり方をより広く社会的・文化的な視野にたって議論してきた。

公共放送は、健全で活力ある民主主義の発展にとって不可欠である。大仰に言えば、NHKの危機は日本の民主主義の危機であるという気持ちで、理念を中心に議論してきた。少子高齢化や

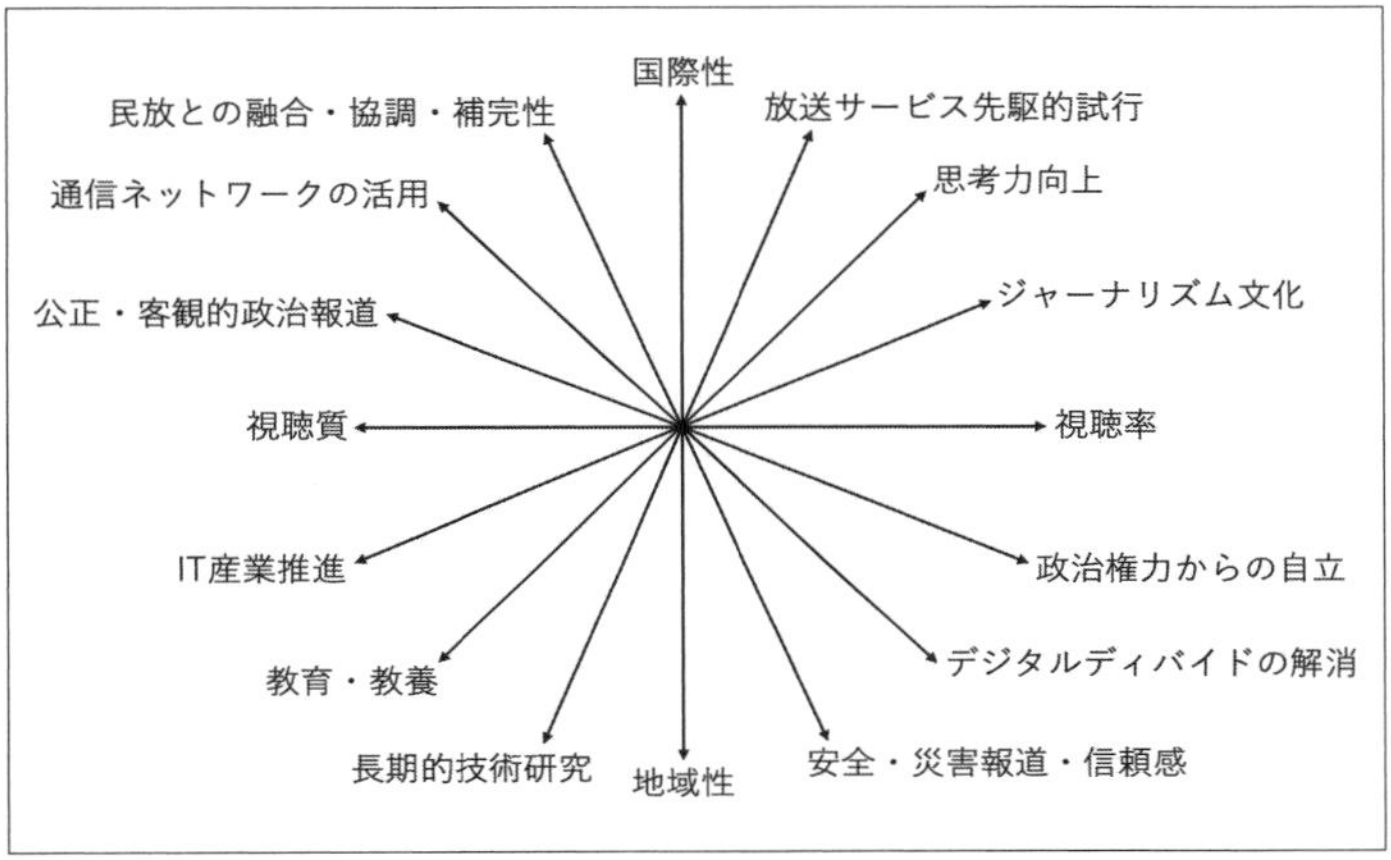

図１　デジタル時代の公共放送を考えるための座標軸

デジタル化・ネットワーク化の普及によって世の中が、社会の構造が複雑になっていく中で、経済的、文化的、地理的格差等難しい問題を抱えている。

視聴者が問題意識を共有し、一人一人が広い視野の中で判断力を高めていくために公共放送の果たす役割は大きいと考えている。

誰もが持っているゴシップ好きで易きに流されやすい人間の性向に合わせるのではなく、これまた視聴者の誰もが持っている向上心を刺戟し、社会的、経済的、文化的問題意識を共有できるような公共放送であって欲しい。

経済優先・市場万能
⇦
視聴率・スクランブル　受けの良い話題
⇦

画一的思考、附和雷同的集団志向、情報格差
（また、インターネットのみでも同質的情報空間になりやすい）

⇩

民衆主義・文化の成熟は期しがたい

このため、我々は、八つの提言を行っている。

①視聴者第一主義　長期的、広い意味で
②公平感のある受信料体系
③現場の創造性尊重　ガバナンスとの調和
④地域放送の充実　パブリックアクセス、地域への権限委譲、インターネットの活用
⑤国際放送の発想転換　国内と国外の区別なく、情報伝達　ＮＨＫの編集権
⑥アーカイブスの公開　放送文化・批判の質的向上・拡大
⑦技術研究　子孫に美田を、デジタルデバイドの軽減、長期的目的の研究、現場重視
⑧チャンネル　多様性が重要、外国語・国際放送、国会中継、経費を掛けないで視聴者に重要な情報をとどけ資質を高める

こういった提言の背景には、「理念」の共有に益するメディアの役割を考える必要があるという思

いがある。そしてまた、発信者と受け手の止揚による「フェイク」防止という思惑もあるのだ。

「デジタル・フォレンジック研究会（IDF）」理事として

デジタル・フォレンジックとは、インシデントレスポンス（コンピュータやネットワークなどの資源および環境の不正使用、サービス妨害行為などへの対応）や法的紛争・訴訟に際し、電磁的記録の証拠保全および調査・分析を行うとともに、電磁的記録の改ざん・毀損等についての分析・情報収集などを行う、技術、法制度、監査等から成る総合的な社会システムである。

米国では、刑事裁判での必要性から一九六〇年代に始まり、その後、民事訴訟でも使われるようになったと聞いている。二〇〇三年、私が情報セキュリティ大学院大学学長に就任した直後、丸谷俊博氏らが来校され、「今回、デジタル・フォレンジック研究会（任意団体）を設立することとなったので、会長を務めてくれないか」との依頼を受け、お引き受けした。

あまりお役には立っていないが、理事長を七年務めた後、理事として現在まで、毎月の理事会に出席し議論に加わっている。二代目理事長は、研究者としてもデジタル・フォレンジックを推進しておられる佐々木良一東京電機大学教授（当時）が、三代目は、刑法の大家、安富潔慶應義塾大学名誉教授が会長を務められ、二〇二一年現在は、上原哲太郎立命館大学教授が会長職に就任されている。丸谷氏は現在まで理事・事務局長として精力的な活動を続けている。

デジタル・フォレンジックの技術として、暗号技術の一つ、ハッシュ関数（hash function）についてだけ少し説明しておこう。

ハッシュ関数は、ブロックチェーンでも不可欠な基盤技術として利用されている。通常、平文《ひらぶん》を暗号化した場合、鍵を所有していれば復号できるが、ハッシュ関数は、長い平文を決められた長さ、例えば二五六ビットの長さのデータに変換する一方向性関数であって、原理的に平文には戻せず、平文情報は失われる。一〇〇〇ビットの平文でも二〇〇〇ビットの平文でも二五六ビットに圧縮される。それでは、異なる平文が、同じハッシュ値（ハッシュ関数の出力値）になってしまうではないか？と思われる方もいるかもしれない。数学的にはその通り。しかし、そのようなことは数億年に一度しか起きなければ、現実には問題なしとして無視するという計算量的安全性に依拠するのが現代暗号の方針である。デジタル・フォレンジックでは、ある平文とそのハッシュ値をペアにして、平文が改ざんされていない証拠として保管しておくのである。

デジタル・フォレンジックの利用は、刑事・民事訴訟に限らず、組織間のトラブル解決に広く使われている。

真贋の判定こそを、個体から文化層まで貫く理念とすべきである。これはソサエティ5・0社会の基軸とすべき理念であるが、デジタル・フォレンジック研究会（IDF）でもフェイクニュースへの対応に至るところまで話題になっている。ここでもまた暗号技術が真贋判定というフェイクとの闘いに役立っているのである。

現在、IDFは、「技術」「法務・監査」「医療」「法曹実務者」「DF普及状況調査」「DF人材育

成」「日本語処理解析性能評価」の分科会から成り、活発な活動を展開している。

「マルチメディア振興センター」「放送セキュリティセンター」理事長など

また私は、二〇一〇年（平成二二年）四月から五年間、マルチメディア振興センター理事長を、そして、二〇一三年（平成二五年）から約四年間、放送セキュリティセンター理事長を務めた。いずれも総務省が設立した一般財団法人である。どちらもサイバーセキュリティが昨今非常に大事になってきたこともあり、私にお鉢が回ってきたのだと思われる。

マルチメディア振興センターは、それぞれ専門に担当する、アメリカ、EU、中国、韓国など各国の通信事情などを調査研究する社会系の研究者たちが、毎週勉強会を開いて討議しあい、定期的に、「ICTワールドレビュー」を発刊している。例えば、二〇二〇年（令和二年）の二・三月号（Vol. 12, No. 6）では、特集「海外主要国情報通信動向報告」などが掲載されているのでぜひ参照されたい。

また、放送分野でも、個人情報保護や匿名性などセキュリティ課題の検討が不可欠となっている。SNSでは、真偽の不明な情報も多く流れるので、情報の信頼性確保に対する放送業界の期待は大きい。情報のあるところには常にフェイクとの闘いがあるのである。

「セキュアーIoTプラットフォーム協議会」の理事長として

象徴的な言い方になるが、「〈物＋情報〉社会から〈物×情報〉社会」への変化が始まっている。よく耳にする「ソサエティ5・0」とは、人類が、狩猟時代、農業時代、産業革命時代、情報化の時代という四世代を得て、現在、物的世界と情報が一体となる第五の社会を迎えたという意味である。

二〇二〇年四月、NHKのとあるドキュメンタリー番組を観た。その放送では、「リアルvs.デジタル」という対概念で特集を組んでいた。私には違和感があった。デジタルは仮想的なのではなく、もはやリアルではないか。「Physical vs. Cyber」はどうだろうか。上手い日本語が見つからないが、物ベース社会vs.情報ベース社会という意味がより適切であろう。

モノとコトという議論も良くされるが、コトは、物と情報の結合によってなされるものである。織田信長は、桶狭間で勝利した際、今川義元を打ち取った配下より、義元の居場所情報を届けた部下により大きな恩賞を与えたそうである。昔から、情報の重要性は当然認識されていた。

しかし、「百聞は一見に如かず」とも言われる。情報を耳にしただけでは、実感が湧かず、間違える場合も多い。第2章で述べた戦時中の文化人たちも、アメリカを現場で観察していたならば、その考えや発言は大いに違っていただろう。

現在は、IoT（Internet of Things）や画像技術の進歩により、地球上の多くの情報が実感できるものへと変わる可能性が出てきている。

正確な表現にはならないが、ソサエティ5・0の到来は、先ほども申し上げたとおり、「〈物＋情報〉社会から〈物×情報〉社会」への変化と表現するのが良いと考えている。

いずれにしても数百億のデバイスから、情報が発せられるようになった。センサーは何兆個とも言われており、「千差万別」どころではなく、「センサー兆別」という環境が広がっている。ＩｏＴは、物世界と情報世界の接点というより接面と言うべきであろう。特に生命・財産や重要インフラの安全性に関わるＩｏＴが発する情報に偽りがあってはならない。

そこで、真正性保証のため、「三文判」ではなく、国際的にも信頼性が保証された「実印」に対応する電子認証が必須となる。そのような背景の下に、電子証明書発行サービスなどのセキュリティサービス事業を行なっているサイバートラストが事務局となり、総務省や経済産業省の賛同も得て、二〇一七年に一般社団法人「セキュアＩｏＴプラットフォーム協議会（ＳＩＯＴＰ）」が設立された。私がそこの理事長を務めている。

電子認証を付与する、つまり実印であることを保証する認証局の責任は極めて大きい。真正性の保証なくして、安全なサイバー社会は構築されえない。電子認証制度は一九九〇年代、まず人に対して始まったのだが、ソサエティ5・0の到来により、ＩｏＴへの普及が急がれている。拠点が、どこにあるかすら公開しない、ハード的にもソフト的にも極めて安全性の高い国際水準を満たす認証局を運用しているのは、日本ではセコムとサイバートラストの二社である。

ＳＩＯＴＰは、日本マイクロソフト、大日本印刷、ＮＴＴデータなど多くの企業が正会員となり、

ＩｏＴデバイス製造（ＩＣチップへの証明書の埋め込みによる暗号・認証でのデバイス工数の低減）

ネットワーク（高度暗号化、接続の際の成りすましの排除、改ざん防止）

データ管理（ビックデータの匿名化および暗号化データ処理による安全性向上）
サービス（プライバシー保護、暗号化・改ざん・フィッシング防止）

の四層にわたって、

①次世代ＩｏＴセキュリティ標準の規格化
②およびデファクトスタンダード化に向けての普及活動
③ＩｏＴ利活用推進および事例構築
④共同実証実験（ＰＯＣ）の実施
⑤最新ＩｏＴ関連情報の発信
⑥セキュリティ人材の育成（メディアパートナー WirelessWire News）

などの活動を展開している。

昭和後期の大量生産型工業時代は、日本人の特性との整合性も良く、高度成長を成し遂げたが、平成期に入ってから、個性と論理性に弱い国民性が、情報化社会に適さない面もあってか、勢いが止まってしまった。しかし、日本の製造業のレベルは高いし、ＩｏＴを適用することにより、ソサエティ５・０時代に活力を取り戻せる可能性に大いに期待している。また、農業の生産性向上や環境問題の解決に果たすＩｏＴの役割も大きい。

コロナ禍を契機に、反近代という思想も含め、社会の在り方について議論が高まっている。ＧＤＰばかりを指標にすべきではないが、社会の根底には、人間の欲望があることを考えると、やはり日本の産業復活について再考したい。私のように、昭和三〇年代、一〇〇時間残業を当然として、企業で汗を流した者としては、「日本よ、もう一度、やろうよ」というのが正直な気持ちだ。また、日本の製造業は底力を持っている。そこに、ＩｏＴを全面的に導入すれば、ソサエティ５・０で世界に貢献できるだろう。

なお、話はすこしそれるが「先端技術大賞」についてもここで触れておきたい。

産経新聞社などの主催により、学生や企業の優れた先端技術成果に対して、毎年、文部科学大臣賞、および経済産業大臣賞が与えられ、高円宮久子殿下をご来賓にお迎えして、授賞式が行われている。二〇二一年で、第三五回を迎えたが、私は、当初からエレクトロクス・情報分野の審査委員を務めている。授賞対象分野は、「Ａ　エレクトロクス・情報」「Ｂ　バイオ、生体・医療」「Ｃ　材料」「Ｄ　環境・エネルギー」「Ｅ　機械・土木・建築」「Ｆ　化学」「Ｇ　ノンセクション」の七分野から成っており、各分野の審査委員は、すべての分野を審査する規則になっている。当初、「専門外の審査はできません」と事務局に断っていたが、「先生でもですか」と言われてしまい引き受けざるを得なかった。結局、全審査員が、全分野を審査することになり、現在まで広い視野から妥当な審査を続けている。ここ数年の傾向は、どの分野の応募論文にもＩｏＴ、ビッグデータ、ＡＩに関わる論文が増えてきた。ソサエティ5・0時代の到来をますます実感させられる。

電子情報通信学会一〇〇周年記念マイルストーン選定

旧電電公社の研究所に端を発する電子情報通信学会が、二〇一七年（平成二九年）に一〇〇周年を迎えた。最高時には、約四万人に上る会員を擁し、私も学生会員として入会して以来、研究拠点としてお世話になり、また総務理事や会長も務めた縁の深い学会である。

どういう風の吹き回しか、学会一〇〇年間の顕著な業績をリストアップする委員会の委員長を務めよ、という難役が回ってきた。本学会は、基礎境界、通信、エレクトロニクス、情報の四ソサエティから構成されている。各ソサエティから選出された委員や永妻忠夫大阪大学教授らと共に、一年あまり検討を重ね、業績リストを作り上げた。

まとめてみて感じたことがある。それは本分野における我が国の技術力の高さである。例えば、戦前には、八木・宇田アンテナが発明されている。「太平洋戦争が始まって間もなく、勢いの良かった日本陸軍がマレー半島を進撃中、イギリス軍が使用していた機器を見て、捕虜に、『これは何だ？』と尋ねたら、『ヤジ（八木）アンテナだと聞いている』と答えた」という話を、半導体などで世界的業績を挙げられた西澤潤一先生が、生前にテレビで語っておられたのを覚えている。日本では実用化されず、先に、敵に利用されてしまったというしだいである。このような話は、現在でも少なくない。国内の成果より、海外に目を向けるのは、明治維新の後遺症かと思いきや、古くは平安時代の公卿・

学者の大江維時が、「遠き（漢詩）を尊びて、近き（和歌）を卑しむは」と書いているそうである。奈良・平安時代に染みついたDNAのようである。

暗号鍵安全配布TSシステム起業への協力

古典暗号と現代暗号は、利用目的と数学的構造の面で時代を画している。古典暗号の用途は、主に軍事・外交であり、アルゴリズムは原則として秘密であった。現代暗号は、明快な数学的構造を持つ公開鍵暗号では、電子認証・電子署名（電子ハンコ）が秘匿機能以上にIT社会の基盤的役割を担っており、秘匿機能を担う共通鍵暗号もアルゴリズムは原則として公開されている。とは言え、両者に共通する悩ましい課題がある。それは、鍵の管理・配送である。暗号技術をいかに高度化しても、鍵が盗まれたらおしまいである。大金を頑丈な金庫に入れておきながら、その金庫の上に鍵を載せておいては盗まれる。こういったようなことがネットの世界では起きている。

軍事・外交が主な用途であった古典暗号については、例えば、日本海軍のミッドウェー海戦も事前に鍵交換が抜かりなく出来ていれば、あのような惨敗はしなかったであろう。

第一次世界大戦に、米国が参戦するきっかけの一つも暗号解読だった。ドイツから米国のドイツ大使館への暗号通信には、強度の高い暗号を使用していたが、メキシコにあるドイツ大使館には、鍵の交換などが間に合わなかったこともあり、脆弱な暗号を使用していた。その為、「メキシコがドイツに味方して、ドイツ連合側が勝利した暁には、テキサス州などをメキシコの領土にして上げる」とのいる。
暗号情報をイギリスが解読し、それを巧みに利用して、アメリカを怒らせ参戦へと導いたと言われている。

公開鍵暗号は、例えば、素因数分解などの、数学的に解くことが難しい問題に依拠しており、通信路上で盗まれても解読されることはないが、秘密鍵が盗まれたらそれまでであるから、鍵の管理に万全を期さねばならない。もう一つ、公開鍵暗号の計算は、共通鍵暗号に比べて、桁違いに計算時間を要することが欠点であり、高速化・軽装化の面からは共通鍵暗号の利用が望ましい。

ＩｏＴセンサーが遍在する現在、またゼロトラストに象徴されるようにネットワークが無境界化する中で、よりきめ細かく、適応的に迅速に軽装化して鍵共有を行うことが不可欠となっている。

そこで、アドイン研究所の佐々木浩二社長・鈴木伸治氏らは、このような新たな環境に適応した、共通鍵暗号による鍵共有方式（ＴＳ方式）を提唱し事業化を進めており、筆者らも協力して、学会発表を行っている。その概要は、次の通りである。

通常、ＡとＢの二者間で、暗号通信を行う場合、まず両者間で鍵シードを共有しなければならない。通常ＡとＢの二者間で鍵シードを共有しているが、ＴＳ方式では、鍵発行センターを設ける三極構成、すなわち、

①クライアントＡ（スマートフォン、パソコン、ＩｏＴデバイスなど）
②サービス提供者Ｂ

③鍵発行センターC

とし、鍵発行センターCから、クライアントAとクラウドなどによるサービス提供者Bに鍵シードを配送し、クライアントAの負担を軽くする方式としている。本提案方式は、ゼロトラスト環境下でVPN接続（インターネット上に仮想の専用線を設定し、特定の人間のみが利用できるネットワークのこと）をせずに、エンティティ（実体）間の安全な接続を実現するシステムであり、同様の目標を掲げているグーグルの「BeyondCorp Remote Access」に比べて、遙かに簡単な設定で済み、ユーザのコストも大幅に削減できる。

コロナ禍のため、在宅勤務が増える中で、VPNが大幅に不足し、クラウドサービスに依存するケースが増す中で、このプロジェクトは大いに役に立つのではないかと考えている。

「光輝会」――シニア・女性研究者の活動・研究文化の普及に向けて

「在職中より、マシな論文を書きました。客員研究員にしてくれませんか？」というメールが、浅野孝夫中央大学名誉教授から、二〇二〇年の初めに届いた。浅野教授は七一歳、アルゴリズム理論では、国際的に著名な研究者で、二〇一九年に中央大学理工学部を定年退職されていた。

本章の冒頭でも述べたが、中央大学教授は七〇歳で定年退職となる。ただし、私が勤めている研究開発機構は政府系プロジェクトや民間企業などから研究資金を一〇〇〇万円以上確保してくれれば専任研究員となり、研究ユニットを設置できる。定年はない。ただし「金の切れ目が縁の切れ目」なので研究費集めは苦労する。しかし、研究ユニットを立ち上げれば、多くの客員研究員と共に研究に精を出すことができる。客員研究員も専任研究員と同様、業績しだいで機構教授の称号も付与される。

シニア研究者たちの活動

現在、我々のユニットには、白鳥則郎東北大学名誉教授・元情報処理学会会長をはじめ、東芝でセキュリティ研究所所長などを務めた才所敏明氏、富士通・MCPCなどで活躍した山沢昌夫氏、佐藤直情報セキュリティ大学院大学名誉教授、山本博資東大名誉教授などのシニア研究者たちが、毎週ゼミで議論を重ね、毎月のように学会で論文発表を行っている。

また、NECで技術者を卒業した後、ある組織で長らく事務局長的な仕事を務め、八〇歳頃から我々のグループに参加した近藤健氏は、二〇二〇年に電波有効利用にブロックチェーンを活用する方法を着想し、自らプログラムを作成し学会に発表した。これにはいささか驚かされた。

二〇二〇年四月から、右記の浅野氏に加え、黒澤馨茨城大学名誉教授、廣田修玉川大学名誉教授が、機構教授・客員研究員として我々のグループに参加している。黒澤氏は、NIST（National Institute of Standards and Technology〔米国の科学技術に関連する国立標準化機関〕）において、日本から初めて標準方式として選ばれた、ブロック暗号に基づくメッセージ認証符号アルゴリズムであるCMAC（Cipher-based MAC）の考案者であり、IACR（国際暗号学会）フェローに選定されている（日本人でIAC

Rフェローなのは、今井秀樹氏、岡本龍明氏、黒澤馨氏の三名である）。廣田氏は量子暗号に関して、米国物理学会から最高の賞を受けており、「Y００」と称する実用性の高い量子通信の研究を推進してきた。

北陸先端科学技術大学院大学（ＪＡＩＳＴ）の片山卓也前学長は、法令工学という法律・条令の論理性を検証する新分野を先導し、在職中は文部科学省の二一世紀ＣＯＥ（Center Of Excellence）プログラムの代表者を務めたが、退職後、中央大学研究開発機構の客員研究員・機構教授として、自ら福祉に関する法令の述語論理に基づくソフト開発を進めている。と書いていたところへ、嬉しいニュースが飛びこんできた。片山氏が、日本ソフトウェア科学会に投稿された論文「国民年金法の述語論理による記述と検証　ＳＭＴソルバーＺ３Ｐｙを用いたケーススタディ」が、研究論文賞を受賞されることになったとのことである。八〇歳を過ぎての快挙であり、「超後期高齢者もやれる」という証明ができたといえよう。学長の仕事と個人的研究とは両立し難い中で、研究を続けられた成果であり、光輝会を進めている筆者としては、我が事のように喜ばしいというのが偽らざる気持ちである。

また、二〇二〇年六月、佐々木良一東京電機大学客員教授（名誉教授）から、この一年くらいの間に左記の四件の論文を発表した、とメールをいただいた。

①ＩｏＴ時代におけるＡＩとセキュリティに関する統合的研究の構想――Beyond the attackers を目指して

②新型コロナウイルス感染症に関するリスクコミュニケーションの分析とサイバーセキュリティ

への展開法の考察
③新型コロナウイルス流行に対する疫学の適用法の分析とサイバーセキュリティへの適用方法の考察
④リモートメンテナンスを伴いフィードバックを有する医療用ＩｏＴシステムのリスクアセスメント手法

コロナ禍が始まって数カ月、大変な構想力とエネルギーではないか。東大医学部卒、日立製作所勤務、日本セキュリティマネジメント学会会長や政府系の委員会などで活躍された長い経験と広い視野がベースになっているのだろう。

二〇二一年八月末、重い荷物が届いたと思いきや、安西祐一郎博士から恵送された英文一二〇〇頁・厚さ七センチの大著 *Learning and Interaction* だった。慶應義塾長（二〇〇一－〇九）後も多数の要職を務めながら、一〇年余りをかけてものされたのには驚嘆の他はない。工学博士とは別に、七〇代で取得された哲学博士の論文を大幅に拡張されたそうである。「文系理系を超えた議論のタネになればば」「デジタル技術と哲学の橋渡しを」とのこと。これには筆者も強く共感している。加藤尚武先生のように、筆者の拙い考察を引用して下さる大哲学者がおられる反面、多くの技術者たちは、哲学的な話を「高邁な話ですね」と聞き流すという現状は変えなければならない。

ＡＩに関して先駆的研究成果を挙げられた福島邦彦氏（八四歳）が、世界的な学術賞である米フランクリン協会「バウワー賞」（通称フランクリン賞）を受賞されることが決まった、と二〇二〇年五月二八日の「日本経済新聞」夕刊で「『深層学習の父』再評価」という大きな見出しとともに報じられた。福島氏は、一九六〇年代、NHKの研究所から精緻な論文を発表しておられたのを、当時NECに勤めていた私はよく覚えている。

「日経新聞」には、「今は、自宅の書斎でパソコンを使い研究している。ネオコグニトロンを改良し、少量のデータで学習できるAIを実現するのが目標だ」と紹介されている。八〇代で、一人で研究しておられるとすれば、理工系の研究者には大変珍しく素晴らしいことである。

「今の深層学習は膨大な学習用データが必要で、いわば、億を聞いて万を知るようなもの。千を聞いて万を知るようにしたい」と言われるのには全くもって同感である。新たな概念の構築を期待している。

なお、今のAIは、ユークリッド幾何学をベースに構築されているが、中央大学の趙晋輝教授は、人の顔は曲面であるから、その表情認識にはリーマン幾何学による処理が適しているという斬新な発想で研究を進めており、国際的に高い評価を受けている。趙教授も六〇代半ばである。

バウワー賞（フランクリン賞）は、エジソンやアインシュタインも受賞しているノーベル賞にならぶ賞であり、面発光レーザーの発明者である伊賀健一東工大元学長らも受賞しているが、日本のメディアは、「ノーベル賞以外は要らない」と言って載せないことが多い。だが、今回の「日経新聞」の記事は、昨今話題のAIだから取り上げたのかも知れない。

研究文化の普及を

さて、研究に必要な力とは何であろうか？

①総合的な概念構築能力
②個別的なアイデアを生み出す着想力
③徹夜も辞さない体力・エネルギー・集中力

などであろう。

瀬戸内寂聴さんのように、九〇歳を過ぎて「最近、徹夜ができるようになりました」という超人的な方もおられるが、高齢者になれば体力・エネルギーが落ちてくるのはいかんともしがたい。しかし、抽象的概念構築能力は七〇歳くらいがピークであるという脳科学の結果も知られている。

情報や環境に関する分野では、広い視野、長い経験に基づく自由な発想と総合的な思考による研究成果が求められており、このような意味で、シニア研究者の活動の場を広げることが、日本の研究力を高めるうえで有効であることを、大学・企業の多数の定年退職者たちの精力的な研究活動を、中央大学研究開発機構で支援しながら実感している。

他方、現役研究者の研究環境は、見るに堪えないほど深刻である。金がない、時間がない、人手がないという、ないないづくしである。日本から発表された論文の引用率は、イタリアやオーストラリアに抜かれようとしている。日本のＧＤＰは、イタリアの二倍以上だから、金だけが問題なのではない。時間も深刻な課題なのである。これは研究者でないとなかなか理解することはできないと思われるので、少し説明しておこう。

まず、「競争的研究費」獲得のための申請書の執筆に、多くの時間とエネルギーを費やさねばならない。競争率は一〇倍に上ることも多い。それを勝ち抜いたとしても、計画通りに進行しているかどうかを定期的に報告書として作成し、次年度へと継続されるようにしなければならない。そうした事務的処理に時間がさかれるため、研究そのものにかける時間が大幅に削減されてしまう。研究費には、時間というコストがとられるのだ。研究成果は、学会などで発表することによっても社会貢献となる。そのことも理解して、もう少し柔軟な運用が望まれる。

研究にも基礎的段階から実用化段階までがあるが、実用化段階の研究に対して計画性が求められるのは止むを得ない。しかし、基礎的段階の研究に対してはどうであろうか。ノーベル賞が計画通り取れたら苦労はない。今、都会の夜を明るく照らしているＬＥＤは、赤崎勇氏、天野浩氏、中村修二氏により発明され、二〇一四年にノーベル物理学賞を受賞したが、研究を始められた頃の学会では、シリコンを材料とする研究発表の会場は満席だったが、三人が進めていた窒化ガリウムを利用する発表会場は、三氏の他には司会者のみだったと聞いている。研究は、多数決では決まらない。評価が極めて難しいのである。「伯楽出でよ」と言っても、伯楽は少ない。公開鍵暗号の研究は、「鍵を公開するなど不可能である」ということを証明しようとしたのが、その動機だったと聞いて驚いた。画期的な成果は意外な着想から生まれるものなのだ。

中村氏が、ノーベル賞を受賞される一〇年ほど前だったと記憶している。その当時、私は大河内賞審査委員を務めていた関係で、中村氏が勤務しておられた徳島県の日亜化学を訪問したことがあった。毎朝七時に出勤して研究に励んでおられる中村氏にも感心したが、当時の社長が「私は、儲けることより、研究活動を援助することが生き甲斐なのです」とおっしゃっていたことに強い感銘を受けた。

二〇一九年度のノーベル化学賞を受賞された吉野彰氏は、ユーモアたっぷりのお方で、研究費を「ずるく」使わないと良い研究はできないと語っておられた。もちろん、倫理的にずるいというわけでは全くない。

現時点で、専門家の誰もが、やるべきだと認めるテーマには研究費は出やすい。そのテーマで獲得した研究費の一部を、成否は約束できないとしても未来社会をきりひらく研究に使うことは、はたして悪なのだろうか。

二〇一五年に文化勲章を受章された末松安晴元東工大学長は、若い頃に当時全盛だったマイクロ波通信の研究に勤しむ傍ら、未知の分野だった光通信の分野を世界に先駆け開拓した。ある企業の社長は「見返りは期待しないから、自由に研究してほしい」と言って、研究費を補助してくれたそうである。また、当時の国立大学には、額は少ないが、講座費という制度があり、ある同僚教授が、「自分は理論研究でお金はあまり要らないので使ってくれ」と言って融通してくれたこともあったそうである。

大蔵省時代の話ではあるが、「あの講座費というのは何だ?」と言って話題になっているという話も伝わっていた。だが、少額でも自由に使える研究費は不可欠なのである。成果を約束できず、失敗も多かったが、そうしたものの中からこそ未来は拓けていった。その事実への社会的認識が切望される。特に、研究をサポートする政府や企業のリーダーや財政担当者の研究文化への理解は不可欠である。

会計管理を厳しくするのは、国民の税金を無駄使いすることを防ぐためには必要である。だが、厳しすぎると研究者の研究時間と自由な発想を奪うことになる。結果的には、税金を有効に使用することができなくなり、長期的には国益を大きく損なうことになる。

光輝会の活動に向けて

研究のあり方についての議論はこの辺にしておくが、現役の研究者は、このように憂うべき状況にある。他方、現役を引退してなお研究意欲に燃えるシニア研究者はどうか。シニア研究者は、年金で最低生活は保障され、健康であれば、自由な時間がある。必要なのは、侃々諤々の議論を広げ、アイデアを出し合い躍動感を高める居場所である。我が家だけが研究所では寂しい。先に述べたように、中央大学研究開発機構で、多数のシニア研究者仲間の場を設けた経験から、二〇一八年、「光輝会」と称する会を開催した。後期高齢者が「光り輝」けるようにと名付けたものである。元NECの並木淳治氏らの尽力で、電子情報通信学会に光輝特別研究会も設立した。二〇二〇年度から、春日正男宇都宮大学名誉教授が委員長を務めている。

光輝会のシンポジウムも催し、多彩な方々にご登壇いただいた。光輝会は、狭い意味の研究だけでなく、高齢者向けソフト開発などで国際的にも著名な若宮正子氏を初めとする女性活動家等、多方面の方々にご協力いただいている。

ノーベル物理学賞を受賞された梶田隆章博士からは、日本学術会議会長に就任される前だったがご登壇いただき、欧米における、シニア研究者の精力的な活動状況について詳しく説明していただいた。年齢にこだわらないという点での文化の違いも感じさせられた。

最後に、暗号・セキュリティ分野の女性の活躍について紹介しておこう。「日本経済新聞」二〇二一年八月二四日朝刊に「量子時代　暗号で支える」と大きな見出しで、盛合志帆NICTサイバーセキュリティ研究所長の活動の様子が、写真入りで紹介されていた。盛合さんは、京都大学工学部卒業後、NTTに入られた頃から、郵政省吉田昇課長（当時）担当の「暗号の安全性評価検討会」で、私と研究仲間だったが、現在、NICT（情報通信研究機構）で、サイバーセキュリティ研究を統率している。

また、宮地充子大阪大学教授、佐古和恵早稲田大学教授、小松文子・松崎なつめ長崎県立大学教授、尾形わかは東京工業大学教授、大久保美也子NICT研究員なども基礎研究や国際標準化活動を活発に展開しており、毎年、数百名が参加するSCIS（暗号と情報セキュリティシンポジウム）での女性の発表も増加してはいるが、男性に比べるとまだまだ少数であり、今後に期待したい。
さらに付け加えるなら、多彩な能力のある人は羨ましい。例えば二刀を使える人だ。坂井修一東京大学教授は、情報学を先導すると共に、歌壇の重鎮であり、「日本経済新聞」に、今年（二〇二一年）、毎週の日曜日朝刊にエッセイを連載中である。また、私の若い頃からの研究仲間である笠原正雄氏（一九三六年生まれ、京都工芸繊維大学名誉教授）は、情報理論や暗号理論で、数々の国際的業績を挙げ、現在も論文発表を続ける一方、七〇歳を過ぎてから、小説の創作活動を開始。現在、三作目が書店に並んでいる。いずれにしても、人生一〇〇年時代、男女を問わず、豊かな人生を送りたいものである。

本章の要点

- 「暗号技術」の発展は、常にフェイクとの壮絶な闘いとともにあった。また、細分化され、文系と理系との溝がますます深まっていく昨今の知の領域を、再度統合させていく過程でもあった。これまで歩んできたさまざまなプロジェクトを歴史的、そして実証的に見ていくことによって、そうした闘いの様子を俯瞰した。
- こうした流れをより加速化し、深化させていくための一つの鍵が、ますますの女性の活躍、そしてシニア層が活躍できる社会の実現であることもここで改めて確認した。

第4章　情報社会のセキュリティと倫理の課題

情報セキュリティ文化の共有

情報セキュリティは、今や、企業・産業・経済活動はもとより、国民生活・国家社会の基盤であり、それぞれの立場に応じて、認識を深めるべき課題である。二〇〇二年（平成一四年）に改訂された、経済協力開発機構（OECD）の情報セキュリティガイドラインでは、情報ネットワークへの全ての参加者（participants）が、「情報セキュリティ文化（culture of security）を共有すべし」と謳っている。文化の定義は文化人類学者の数だけあるとも言われるが、文化とは、「あるグループに固有の価値観、行動様式などの総体」を意味するものとすれば、これは誠にもっともな提言であると思われる。

それでは、情報セキュリティ文化とは何であろうか。本章を通して、それを考えていきたい。まず、筆者は情報セキュリティを貫く基本原理は、乗算法則であると考えている。一〇〇点満点の人がいても、零点の人がいれば、結果は零点となる。平均で五〇点というわけにはいかないのである。企業などの組織体では、よく「二割‐六割‐二割」の法則が成り立つと言われている。全社員の二割がよく働き、六割はまあまあ、二割は働かない、あるいは足を引っ張るということである。優秀な人ばかり集めてもそうなってしまうのが組織という生き物の不思議な現象だとも言われる。

しかし、情報セキュリティの乗算法則は、このような組織のありようにも変革を迫っている。例えば、情報漏洩問題を考えても推察されるだろう。経営者、業務管理者、ＣＩＯ（Chief Information Officer）などは、従業員の間に大きな忙閑格差が生じないよう、また出来るだけ不平・不満層が少なくなるように人材の活用と適材適所化を図ることは、情報漏洩をはじめとする情報セキュリティ課題を解決することと表裏をなしていると言える。

セキュリティの乗算法則は、ネットワークの本質に由来するから、ＯＥＣＤガイドラインが言うように、全てのネットワーク利用者、すなわち現在では国民のほとんどに当てはまる。筆者は、情報セキュリティの究極の目標は、人々や組織がＩＣＴ（Information and Communication Technology）によって拡大した自由をできうるかぎり享受できるよう保証することにあると考え、次のように定義している。改めて、記しておこう。

情報セキュリティとは、技術、経営管理手法、法制度、情報倫理・心理などを相互に深く連携させ、それらの相乗効果により、自由の拡大（利便性・効率性の向上）、公共性・安全性の向上、個人の権利・プライバシーの保護という、互いに相反しがちな三つの価値を可能な限り同時に達成するための基盤的プロセスである。

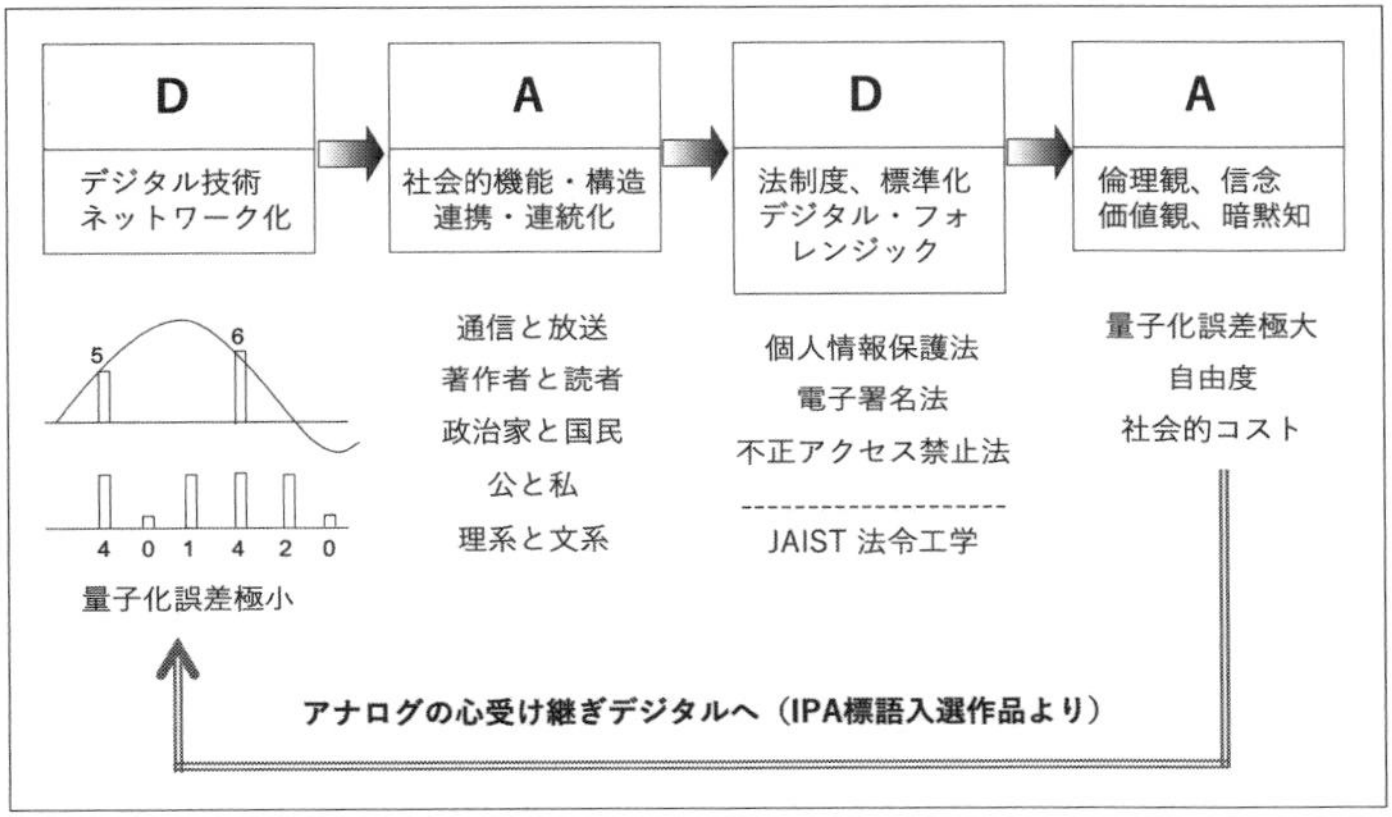

図1　DADA変換

ここで、「技術、経営・管理、法制度、情報倫理・心理などによる相乗効果」と述べたが、これらの一つが欠けても、右記の目的は達成されないから、この意味でも乗算法則が働いていると言えるであろう。

本章では、まず、デジタル技術に基づく情報ネットワークが、社会の構造と機能をどのように変えているかを考察した上で、情報セキュリティの課題を多角的に考察し、次に、社会の基盤となる情報倫理のあり方について考えて見たい。

デジタル化・ネットワーク化による社会構造・機能の変化

デジタル技術は、情報を担うあらゆる信号を1か0に還元する離散的技術である。この離散的技術が、コンピュータとネットワークの基盤となって、社会構造と機能を連続化（アナログ化）するという逆説的現象をひき起している（図1）。このことは、例えば、通信と放送の例を挙げるまでもなく明らかであろう。インターネットが普及するまでは、放送と通信は別々の組織によって、異なる価値観や倫理観の下で運用されてきた。通信と放送では、著作権法が異なるが、両者の接近・連携によって、その統一が課題となっている。もちろん、現在でも、電話による会話には通信の秘密が保証されねばならず、公共放送には公序良俗に反しないことが求められるため、両者が融合するわけではないのだが、その中間にブログやSNSなどの個人放送局とも言える多様で連続的な形態が出現している。

また、インターネットが普及する前は、広告という機能と個人的体験談による紹介とは、別の機能であったが、現在では、アフィリエイト広告という名の体験談的紹介が、広告業界地図を塗り替えようとしている。さらに、サイト運用者が、アフィリエイト広告に加えて、値決めまでするというドロップシッピングと呼ばれる形態まで現れ、販売責任は、販売業者のみにあるのか、サイト運用者にもあるのか、という法制度的課題が監督官庁や法律専門家を悩ませている。

このように、ネットワーク化は、異なる価値観を持つ組織や機能が無関係に存在することを難しくしている。また、個人情報が不正使用されては困るということで、個人情報保護法が二〇〇五年（平成一七年）に全面的に施行されたが、それもあってこれまで全国民的な関心事ではなかった個人情報漏洩が、企業の命取りになり兼ねない状況を招いている。

これまで、離れて共存していた組織や機能の接近・連携により生じる、利害の対立や権限分界・責任分界などの課題を裁くため、新たな法律が定められる。しかし、情報は、有体物とは異なり占有性を持たず、法律によるコントロールが難しい対象である。そこで、「Hard Law」とも呼ばれる法律に加え、より柔軟な運用を目的として、省令、条例、ガイドライン、業界標準、消費者と企業の間の契約約款など、様々な「Soft Law」が法律を補完している。

しかし、一旦、文書に書き表した規定は、解釈の幅があるとはいえ、社会的にデジタル的存在となる。例えば、公務員倫理規定で、n名（例えば4名）以下の会合を禁止するとすれば、それは、もはや、人間の内面に宿る倫理の問題ではなくなってしまう。そして、「Hard Law」にしろ「Soft Law」にしろ、細かく決めすぎると柔軟性に欠け、効率を妨げることになる。ルールさえ守れば良いというのでは、いろいろと困った問題が起きうるのである。

そこで、デジタル化できない倫理観、信念、暗黙知など、アナログ的な人の心が最後の拠り所となる。結局、デジタル技術に始まるネットワーク社会は、社会構造・機能をアナログ化し、そのことが法制度というデジタル化を促し、最後はアナログ的な人の心の状態に依拠することになる。比喩的に言えば、「DADA（Digital to Analog to Digital to Analog）」プロセスになる。情報セキュリティの課題を解決する場合も、最後の最後は人々の心理や倫理観に帰着されるのである。

情報セキュリティの理念——総合・相乗・止揚

情報セキュリティは通常、CIAすなわち機密性（Confidentiality）、完全性（Integrity）、可用性（Availability）という三要素を守ることと言われている。これに信頼性を意味する「Liability」を加えて四要素とする場合もある。

情報ネットワークが、人々の活動範囲を拡大し、効率性・利便性を高めていることは、異論のないところであろう。哲学者ヘーゲルは「歴史とは自由拡大の歴史である」と言っているが、ネットワークを楽しく便利に使っている人にとって、これは実感であろう。しかし、その自由と表裏をなすように、安全への不安や権利やプライバシー侵害への怖れが我々を悩ましている。先ほど述べたように、ネットワーク社会では、様々な価値観や利害の矛盾対立が必然的に先鋭化しがちである。

特に、情報セキュリティに深く関連する自由、安全、プライバシーという三つの価値の相互関係について考えて見よう。

①自由のみを追求すれば、安全性は低下し、プライバシー侵害の被害も大きくなることは言うまでもない。

②安全性のみに力を入れれば、自由な活動は妨げられ、また、監視カメラ、監視ログなどによるプライバシー侵害が問題となる。

③プライバシーのみに注意すれば、個人情報の利用が極度に抑えられて、人々の自由な活動は妨げられる。そして、過度の匿名性が社会の安全を脅かすことにもなる。

プライバシー・個人情報の保護が、人々の安全を守るのに有効である場合も多く、安全とプライバシー保護は必ずしも相反するわけではないが、対立する場面も少なくない。この三者の矛盾相克する価値を、出来る限り両立・三立させることが情報セキュリティの目的ではないかと筆者は考えている。それは多くの場合、叶わぬ願いだが、初めからバランスの問題とするのではなく、技術、経営・管理、法制度、倫理・心理などを総動員し、それらの相乗効果（シナジー効果）を期待できるような総合的な対策を立て、自由、安全、プライバシーを可能な限り高いレベルで均衡させること、いわゆる止揚させること、そしてそれを定常的プロセスとして実行することが、情報セキュリティの理念ではないだろうか。言い換えれば、情報セキュリティは、ＩＣＴによって得られた自由を、出来る限り保証するための対策である、と考えたいのである。

企業などにおける内部統制について言えば、業務の効率化という攻めの目標とコンプライアンス・財務諸表の適正化という守りの目標との止揚を図ることを目指すのが「情報セキュリティガバナンス」の要諦であろう。情報セキュリティガバナンスとは、内部統制の仕組みを、情報セキュリティの観点から組織内に構築し運用することと言える。

情報処理推進機構（ＩＰＡ）では、小・中・高校生から情報セキュリティに対する標語を募集しており、かつて筆者が選考委員長を務めていた。二〇〇六年（平成一八年）度は、約一〇〇〇件の応募があったが、多くは「ちょっと待て、そのクリックが命取り」式のものが多い中で、ある女子高校生から、次のような応募があった。

ネットで広がる無限の世界　明暗決めるはあなたの手

これをグランプリに選んだ。無限に広がるサイバー空間を出来る限り活用し、楽しむための対策が情報セキュリティであり、これは、自己責任のみで全て実行できるわけではもちろんなく、組織経営者、CIO、システム開発者・管理者、利用者、技術や法制度などの研究者、政策決定者などがそれぞれの立場から、知恵を出し合うことが必要なのである。

情報セキュリティにとっては、総合、相乗、止揚という概念が重要であると述べたが、止揚というのは、言うほど簡単ではないと思われるかも知れない。しかし、工夫して出来ることは多いと考える。例えば、次の四つが考えられる。

①電子投票・アンケートシステムにおける匿名性の保証と不正防止の両立

電子投票・アンケートシステムでは、プライバシーを守るため匿名性が保証されなければならない。と同時に、不正な投票を防ぐという意味で安全性が保証されなければならない。ある事案に対して賛成を1、反対を0で投票するとしよう。これは、投票者本人のみの秘密である。しかし、それを良いことに、2と水増し投票しても受け付けてしまうシステムでは困る。このような場合、「ゼロ知識相互証明（ZKIP［Zero Knowledge Interactive Proof］）」と呼ばれる暗号技術などにより、秘密は守りつつ、不正時のみそれを暴くことが可能である。また、一人一人の投票は本人以外誰も知ることなく、集計を正確に行うことも、暗号技術により可能となっている。

ちなみに、電子選挙には、第一段階から第三段階まで三段階がある。第一、第二段階は、投票所投票方式である。第三段階は、投票者が、任意の端末からインターネットなどを介して投票する方式である。我々、暗号研究者は、一九八〇年代から、プライバシー保護と不正防止の両立を主なテーマとして、第三段階を対象に研究を進めてきたが、現実には、政治的思惑やインターネットの信頼性などにより、第三段階の実現は未だ視野に入っていない。第一段階と第二段階の相違は、前者は投票所と集票所をネットワーク化しないのに対して、後者は、投票所間をネットワーク化し、投票者がどの投票所からでも投票できるようにする点にある。

現在、我が国では、いくつかの自治体で第一段階の選挙を実施しているが、半数近くが失敗している。それは、主に管理・運営面での拙劣さに原因があった。電子投票システムに対しても、内部統制的視点から、リスク評価を行い、リスク・コントロール・マトリックスを作成し、情報セキュリティ監査を実施する体制を整えなければならない。電子投票においても、暗号やネットワークを始めとする技術、管理・運営、法制度、投票に関するモラルなどの総合的対策が必須である。

第一、あるいは第二段階の場合、紙による投票に比較し集計は速くなるが、筆者は電子化のメリットをより活かすべく、次のような提案をしている。紙による投票方式の場合、自分の投票結果が集計に正しく反映されているか否か確かめようがない。電子化した場合、それを自分だけが確認できるようなシステムを、「ゼロ知識相互証明」などの暗号技術を用いて構築することが出来る。このようなシステムを情報セキュリティ監査なども含む総合的システムとして検討している。ちなみにゼロ知識相互証明とは、ある証拠を所持していることを、その証拠自体は見せずに、証明するシステムである。

以上、国あるいは自治体の選挙について述べたが、電子投票は、本格的な選挙に限らず、自治体における住民の意識調査や企業など様々な組織における匿名によるアンケート調査にも有用である。その場合には、現在でも、第三段階のシステムが活用できる。例えば、高校生の喫煙状況調査には、匿名性が保証されれば、正直な答えが得やすいであろう。

②個人情報漏洩と過剰反応への止揚的対策

自治体や企業などにおいて、個人情報漏洩が深刻化する一方で、個人情報保護法に対する過剰反応による効率の阻害や安全性の低下が問題となっている。個人情報保護法を制定する過程で、暗号化された個人情報は個人情報か否かということが、関係官庁で議論され、暗号化されていても復号できるのだから、個人情報であると結論されたと聞いている。これは当然である。しかし、高度に安全な暗号方式で暗号化された個人情報が、ネットワークへ流出した場合、それを漏洩と見なすかどうかについては議論が必要ではないだろうか。では、高度に安全な暗号かどうかをどのようにして判断すれば良いのであろうか。

世の中に出回っている暗号の安全性は強弱様々である。暗号の安全度評価は、情報セキュリティの専門家でも簡単には判断できないほど専門的知識を必要とする。総務省と経済産業省は、二一世紀初頭、情報通信研究機構（ＮＩＣＴ）、ＩＰＡを事務局とし、暗号研究者数十名の協力を得て、ＣＲＹＰ

TREC（Cryptography Research and Evaluation Committees）という暗号評価委員会を設置して、三年間かけ、電子政府の利用に供し得る二九種類の暗号方式をリストアップした。現在のそれらの暗号方式が危殆《きたい》化する兆しはないか監視を続けている。

このような暗号方式を用いて個人情報を暗号化し、暗号鍵などの管理を安全に行っているという保証が得られた場合、それが、記憶媒体やネットワークへ流出しても、解読される怖れがないと判断し、漏洩と見なさないようにしてはどうか、と筆者は提言してきた。なお、米国では二四州で、強度の高い暗号で暗号化された個人情報は流出しても漏洩とは見なさないと決められているそうである。

二〇〇七年（平成一九年）三月に改訂された「個人情報の保護に関する法律についての経済産業の分野を対象とするガイドライン」では、このような方針が取りいれられているが、全省庁や自治体が足並みを揃え、単に「強度の高い暗号」ではなく、「CRYPTRECで定める暗号方式」と明記することが、個人情報をその有用性に配意しつつ保護するという個人情報保護法の精神に沿うことになると思われる。

その際、鍵管理者が実施しやすいガイドラインの整備も急がねばならない。

③情報漏洩の際の情報公開の是非とタイミング

ある企業から顧客情報が漏れて、企業ブランドが失墜し、築城一〇年、落城一日という危機に直面するといった事件が起きている。いつ何が起きたのか、被害は広がるのか、責任の所在とその果たし方などに関する説明が誠意をもってなされるかどうかに、事件後の企業の業績回復がかかっている。しかし、誠意ある対応も、事実関係の確認やタイミングを考えると簡単ではない。

例えば、ウィニー（ファイル共有ソフト）経由で情報が漏洩した場合、それが記者発表で報道されると多くのユーザーが当該ファイルをダウンロードすることになり、結果的には、漏洩情報が急激に拡散する。二〇〇五年（平成一七年）六月に米国のある企業が起こしたクレジットカード情報流出事故は、当初、四〇〇〇万人分のカード情報が流出したと報じられ、大きな社会不安と混乱を招いた。その後の調査で、実際に漏れた可能性があるのは、二〇万件であることが判明した。事故の公表に当たっては、慎重な事実確認と適切なタイミングが必要ということになるが、先に情報漏洩をメディアに報じられては、その企業は不誠実の誹りを免れない。これは、深刻なジレンマである。

このジレンマの解決は難しいが、軽減することは可能である。それは、上述したように、CRYPTRECにリストアップされているような強度の高い暗号方式で暗号化され、鍵が安全に管理された個人情報は、流出しても漏洩とは見なさないと定めることである。

④監視における不快感の解決策

企業などで、いかに多くの従業員が、仕事を怠けてパソコンで私用メールに時間を費やし、ゲームソフトに興じているかがレポートされ、情報漏洩の土壌ともなっていると警戒される一方で、監視ログの実施が増えたことに対し、社員監視時代という批判も耳にするようになった。人間は弱く、ときに愚かにも、邪悪にもなる。怠惰や出来心を防ぎ、かついかに仕事中とはいえ、四六時中監視されているという不快感・圧迫感を軽減するには、どうすれば良いのであろうか。シンクライアントシステム（Thin client system［端末にデータやアプリケーションソフトを置かず、それらの資源をサーバ側で一括して管理するシステム］）の採用が一つの解決策かも知れない。いずれにしても、モラル・心理という人間の内面、組織のルール、技術的・物理的システムの三者による総合的対策による相乗効果を挙げる工夫が必要である。

以上四つの例に示したように、矛盾対立する難題も、技術、法制度、管理運営を適切に組み合わせることにより、解決あるいは軽減されるわけである。先の例では、暗号が活用される例を示したが、多様な電子社会システムを題材として、このような知見を蓄積していくことが望ましいと言える。

それにしても、コンピュータなどの専門家も含めて社会全般の現代暗号に対する認識が浅いのは情報セキュリティの基盤確立上、大いに問題である。インテリジェンスで著名な評論家があるところで、「暗号は解けるが、符号は解けない」と述べているのを読んで、未だ暗号に関する知識はこの程度かと驚愕した。符号というのは、日露戦争から第一次世界大戦当時のコンピュータがない時代の、暗号に対する呼び名である。現代暗号は強固な数学的基盤の上に、安全性を可能な限り理論的に証明している。そのような評価を受けていない暗号も出回っているので注意が必要である。また、絶対的な安全性証明は、人間の理性の限界、いや神の摂理として不可能であり、さればこそＣＲＹＰＴＲＥＣでは、いったん選定した暗号方式の安全性評価を継続しているのである。国際標準化機構（ＩＳＯ）では、一四種類の暗号の標準方式を定めているが、この内、日本の方式が五つに上ることからも、我が国の暗号技術のレベルは高いことが分かる。それを、情報セキュリティに活用するのが今後の課題であろう。

情報セキュリティは、技術はもちろん法制度、経営管理・運営、人間自体の内面など、多角的、総合的な対策が必要である。したがって学術的には総合科学として考察しなければならないのである。そして、それらの中で最も難しいのが、人々のモラルである。以下、この課題を巡って考えてみたい。

情報倫理

①情報倫理を巡る多角的問題意識

「真正の文明は、道徳の進歩を伴わざるべからず」。これは佐野常民（日本赤十字創立者）の言葉である。新しい時代は新しいモラルを必要とする。今、デジタル情報の生活や産業への浸透は社会の構造を変革し、人々に新しい自由をもたらしている。情報社会の新しい自由は新しい規律やモラル、すなわち情報倫理を伴わねば、「万人の万人に対する闘争状態」（ホッブス、一五八八‐一六七九年）にまではならないとしても、人々を混乱と不安に陥れることになるであろう。

特に、二一世紀以降、組織内部からの情報漏洩や内部告発などにより、企業のブランドに傷がつく事件もしばしば報じられた。こうした事件には、個人倫理、職業倫理、企業倫理、社会倫理などの相克や価値対立状況下での葛藤などが絡んでいる場合が少なくない。

歴史的名著『プロテスタンティズムの倫理と資本主義の精神』が著されたのは一九〇四年から一九〇五年にかけてであるが、これは一九世紀末、著者マックス・ヴェーバーの「プロテスタントの居住地の生産性は、カソリック信者が多く住む地域に比べて、生産性が高い」との調査結果に基づいていた。このように人々の倫理観と生産性の間の関係は古くから知られていたが、情報化の進展は、この関係をより深め、事業継続計画（BCP［business continuity plan］）などにも大きく影響するようになっている。

情報倫理について書かれた書籍は枚挙に暇《いとま》がない。中でも、次のものが多いようである。

Ⓐインターネットの解説から始まり、それを利用する際のモラル、いわゆるネチケットやトラブル解決の法的解説など、ノウハウを中心に書かれたもの。

Ⓑ多くの著者が専門とする、哲学・倫理学、法律、経営、技術、著作権、医療などそれぞれの立場から執筆した論稿を編集したもの。

Ⓐは、情報倫理の総合的把握、特に組織・企業倫理という観点からは物足りない。Ⓑは、それぞれの分野については良くまとめられていても、統一性に欠ける憾《うら》みがあり、相互の関係性の深まりという現代社会に要請される重要な観点が欠落していたり、不統一になる傾向が見受けられる。また、情報倫理と従来のリアルスペースにおける倫理や環境倫理、生命倫理との本質的相違が曖昧になってい

るという印象がぬぐえない。

二〇〇五年（平成一七年）四月からの、個人情報保護法の本格的施行や、情報セキュリティ意識の高まり、あるいは経済活動のグローバル化の進展などにより、情報倫理はユビキタス社会と呼ばれる現代社会の個人の規範、そして組織・社会の規範として、あるいはそれらの間のジレンマ解決基準として、我々に容易に解けない課題を突きつけている。

筆者は、情報倫理の特質は、一般に積極的責任、個人責任と社会責任との直結性、グローバル性、価値対立状況の下でのジレンマ解決能力など、高いレベルの能動的倫理が求められる点にあると見ている。以下、デジタル情報とそれに基づくネットワーク社会の特性、思想・倫理学説の潮流、情報セキュリティの基盤、企業や自治体におけるガバナンスと組織倫理、技術者倫理、市民倫理など、さらに我が国に固有と思われる課題などの視点から、情報倫理について考察し、その枠組みと体系的総合化へのアクセスを通じて、情報倫理の本質に迫ってみたい。

②情報倫理の構造

筆者の考える情報倫理の枠組みを図2に示す。以下、大よそこの枠組みに沿って、それぞれの視点から、情報倫理について考察したい。

もっとも、例えば、技術と倫理、法と倫理の境界などは、截然としたものではなく、相互に、入れ子構造のように、入り組んでいる。技術の発展が予想外の社会的問題を引き起こした結果、要請され

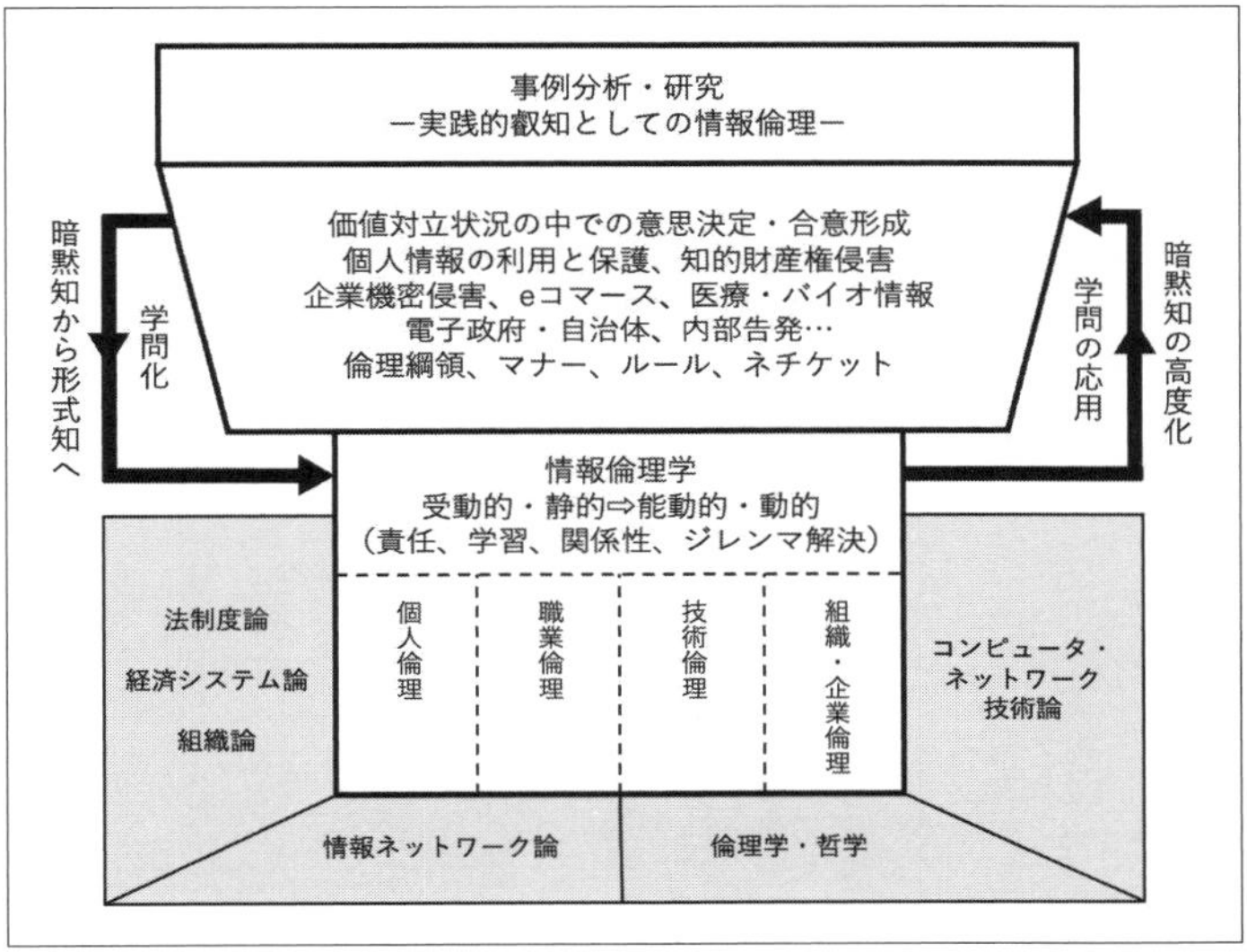

図２　情報倫理の構造

る倫理もあれば、逆にある倫理的抑制の下で開発される技術もあるであろう。前者はまた、新しい技術を生み、後者は、さらに新たな倫理課題を生ずる場合も考えられる。

法と倫理は、独立した概念だとしても、相互に必要としていたり、補完し合っている場合が多いことは、国民が常日ごろ感じていることであろう。

このような相互の関係について、実践的叡智を積み重ね、万人のために体系化するのが、情報倫理学の目指すところだと考えられる。組織や企業で蓄積された経験に基づく暗黙知を形式知に、その形式知を現場に役立てる中で、より有効な暗黙知を得るという正帰還により、情報倫理学をダイナミックに構築していきたい。

さて、情報倫理といっても、ネットワー

クの一般利用者、情報システム技術者・管理責任者らの専門家、経営者などの立場によって、様々に異なってくるであろう。

そこで、ネットワークへの参加者全てが共通に持つべき倫理と専門家や経営者などが職業上、持つべき倫理に分けて考えてみたい。前者に求められる基本倫理は、「自分の自由は尊重して欲しい、したがって他人の自由も尊重しなければならない」と言うことではないだろうか。「他者に危害を及ぼさない範囲で自己決定権を行使する」と言っても良いかもしれない。他者危害の原則とも言われる。『国富論』を著した一八世紀の経済学者、アダム・スミス（一七二三 - 九〇年）は、経済活動において、人々が自由に自己の利益を追求すれば、神の見えざる手に導かれ市場は上手く機能する、と主張したことは一般に知られているが、『国富論』に先立って『道徳感情論』という書物を著し、共感《シンパシー》の重要性を説いていることはあまり知られていない。シンパシーとは、同情というより他人の立場に立って考えてみるという意味にとると良いであろう。

情報倫理に限らず、倫理の問題を考える場合の重要な視点は、自分が考えている倫理や規範が、一般化、普遍化できるかどうかをチェックしてみることだと思われる。

古来、人類は各文化圏で、様々な倫理観を持って行動してきた。江戸時代であっても、武士の倫理と商人道徳とは、後で述べるように異なるものだった。冒頭に述べた「真性の文明は、道徳の進歩を伴わざるべからず」は明治時代に日本赤十字の設立に尽力した佐野常民の言葉である。一八七七年（明治一〇年）の西南戦争では、傷ついた敵兵を見捨て、味方の兵の手当てだけをするのが当然と考えられていた。しかし、西洋で敵味方区別なく手当てをするのを見た佐野は、それを契機にその後赤十字を設立したと言われている。文明開化が叫ばれる中で、何事も日本は西洋より遅れていると感ずる時代的気分の中で、道徳の進歩という表現になったのであろうが、このように、倫理観は時代と共に変わる。上の例はシンパシーの考えからすれば、進歩と呼んでも良いのかもしれない。

倫理学の分野では、枚挙に暇《いとま》がないほど、様々な学説が提案されてきたが、やはり、イマヌエル・カント（一七二四 - 一八〇四年）の普遍的立法の原理が基本ではないかと考えられる。少し難しい表現だが「汝の意思の格率が、常に同時に普遍的立法の原理に照らして妥当するように行え」とカントは述べた。この意味は、「あなたの考えている倫理観や行動規範が、社会全体とマッチングがとれるか、つまり他の人々に一般化して適用できるかどうかよく考えて行動せよ」と言うことである。上に述べたシンパシーに通じる考え方だと言えるであろう。

時代は二〇〇〇年以上遡るが、孔子（前五五一 - 前四七九年）は、七〇歳を過ぎたら「心の欲するところに従って矩《のり》をこえず」と説いており、カントの言っていることと、近似的に同じだと説明する哲学者もいるが、カントはより厳格に考えていたようである。例えば、「嘘をついてはいけない」という倫理に、例外を設けてはいけない。なぜなら仏のように（とは言ってはいないが）「嘘も方便」を認めて、皆が嘘をつき始めたら、世の中は混乱するだろうから普遍化はできない、というわけである。したがって、強盗に追われていた人を匿ったとして、強盗に「匿っているだろう」と迫られたときも「匿っていません」と嘘をついてはいけないと言うわけである。カントはなぜそこまで厳格に捉えるのかが私には不思議であったが、二つの理由があるようである。

一つは、当時、勃興期にあった自然科学の影響である。ニュートンが亡くなったとき、カントはまだ幼児だった。成長して物理学を学び、天文学の論文を書いている。万有引力は、善人にも悪人にも平等に作用するので、倫理にも例外を認めたくなかったのであろう。もう一つの理由は、一八世紀という時代は、現在のように、法律が整備されておらず、倫理が法律の役割も担わねばならないという事情もあったようである。この二つの理由があったのではないかという点に関しては、哲学者で応用倫理学の提案者である加藤尚武先生にも確認したので間違いないと思われる。

カントの倫理観が、義務論的で、神からあるいはイデアの世界から与えられるものという思想に基づいているのに対して、ジェレミ・ベンサム（一七四八‐一八三二年）は、「最大多数の最大幸福」という立場からの倫理を提唱した。「快楽計算」という言葉も使われている。

少数者の不幸を最小化し、出来るだけ多くの人たちの幸福を最大化するというのは、気持ちは分かるが難しい話である。幸福とは何かを定義しないことには始まらないが、これも人によって違うであろう。

ベンサムに続いてジョン・スチュアート・ミル（一八〇六‐七三年）は、幸福の質を問題にした。仮に、非線形な数理計画法として定式化が出来るとしても、とてもスーパーコンピュータの手に負える計算ではないであろう。ベンサムやミルの帰納的なアプローチとカントの思考法は異なるが、結局は、人間社会が住み良くなるための倫理を追求していると見ることが出来る。

ネットワークへは、社会情勢や文化、あるいは価値観を異にする国々の様々な人々が参加する。それらの人たちに共通に求められる倫理は、上に述べた「他者危害の原則」ではないであろうか。そして、情報倫理も従来の倫理と根本精神は同じだと思われるが、他者の自由を尊重し、危害を加えないためには、繰り返しになるが、意識するしないにかかわらず、加害者とならないために、責任感を持ってある程度はパソコンやネットワークのメカニズムを理解するという積極的な倫理が要請されるのではないだろうか。

二〇〇七年（平成一九年）に、小・中・高校の教員向けに情報モラルを教えるときのモデルとして文部科学省がまとめたカリキュラムもこのような考え方が基本になっているようである。なお、文部科学省では、「情報モラル」を「情報社会で適正に活動するための基本となる考え方」と定義している。

以上、ＯＥＣＤの提唱する情報セキュリティ文化の立場から、ネットワークへの参加者全員が共有すべき倫理について考えてきたが、情報システムの専門家として、また企業の構成員として持つべき倫理をこれに加えてさらに考えておかねばならない。そこで、次に視点を変え、企業や市場の倫理について考えてみたい。

二〇〇五年（平成一七年）にＭ証券の誤発注と呼ばれる事件が起きた。一株六一万円を、誤って六一万株一円と発注してしまったところ、多くの買い注文が殺到したという事件である。自動的に発注したケースも多かったであろうが、人間は欲得で動くので、買う人が多いのも理解できなくはない。当時の金融担当大臣が、「美しい話ではない」とコメントしたのに対し、ある民間放送局のコメンテーターは、「大臣はそう言うけど、市場原理に従って買っているのだから問題ない」と発言していたのを記憶している。そこで、問題である。

仮に、一株六一万円の間違いだと知りつつ買うとして、あなたは、その行為を市場原理に従っているのだから当然だと思うだろうか？　それとも、美しい話ではないと感じるだろうか？　あるいは質問の仕方を「自分はそのときになれば買うかも知れないが、当然と思って買うか、後ろめたさを感じながら買うか」と言い換えてもよいかもしれない。私は、これについてのアンケートを講演会などでとってみた。その結果、四人に一人くらいは市場原理に基づく行為だから問題はない、と答えた。

もう一つ、経済学界の大学者たちの話を紹介しよう。これはシカゴ大学教授を務めておられた文化勲章受章者の宇沢弘文先生が直接見聞された話として、根井雅弘『物語　現代経済学』（中公新書）に紹介されている。

ミルトン・フリードマン（一九一二－二〇〇六年）という一九七六年度にノーベル経済学賞を受賞した経済学者がいた。一九六五年六月ごろ、英ポンドの平価切下げが間もなく行われると囁かれていた。フリードマンはシカゴのある銀行で、一万ポンドを空売りしたいと申し出た。銀行のデスクは、「外貨の空売りのような投機的行動は紳士のすることではない」と断った。フリードマンは激怒し、「資本主義の世界では、儲ける機会があれば儲けるのが紳士だ」と言い返したが、デスクの態度は変わらなかった。

フリードマンが大学のクラブで、その話をしたとき、フリードマンの師匠筋に当たるフランク・ナイト（一八八五‐一九七二年、シカゴ学派の先駆者）は難しい顔をしていたそうである。その数カ月後、ある席で、「ミルトン・フリードマン（とジョージ・スティグラー）の最近の言動は目に余るものがある。この二人は私の最初の学生であるが、今後、私の学生であったということを禁ずる」と破門宣告をしたそうである。

ノーベル経済学賞受賞者の中にすら、このような市場倫理観の持ち主もいるわけだから、人々の倫理観に幅があるのは当然であるし、全員が揃う必要はないのかも知れない。しかし、私はネットワーク時代の市場倫理について、改めて議論を闘わす時ではないかと考えている。

歴史を振り返れば、「一八世紀のアダム・スミスは間違いなく道徳哲学者として経済を論ずることが出来た」ことは先に述べたが、日本では、一七〇〇年前後から商業が活気を帯び始めて元禄バブルを迎える。井原西鶴は『日本永代蔵』の中で、「世にあるほどの願ひ何に因らず、銀徳にて叶わざることのない有様」と書いている。元禄景気をほうふつさせる言葉だが、「金で買えないものはない」というのは今に始まったわけではないのである。やがて、それが弾けて、大商人たちが没落していく中で、アダム・スミスより三八年早く生まれた石田梅岩（一六八五‐一七四四年）が出て商業道徳を説いている。山鹿素行（一六六二‐八五年）は、武士の立場から「商人は、只、利を知りて義を知らず、身を利することのみ心とす」と述べている。このような賤商思想に対して心ある商人は悩む。石田梅岩は、商人も世の中に役に立つことをして正当な利益を得ているのだ、その代わり、不当な利益を得るべきではない、と考え、商店に勤める傍ら、儒教、仏教、神道などをベースに考えを深め、のちにゼミ形式で弟子たちとの議論を通じて、勤勉と節約を説く商人道徳を打ち立てる。これが有名な「石門心学」である。また、大阪には商人たちの出資による懐徳堂ができ、塾生たちに儒教をベースに人の道を講義した。

現在の市場経済から見ると、勤勉はともかく節約を強調しすぎるのはどうかという考え方もあるだろうが、いずれにしても、西洋でも日本でも市場の勃興期には、市場倫理について考え悩んできたわけである。

最近、企業は一つの商品であるとして、株主の利益を最優先する株主資本主義的な発想も見られるが、企業は、株主を含め、従業員、取引先、地域や社会など利害関係者《ステークホルダー》全体のものであることは当然だと思われる。CSR（Corporate Social Responsibility）という言葉をよく耳にする。「社会貢献」と訳されているが、このような考えは、日本においても「自分良し、相手良し、世間良し」という近江商人の言葉にあるように古くからあった。どのように社会貢献するのか、それは創業の理念や企業の得意分野によって様々な形態があって当然であろう。

情報が本来持っていた非占有性、非可逆性などの特性が、情報・通信技術により拡大され先鋭化されていくことによって、瞬時に地球の裏側に達し、広域に拡散・増殖して取り返しのつかない事態を生みだしかねない状況の中で、先ほどのM証券の事件に対する人々の反応を見て、我々は、先人に倣い、もう一度、市場倫理についてよく考え、大よその合意形成を図るときではないだろうか。

インサイダー情報の悪用などの経済的事件に対して、日本の法廷は、米国に比べて厳しすぎるとも言われるが、それはさて置き、一旦有罪の判決が下ると、市場は信頼度を下げ、ベンチャー企業などへの投資意欲が低下し、技術や経済の発展に水を差すという観点からも、企業倫理は市場活動の基盤であると言える。二一世紀初頭、米国や我が国で起きた企業の不祥事への対応から、企業の内部統制の重要性が叫ばれるようになった。それは、統制環境、監査、ICT・情報セキュリティガバナンスなどからなるが、企業倫理には、経営者の価値観、倫理観、信念などから醸成される統制環境が深く関わる。そうした中で、従業員が、企業の利益と社会への責任という相克しがちな二つの課題の調和・両立を図るべく議論を闘わせる環境を構築していくのが望ましいと思われる。

特に、技術者は自社の利益や上司の指示と技術者の良心や社会的責任の板ばさみで悩むことも多い。そうした悩みを軽減するためにも、経営者が企業利益と社会的責任を両立させるという毅然とした姿勢を示すなかで、社員が、グレーゾーンの問題に対して、討議できる環境が必要であろう。

哲学者ユルゲン・ハーバーマス（一九二九年－）は、討議倫理学を提唱している。これは、どのような倫理が良いか、普遍化できるかを皆で討議して決めようという方法論である。解答が容易に得られない課題について有効であると言われるケースメソッドと同様の考え方だと思う。

ハーバーマスの倫理学は普遍化原則と討議原則を二つの柱にしている。普遍化原則はカントと同様だが、例えばネットワークへの参加者全員が受け入れることとの出来る倫理を原則にしようということである。カントと異なるのは普遍的原則を決める手続き論である。

カントの場合は、それがイデアの世界からもたらされるもの、あるいは神の声とされているのに対して、ハーバーマスの場合は、関係者全員でよく討議して決めようというわけだ。繰り返すようだが、企業の場合で言えば、簡単に結論の出ない難題に対して、関係する社員が集まって議論して決めようという事になりがちである。しかし、社員だけで議論すると、社会規範よりも目先の企業利益を増やすことに傾くかも知れない。そこで、先にも述べたように、経営のトップが毅然とした信念で統制環境を築くことが必要なのである。

そうは言っても、トップの声が間違うこともあるであろう（一九七〇年代に福田赳夫元総理が、自民党総裁戦に敗れて、「敗軍の将、兵を語らず、天の声にも変な声もある」と思わず兵を語ってしまう迷言を残した）。やはり、経営層と従業員の両者が考えを深め、議論することが望まれる。

情報倫理については、未だ書き足りないが、本文より遙かに視野が広く奥の深い書籍『情報倫理の思想』（西垣通・竹之内禎編著訳、NTT出版）を、最後に紹介しておこう。この本では、「ICTの利用規範としてのいわゆる情報倫理ではなく、二一世紀情報時代の普遍倫理としての情報倫理」について、「二一世紀とは、デジタルICTに支えられた情報的な世界観を前提に社会的な価値観を考察しなければならない時代である」という立場から、海外の思想家を交えて論じている。

●情報セキュリティにとって、総合・相乗・止揚が重要であることを改めて確認した。また、止揚についての具体的な施策を四つ述べた。

●フェイクと闘い続け、理想とするサイバーセキュリティを実現させるためには、「暗号技術」の発展だけでは足りない。情報セキュリティの課題を多角的に捉えながら、情報における倫理のあり方についても考える必要があることを確認した。

●マックス・ヴェーバー、アダム・スミス、イマヌエル・カント、ジェレミ・ベンサム、ジョン・スチュアート・ミル、ミルトン・フリードマン、石田梅岩、ユルゲン・ハーバーマスらの思想を紹介しながら、これからますます必要とされるであろう「情報倫理」について考察した。

対話篇2
天国からの恩師のご下問に応えて——デジタル社会基盤としての暗号について

暗号と言うと、相変わらず、「卑弥呼の暗号」とか、古代妄想的な話に使われますが、耐コロナ・テレワークにもお役に立ててもらうために説明します。

特に、デジタル社会では、本人確認が基盤になりますが、生命・財産にかかわりかねない場合を考慮して、私が提案している三階層公開鍵暗号についても紹介させていただきます。

また、連日、メディアを賑合わせている耐量子コンピュータ暗号・量子暗号についても全体像を理解していただくために、簡単に解説しましょう。

——了解した、よろしくお願いしたい。さて、二〇二〇年現在、コロナ騒ぎでテレワークが普及しつつある中で電子ハンコが話題になっている。そもそもこの電子ハンコとはいったい何なのだ？

基本的には電子署名です。

——電子署名とは何だ？

電子署名とは、その文章の署名者を保証するために、平文《ひらぶん》に数学的処理を施すことです。

——数学的処理とは？

公開鍵暗号という一九七〇年代に発明された暗号を使って数学的に処理します。

——昔から使ってきた暗号では駄目なのか？

昔から使ってきた暗号は、共通鍵暗号と呼ばれています。AさんとBさんが秘密に通信したいとき、同じ鍵を共有します。AさんとCさんの場合は、鍵は別になりますので、一〇人がお互いに秘密通信する場合は、五五個の秘密鍵が必要になります。

——公開鍵なら一〇人で一〇個あれば済むということだな。

おっしゃるとおりです、一〇個のペアですね。公開鍵は、自分専用の秘密鍵とそれに対応する公開鍵をペアとして用意します。公開鍵は、利用してもらう人たちに公開し、秘密鍵は大事に（実印のように）秘密保管します。

印鑑に例えれば、実印の模様を、他者には見えないような秘密模様にしておいて、その模様を、誰でも見えるような公開模様に変形させて公開実印とします。そして公開模様から秘密模様が推定されないような構造にしておくのです。

——なるほど……分かったことにしよう。それでは、公開鍵を使って、どのようにして電子署名をするのだ？

そこが、ポイントですね。公開鍵暗号は、秘密通信にも使えますが、より基盤的用途は、「認証」と「署名」です。認証と署名は、社会的・法的には異なりますが、技術的原理は同じです。

——その辺を、もう少しやさしく説明してほしい。数の世界にも、自然数、整数、実数、複素数などいろいろある。

暗号では、どんな数を使うのかな？

良い質問をありがとうございます。暗号は、秘密通信に使うにせよ、認証・署名に利用するにせよ、秘密を作成することが大事ですから、大小性や連続性は必要ない。というより、あっては困ります。

一週間の各曜日にやることさえ決めておけば良いのなら、日曜日を0として、「0、1、2、3、4、5、6」の七個の数だけあれば済みます。今日を例えば五月一日の金曜日とするなら、五月二日、九日、一六日は全て土曜日。暗号には、このような数の世界を使います。

7＝0の場合、「7を法とする数の世界」と呼び、「Mod 7」と表します。例えば、2＝9＝16＝23＝30 Mod 7。

――なるほど。そうすると3＋4＝0 Mod 7、4－3＝1 Mod 7、4－6＝－2＝－2＋7＝5 Mod 7、3×4＝12＝5 Mod 7など、足し算、引き算、掛け算は自由にできるな。だけど、割り算はどうなる？ 4/2＝2、6/2＝3などは出来るが、4/3はどうする？

3×5＝1 Mod 7だから、1/3＝5 Mod 7、したがって、4/3＝4×5＝20＝6 Mod 7のように、割り算も自由にできます。

――それは便利だな。Mod 10の場合、つまり一〇進数で、一桁目だけを対象にする場合はどうなるかね。3×7＝21＝1 Mod 10だから1/3＝7 Mod 10は良いけれど、5の逆数はあるのだろうか？

残念ながら、存在しません。存在するのは、「イザ泣ク」、つまり1、3、7、9の四つだけです。つまり、1および10と1以外の共通因数がない数だけです。

――Mod 7とMod 10の表（図1）を作ってみた。Mod pで、pが素数の場合は、全ての数に逆数があるのだな。

Mod 10のように、加算、減算、乗算が自由にできる数の世界を剰余環（Residue Ring）と呼び、Mod 7のように、加算、減算、乗算、除算の四則演算が自由にできる数の世界を有限体（Finite Field）と呼びます。

――**剰余環というのは、使い道があるのか？**

剰余環のお陰で、公開鍵暗号の代表作、RSA暗号が出来たのです。

――**と言うと？**

先ほど、「イザ泣ク」と言いましたね。10と互いに素な数の個数は1、3、7、9の四個。4という数字はどんな数でしょう。

――**10 = 2 × 5だから、(2 - 1) × (5 - 1) = 4ではないのか？**

すごいですね。江戸時代に生まれていれば、久留島義太《くるしまよしひろ》になれたのではないでしょうか。

――**誰だ、それは？**

生まれた年は定かではありませんが、亡くなったのは、一七五七年のようです。彼は、江戸期の和算家で、合成数つまり素数の積で表される整数に対して、ある合成数と互に素な数はいくつあるか、という問題に対して、公式を与えた人です。将棋でも有名だったようです。

――**世界に先駆けてか？**

ヨーロッパでは、一八世紀最大の数学者と言われているオイラーが、一七六一年にその公式を示しています。

――**そうすると、久留島義太は、「俺等《オイラ》の方が先だよ」と言うわけだな。**

駄洒落は別として、国際的にはもちろん、日本のどの本にも「オイラー関数」と出ていますが、私は世界

暗号で使う数の世界

＋、－、×、÷が自由にできる世界が望ましい

素数で割った余りの世界を考えてみよう

7で割った余りの世界

0、1、2、3、4、5、6

(＋) $3+6=9=2$

(－) $5-9=5-2=3$

(×) $3\times5=15=1$

(÷) $1\div5=\frac{1}{5}=3$

＋、－、×、÷が自由にできる

素数でない数（合成数）で割った余りの世界を考えてみよう

10で割った余りの世界

0、1、2、3、4、
5、6、7、8、9

(＋) $3+7=13=3$

(－) $6-9=-3=7$

(×) $3\times7=21=1$

(÷) $5\div3=5\times\frac{1}{3}=5\times7=35=5$

$5\div2=5\times\frac{1}{2}=???$

10で割った余りの世界では

$\frac{1}{3}=7$になるが、$\frac{1}{2}$に対応する数がない

なぜこういうことが起きるの？

$\frac{1}{3}$に対応する数があるということは3に掛けたら

1になるような数がある

$\frac{1}{2}$に掛けて1になる数が本当にないのか？

図１　数の世界もいろいろ

で唯一人、「久留島・オイラー関数」と呼んでいます。

——そんなことで、独創性を発揮しているのだな。

冷やかしは止めて、P、Qを素数として、合成数N＝pq久留島・オイラー関数が、$\varphi(N)=(p-1)(q-1)$となるのか、一般式を導いてください。実は、私もこれまで、考えたことはなかったのですが、年のせいで、夜中に目が覚めることが多くなり、眠り薬の代わりに導いてみました。

——そんなことより、久留島・オイラー関数、$\varphi(N)=(p-1)(q-1)$がなぜ、公開鍵暗号に有用なのかを知りたい。

最も広く使われている公開鍵暗号であるRSA暗号は、二つの大きな素数PとQの積からなる合成数N＝pqを法としています。Nは公開され、pとqは秘密にします。

——大きな素数というのはどのくらいだ? 1181×1223＝1444363とかか?

いやいや。それでは中学生にでも1444363を2で割れるか、3で割れるか、小さな素数から順に調べていけば、1181×1223だと分かるでしょう。もう少し効率的な方法もいくつも知られていますけどね。

現在の電子政府用のRSA暗号に対しては、二〇年くらい先のスーパーコンピュータを一年回しても解けないくらいの数二〇四八ビット×二〇四八ビット＝四〇九六ビット（一〇進数では一〇〇〇桁より大きい）を推奨しています。実際には、一〇二四ビット×一〇二四ビット＝二〇四八ビットもいまだ素因数分解できていませんけれど、CRYPTREC（電子政府暗号推奨委員会）では、二〇年以上も先を予想して、安全な暗号を推奨しているのです。

——量子コンピュータでも解けないのか?

原理的には解けます。ただ、実用化はかなり先になるでしょう。興味がおありなら、そちらに話を移しましょうか。

——最近、連日のように、量子コンピュータや量子暗号が新聞などを賑わせているな。大事なのだということは分かるが、中身はなかなか理解できない。少し解説してくれないだろうか？

二つの面で難しさがあります。数理的な難しさと量子論的な難しさです。私にも量子論は分かりませんが、理解している範囲で説明しましょう。

まず、量子コンピュータですが、現在、広く利用されているＲＳＡ暗号や楕円曲線暗号などの公開鍵暗号は、量子コンピュータの実用化が進むと解読されるということで、二つの分野から、耐量子コンピュータ化の研究が進められています。数理暗号と量子暗号です。数理暗号は、量子論とは無関係です。量子コンピュータの数学的解読能力に耐えられる数学的構造を持っていれば良いのです。

——例えば、ＲＳＡ暗号の場合は、現在のコンピュータでは難しいとされてきた素因数分解が、高性能な量子コンピュータを使うと、いくら素数を大きくしても解かれてしまうそうだが、素因数分解の困難性に頼らない公開鍵暗号を考えようというわけだな。楕円曲線暗号についても、依拠している数学的困難性に頼れなくなると聞いている。

そこで、高性能な量子コンピュータが実用化されても、数学的困難性が保たれる問題に頼る公開鍵暗号が、いろいろ提案されているのです。

格子暗号、同種暗号、ナップザック暗号、誤り訂正符号暗号、多変数公開鍵暗号などです。

——どれも難しそうだな。多変数公開鍵暗号は、きみが昔からやっておったそうだが、少し説明してほしい。

多変数公開鍵暗号は、日本発です。まず、一九八三年、横浜国立大学の今井秀樹研究室でＭＩ（松本・今井暗号）が提案されました。続いて一九八五年、私が「順序解法による多変数公開鍵暗号」を提案しました。

――量子コンピュータによって、原理的にはＲＳＡ等が、解読されることが示されたのは、たしか一九九四年だったな。一九八〇年代、多変数公開鍵暗号を研究していたのは、日本だけ。どうして「順序解法による多変数公開鍵暗号」を考えたのだ？

私の動機は、ＲＳＡ暗号以外にも、どんな公開鍵暗号があるのだろうか、という好奇心でした。

――なるほど。ところで、多変数というのは、x、y、z……と変数がたくさんある方程式ということだな。線形方程式なら、つまり次数が1なら、高校生でも解ける。次数が2以上になると難しいのだろうな。

そうなのです。全ての係数が全くランダムで変数の数が一〇〇以上あると、量子コンピュータでも解けないとされています。多変数公開鍵暗号はその困難性に依拠しています。

――正当な復号者はどうする？　解けないと困るぞ。

そこで苦労するわけです。多変数方程式に、いわゆる落とし戸（Trap Door）を秘密に埋め込んで、復号者だけが知る秘密鍵として保管するわけです。

――しかし、そうすると、公開鍵も完全にランダムな非線形多変数方程式ではなくなるぞ。

落とし戸を入れても、ランダム性が保たれるように工夫するわけです。様々な攻撃法に対して安全性が証明され、多くの暗号研究者が、信頼性が十分であると判断できれば良しとするわけです。

――現在、話題になっている米国のＮＩＳＴ（National Institute of Standard and Technology）もそういう基準で、耐量子コンピュータ暗号を選定しているようだな。

そうです。ＮＩＳＴが対象にしているのは、数理的暗号であって、よく話題になる量子現象を利用した物理的暗号ではないことに注意してください。

主な用途＼手法	数理暗号	量子暗号
鍵配送	公開鍵による鍵配送 KEM（Key Encryption Mechanism）	**BB84**：光子の量子効果を利用 伝送速度（Kb/s~Mb/s） 伝送距離（10〜100Km） （2021年現在）
暗号文伝送（情報伝送）	（主として）共通鍵暗号 ストリーム暗号 （平文＋擬似乱数） ブロック暗号 （AES等）	**Y00**：量子ノイズ×多値伝送 対盗聴者： 超多値のため量子ノイズ効果が 極めて大きく、暗号文を盗めない。 対復号者（受信者）： ２値のため量子ノイズは影響しない。 伝送速度（　〜100Gb/s） 伝送距離（　〜1万Km）

図２　耐量子コンピュータ暗号の全体像（手法と用途による分類）

――耐量子コンピュータ暗号には、数理的暗号と物理的暗号があるということか。

そうです。次の表（図２）を参考に説明していきましょう。

――数理暗号には、共通鍵暗号と公開鍵暗号がある。共通鍵暗号については、現在、広く利用されているＡＥＳなどの鍵長を長くすれば良いとのことだが、公開鍵暗号については、先ほどきみが説明したように簡単ではなく、米国ではＮＩＳＴが選定しているようだな。

ＮＩＳＴの選定は現在第三ラウンドに入りました。数理的耐量子公開鍵暗号の用途は、次の二つに分類されます。

①秘匿伝送用、およびＫＥＭ（Key Encryption Mechanism 鍵配送方式）

②電子署名用

その各々に、有力候補、予備候補があり、有力候補が八方式（①が五方式、②が三方式）、予備候補が七方式（①が四方式、②が三方式）合計一五の方式に絞られています。

――方式としては、格子暗号が多いな。多変数公開鍵方式は？　Ding教授の方式が、電子署名の有力候補に残っているね。では、新聞などで大きな話題となっている、量子現象を利用した方式はどうなのだ？

量子暗号も、鍵配送用と平文情報そのものを暗号化する二種類に分かれます。

まず、鍵配送方式ですが、一九八四年にB&Bが発表した論文から始まりました。光子一個、一個を鍵一ビットずつに対応させて送る方式です。伝送中に多くの光子が消えてしまい、データ自体を送ることはできませんので原理的に鍵配送専用です。光子の量子状態は、観測されると変化するので、原理的には伝送情報が盗聴されないというわけです。

――人間も、誰かに見られると表情が変わる。それと同じようなものか。

主に理学系の研究者が、研究を進めていますが、いろいろ課題があるようです。

光子を一個ずつ送るので、伝送速度は、現在、毎秒一〇キロビットから最大でも数メガビット程度、伝送距離は一〇〇キロメートルくらいです。そういう意味でもBB84系の量子暗号は、鍵配送用です。実用化が進むことを期待しています。

――平文情報そのものを暗号化する方式は、Y00か？

アメリカのノースウエスタン大学で、台湾出身のYuen博士が、二〇〇〇年頃に考案した方式です。日本でも、その後すぐにYuen博士と仲の良かった廣田修氏（現在、玉川大学名誉教授・中央大学研究開発機構教授）が、Yuen博士と連携して研究を始めました。

――どんな特徴があるのだろうか？

多値伝送と量子ノイズを組み合わせて、暗号文自体が盗聴されないようにする方式です。私も、昔、多値伝送の開発に携わったことがあるので、なるほどと感心しました。

――では、まず多値伝送から説明してほしい。

私は、一九五八年から一九六五年まで、NECでデジタル伝送方式の開発に従事しました。未だ光通信はなく、雑音の小さい同軸ケーブルで、いかに伝送速度を向上させるかが課題でした。周波数帯域幅が限られた同軸ケーブルでは、二値伝送だともったいないので、一タイムスロット毎に、0か1の一ビットではなく、例えば、0、1、2、3の二ビットにして伝送速度を二倍に上げようというわけです。

――それが光ケーブルになるとどうなるのだ?

光ケーブルですと、周波数帯域幅はたっぷりあるので、多値数を大きく、例えば一二ビット(0、1、2、……、4097、4098)のような多値伝送も可能です。

――光通信でも雑音は不可避だったな。

理想的な場合でも量子ノイズがあります。それを、盗聴防止に上手く使うのが、Y00量子ストリーム暗号です。手順は、次の通りです。

次の図と手順の説明は、廣田氏に作成していただきました。少し難しいでしょうが、興味のある方のために載せておきます(図3)。

①送信者・受信者(復号者)間で、あらかじめ擬似乱数生成器の初期鍵を秘密共有しておきます。

②平文は一ビット系列、すなわち暗号装置への入力は0か1とします。

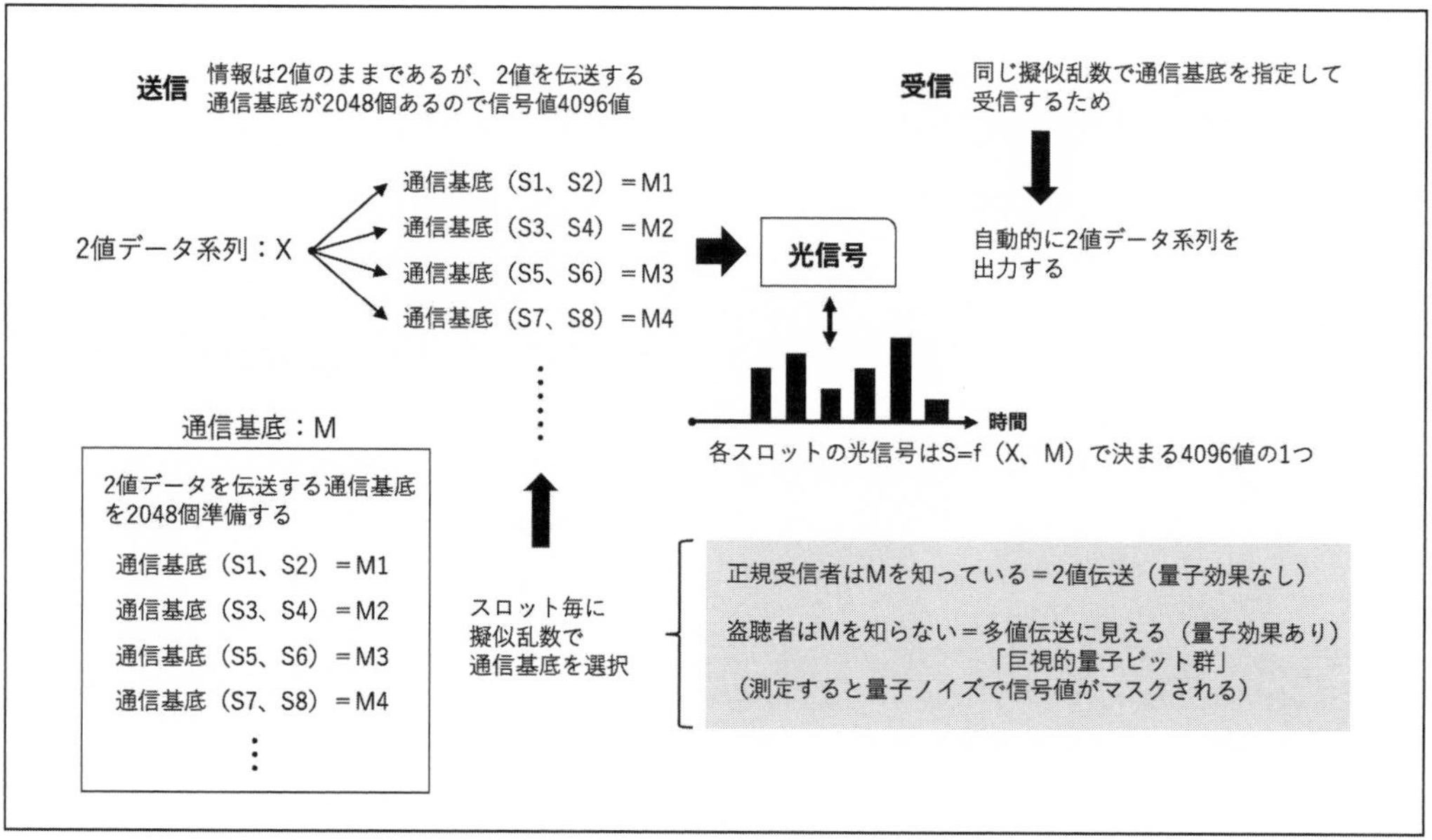

図3　量子ストリーム暗号の仕組み

③この平文系列を、二値の情報を伝送する物理信号で構成される通信基底を二〇四八個準備します。各通信基底の振幅値は異なるように設計され、①の擬似乱数生成器の出力系列で二〇四八の通信基底をランダムに選定して二値情報を送信します。送信される信号はスロット毎に四〇九六個の内の一個となります。多値信号の値は、そのタイムスロット毎に、擬似乱数出力値と平文値が1か0かによっても変わります。このタイムスロット毎の系列が暗号文となります。

④送信者は、四〇九六値の振幅が量子性を持つように信号設計して、光送信装置から各スロット四〇九六値の系列を送信します。

⑤正規受信者は、送信者と同じ擬似乱数と初期鍵を共通しているので、スロット毎に正しい通信基底に対応した二値判定を実施することができます。二値判定では、信号間距離が十分大きく取ってあるので正規受信者はエラーなく二値の平文が得られます。

⑥盗聴者は、擬似乱数系列を知らない。すなわち、どの通信基底で二値の平文を送っているのか知りませんので、四〇九六値を識別する受信装置が必要になります。通信基底の集合体としての四〇九六値の信号は信号間距離が詰まっているので量子効果が発生しています。よって量子ノイズの為、四〇九六の信号値（暗号文に対応）を正しくメモリーしたり、再生したりすることができません。

⑦最終的には、盗聴者はエラーのある四〇九六値のデータ系列を二値の系列に変換してから、それを取得した暗号文として、擬似乱数生成器の初期鍵を解析することになります。

——暗号文自体を盗聴出来ない方式というのは凄いな。競争入札の場合、例えば楕円曲線暗号でも、盗聴者は暗号文

を解読できなくても、暗号文が分かれば競争相手より少し高い値段で入札したりできるな。

だから、「Non Malleable（非展性）」とするために、高度化した楕円曲線暗号（IND-NM/IND-CCA2）が提案されています。しかし、複雑さも増し、効率が下がります。暗号文自体が盗めないという方式は有用です。

――Y00の実用化研究状況はどうなのだ？

玉川大学が、産業技術総合研究所やアメリカの通信研究所であるベル研究所と共同で開発を進めています。中国では、玉川大学の論文を引用しながら、猛烈な勢いで、実用化研究を進めています。日本のメディアは、BB84系ばかりを取り上げていますが、Y00についても社会的認知が広がることを期待しています。そのためもあって、デジタル・フォレンジック研究会のコラムに「暗号の安全性と量子ストリーム暗号――Y00をご存じですか」を書きましたので、本書の資料篇に載せておきます。

鍵配送については、BB84量子暗号や先に述べたNISTのKEM候補方式以外に、ゼロトラスト環境に適応する方式としてアドイン研究所の佐々木浩二社長や鈴木伸治氏が実用化を進めておられるTKS鍵配送方式の導入にも期待しておきましょう。

――最近、異分野のシニア研究者が集まって、Y00に対して世界的研究成果を上げているという噂を耳にしたが本当か？

量子暗号の実用化研究には、資料11にも載せましたように、「量子力学×暗号理論×通信方式」という学際的総合的分野の知識や実践経験が必要です。

我々のグループでは、すでに述べましたように、量子力学分野の廣田氏や暗号理論分野の黒澤氏らのように国際的成果を上げている研究者、そして通信方式については企業において実用的成果を上げてきた山澤氏などのシニア研究者十数名が、毎週土曜日、アドイン研究所（佐々木浩二社長）のネットゼミに集まり、Y0 0についても議論を盛り上げています。

そんな学際的環境の中で、黒澤氏が、Y00の安全性証明についてY00発祥の国、アメリカでも出ていない画期的な提案をしています。

――それは、お互い良い刺激になるな。

――暗号理論屋さんの証明は難しくて、素人には分かり難いな。最近のベストセラーで、『昭和23年冬の暗号』（猪瀬直樹著、中公文庫）が出ているね。「A級戦犯が起訴されたのは四月二九日、処刑が執行されたのは一二月二三日」この暗号はすぐ解読できるけれどね。

そんな意味論レベルの暗号解読ではなく、数理的レベルの安全性について真面目に議論したいので、話を逸さないでください。

――素因数分解の困難性の仮定の下では一方向性を持つとされているRSA暗号でも、「平文が0だと暗号文も0、平文が1だと暗号文も1」になるので、選択平文攻撃に対して安全ではないというような話だな。

おっしゃる通りです。「大坂の陣」を例に、やさしく説明しましょう。攻撃者は家康、挑戦者は秀頼とします。

①家康は、白玉（平文0）と赤玉（平文1）の二つを秀頼に送ります。②秀頼は、受け取った白玉か赤玉のどちらかを堅い袋に入れて（暗号化して）、家康に返し、「どちらの玉が入っているか、当てて見ろ」と挑戦します。袋を開けられなくても（暗号解読が出来なくても）、二分の一の確率で当てることは出来ますね。このゲームを何千回、何万回やって、当たる確率が二分の一に近づけば、家康の負け（暗号文を解読できなかった）

という訳です。

――「攻撃者に復号器を使わせる」という厳しい攻撃に対しても備えているのか？　もちろん解きたい暗号文に対しては、復号器は使わせないという仮定だが。

そうですね。ＣＣＡ（Chosen Cipher text Attack）と呼んでいる攻撃ですね。暗号文からいかなる情報も洩れないように出来る安全性のレベルをＩＮＤ（Indistinguishable）－ＣＣＡ２と呼んでいます。ＲＳＡをＩＮＤ－ＣＣＡ２化した方式はＲＳＡ－ＯＡＥＰと呼ばれています。

――なるほど。かなり複雑な構成になりそうだな。

通常のＲＳＡ暗号化のプロセスに、乱数発生器やハッシュ関数を付加しますので、複雑になりますね。

――さて、Ｙ００をＩＮＤ－ＣＣＡ２の視点から評価するとどうなる？

そこが、はじめに述べた黒澤氏の提案です。結論だけ言いますと、Ｙ００はそのままで、ＩＮＤ－ＣＣＡ２は安全と類似の安全性をもたせることが出来ます。お楽しみに。

――それは、すごいな。量子暗号では、鍵配送専用のＢＢ８４がよくメディアの話題になるが、データ自体を暗号化して伝送できるＹ００への社会的認知も広げて欲しいな。最近、ランサムウェアが深刻な課題になっているが、暗号文そのものの盗聴が困難なら、人質にとること自体が無意味になる。その効果は絶大だ。Ｙ００は、今後ゼロトラスト環境の中での無線通信等でも大いに活用されるだろう。楽しみにしているよ。

シニア研究者の成果として、光輝会のシンポジウムでの大きな話題にしたいと準備を進めています。ご期待ください。

第5章　サイバーセキュリティの未来

「利便性・効率性が向上すればするほど、この世の中、右を向いても左を見ても、矛盾相克の絡み合いが増えるばかり」というヘーゲルの歴史法則がますます強く実感される昨今である。

自由の拡大は公共的な安全・安心の向上、および個人の権利・プライバシーの確保と矛盾することは言うまでもないが、公共的な安全・安心の向上と個人の権利・プライバシーの確保の矛盾が、コロナ禍で特に浮上してきた。個人の行動を詳細に追跡すれば、感染者の増大防止に有用だが、プライバシーはどうなるのか、という議論が多くなった。

また、プライバシー保護の視点から匿名システムを導入した場合、不正・犯罪的行為をどのように防止するか、特定追跡が問題となる。「バランスが必要ですね」で済む話ではない。

最後の章では、このような課題について考えてみたい。多少これまでの議論と重複するところもあるが、最後のまとめと思って、どうかご容赦願いたい。

コロナ禍という現実で、社会理念は変わるのか

船橋晴雄『反「近代」の思想』に、コロナ禍が広がる中で、自由、平等、民主主義、市場経済、法の支配、人権の尊重、自由貿易、資本主義、グローバリズムなどが本当に「普遍的価値」なのかどうか、という問題提起がなされている。同様な意見はメディアでもよく見られる。ドイツの法学者・政治学者カール・シュミット（一八八八‐一九八五年）の『政治的なるものの概念』を読んだ大澤真幸氏は、「朝日新聞」のとある記事（二〇二〇年七月四日掲載）のなかで次のように述べている。

近代性とは、誰もが受け入れる（内容豊かな）普遍的な価値や善は存在しない、ということだ。全員に自明なものと見なされる善の観念や宗教的な規範はない。だから普遍的な善や正義が存在しているかのように仮定し、それらによって政治活動や戦争を正当化することは許されない。

部分的引用では文脈全体を理解したことにならないが、「普遍的な価値や善は存在しない」と主張していることには間違いはないだろう。しかし、普遍的な価値や善の規範なしに、事を進めたり、システムを開発したりするわけにはいかない。全ての人々を幸せにするのが善ではないかと言いたくなるが、そうすると幸せとは何か？　ということになるだろう。

以下、理念という言葉を使うが、言葉の定義ははなはだ難しい。理念とは、普遍的な価値観、イデア、何を最高のものとするかについての根本的な考え方、そして深く思考され、広く適用できる正義

感などを総合する概念としておこう。

一般論になるが、理念が形成される動機とは何だろうか？　真理探究意欲、知的好奇心、美意識、社会貢献意欲、国家発展意欲、現実的要請、正義感、自尊心、対抗心（負けてたまるか）など様々だろう。例えば、明治維新の原動力ともなった国学の誕生について言えば、契沖、荷田春満、賀茂真淵、本居宣長らに朱子学などの中国の漢学への対抗心・自尊心もあったのではないだろうか。

価値観や正義感などの理念は、時代により、国・地域により不変ではないが、本書では、グローバル化、ネットワーク化が進み、さらにコロナ禍という人類共通の課題を抱える現在、次の三者をソサエティ5・0時代の理念と設定することにする。

①自由の拡大
②公共的安心・安全
③個人の権利・プライバシーの確保

この考えは、本書でもすでにたびたび述べてきた二〇世紀末からの私の持論であり、コロナ禍によってこの考えはますます強くなってきている。しかし、課題は多い。自由とは何か。数学のように明確に定義することは出来ないし、三者は互いに重なり合った上で、矛盾相克する面が多い。

視点を変えて、人間の精神構造という面からは、人は理念的な物語の世界と現実的・欲望的世界という二世界構造の中に生きていると考えている。この二世界構造は、数理的・科学的分野と社会的分野では大きく異なるから、両者を総合的に論じることに何の意味があるのか、と言われそうであるが、小・中学生時代から、数学と歴史が好きだったこともあり、また最近は、暗号理論という数理的世界から、プライバシーなどの心情倫理までを包摂するサイバーセキュリティに取り組み、総合的考察が求められていることもあり、両者の二世界構造の違い、そして共通点について考えた上で、コロナ禍という人類共通の問題に直面する中でのソサエティ5・0時代の理念について考えてみたい。

まず、数理の世界から始めよう。

数理の世界

幅のない線は実在するか――大小性・連続性のない数の世界と楕円曲線暗号

南米には、一、二、三という抽象的数字が理解できない民族がいる。このことを糸口にして再び考えたい。一、二、三……はどこにあるか？　一人、二人、三人なら、あるいは西瓜一個、二個、三個なら実在するが。もっとも人間も一人一人違うから、そもそも一人、二人、三人も抽象化ではないか。いずれにしても、抽象化能力は、人間には、ある程度は誰にでも生まれつき備わっているのだろう。

それでは、幅のない線はどうだろうか？　ここもまた繰り返しにはなるが非常に重要な点なので、皆さんもご存知のあの哲学者・西田幾多郎に改めて登場願おう。彼は『善の研究』で「幅なき線、厚さなき平面と同じく、実際に存在するものではない」と書いた。これに対しては、第4章でも述べた楕円曲線暗号が良い反証の例となる。楕円曲線とは、楕円そのものではないが、楕円から導かれる三次曲線である。その楕円とは何であろうか。普通、楕円と円の違いは、見た目で分かる。しかし、地球の広がりほどもある大きな円の横幅だけを一ミリ広げたとしたらどうだろう。そのような楕円から導かれる楕円曲線暗号は、果たして楕円曲線暗号としての安全性・効率性を持っているのか。

円は、RSA暗号に対応している。RSA暗号の鍵長（法）は、二〇四八ビットと規定されているのに対し、楕円曲線暗号はその一〇分の一くらいで済む。上の例のような、見た目では円か楕円か判別できない楕円でも、楕円曲線暗号としての性能を持っているのだろうか。

二〇〇〇年頃、中央大学の卒業研究で、幅が多様に異なる一万本くらいの楕円曲線を生成し、安全性を比較してみた。結果は、数学的には当然ながら、どんなに円に近づけても、楕円は楕円、安全性に全く変わりはなかった。有限体という数の世界とはそのような世界である。加藤尚武先生から、「もっとよく知りたい」と言われ、私と笠原正雄氏の編著『暗号理論と楕円曲線――数学的土壌の上に花開く暗号技術』（森北出版）を差し上げた。「その本はもう読んだ」と言われたが、哲学界の大御所にそこまで興味を持っていただけたのが大変心強かったことが思い出される。

楕円曲線暗号は、暗号資産・ブロックチェーン等の基盤であり、今後RSAに替わって、広く利用されるだろう。幅のない線という数学的実在は、物理的実在を超越して、社会的実在となっている良い見本が出来たのである。

しかし、理工系・技術の世界において全て、理念＝現実となるわけではない。我々が日頃馴染んでいる実数体や、それに虚数を含めた複素数体の世界はそうはいかない。「周波数」は、多くの人が分かったつもりで使っている用語だが、無限の過去から永劫の未来まで、正弦波が乱れることなく波打っていて始めて（文学的な表現になってしまったが）、それをフーリエ変換して得られる数学的概念なのである。一秒間に正弦波が零度から三六〇度、波打つ状態が、宇宙が始まる以前から、宇宙が消えてしまった後も絶え間なく続くことを前提として、一ヘルツが定義されるのである。

現実には、何秒間か同じ状態が続けば、周波数という表現が使われているし、それで不自由はしていない。だが、気になる話でもある。時間領域（波形）と周波数領域はフーリエ変換・逆変換という複素数体上の積分によって、相互に変換されるのだが、無限の時間、無限大の周波数を想定するのはいかがなものか。

私と同年齢で、中央大学情報工学科創設に尽力された伊理正夫東大名誉教授は、中間領域におけるフーリエ変換を定義した。しかし、式が複雑で、実用的には使えそうもなかった。理念の世界と現実に開きはあるが、無限の時間設定でも実用上困ることはないのである。

標本化定理——永劫の未来の値も必要？

デジタル技術の出発点は、標本化定理である。我々の声も、見る風景も、地震波も時間軸上連続しているアナログ情報である。しかし、コンピュータは、時間軸上、離散的に処理をする。振幅軸上も、離散的に処理をするが、ここでは時間軸上の処理について議論しよう。

連続した波から時間軸上、離散的な、つまり、飛び飛びの値を取り出してコンピュータ処理したり、通信路に送り出して伝送しているのである。あまり飛び飛びにすると情報が失われてしまうことは誰にでも分かる。それならどのくらいの時間間隔で取り出せば、正確に元のアナログデータに復元出来るのだろうか。

基本となるのは、シャノン・染谷の標本化定理である。この定理により、例えば音声電話なら、周波集上限が四キロヘルツまであれば、通話可能としてその二倍の八キロヘルツの逆数一二五マイクロ秒（一〇〇万分の一二五秒）毎の振幅を送信すれば、受信側で元のアナログ音声に復元できることがわかる。

この話をある数学者にしたら、「任意の実数時間上の値が、離散時間上の値で表現できるなんて馬鹿なことがあるか」と言われたが、それは周波数スペクトルの制限という仮定が理解されなかったからであった。

問題は、任意の実数時間上の値を求めるのに、無限の過去から永劫の未来にわたる離散時間上の値を必要とすることである。過去の値はともかく、未来の値を使ってデジタル通信は出来ないだろう。

という問題意識をもっていたのが東工大時代の私の先輩、岸源也氏（元東工大教授）である。そして、坂庭好一氏（現在東工大名誉教授）と共に、過去の離散時間軸上の値だけを利用して、現在の実数時間軸上の値を求める数式（岸・坂庭の標本化定理）を導くことに成功した。しかし、理念的には素晴らしい業績であるが、簡潔な数式にはならず、実用には向いていなかった。未来の値を数点記憶して利用すれば、実用上支障はないのである。これも、理念と現実の乖離の例である。

なぜ、楕円曲線暗号の場合は、理念＝現実となり、フーリエ変換や標本化定理に関しては、理念と現実の間に開きが起きるのか。それは、数の世界の違いである。楕円曲線暗号の場合は、大小性も連続性も求めず、加減乗除だけ出来れば良いという狭い数の世界であるのに対し、フーリエ変換や標本化定理の場合は、大小性も連続性が求められる数の世界だからである。

さて、歴史や社会は数理の世界のように綺麗にはいかない。

歴史的理念と現実——明治維新から太平洋戦争へ

明治維新が「とりあえず」成功したのは、理念と現実が上手く相互作用したからと考えられる。「とりあえず」と断ったのは、勢い余って韓国・中国へ侵攻し、その結果が未だにギクシャクしているからである。司馬遼太郎氏のように、「明治は良かった、昭和前期は悪かった」と明確に分けることは私には出来ない。

内村鑑三のような知識人ですら、日清戦争は正義の戦いであり、正義は平和より尊いと主張していたとのことである。もっとも、内村は日露戦争に対しては、非戦論者だったらしいが、歴史の必然性を考えると、具体的には三国干渉・臥薪嘗胆の流れを見ると、それは遅かったということになる。日清戦争も西南戦争と強いつながりがあったようだ。日清戦争の始まる前、「西郷死するも清のため、大久保殺すも清のため」という歌が流行ったそうである。正義の日本を象徴していたのが西郷隆盛だったので、西郷の復権は征韓論の復権に繫がり、日清戦争と結びついていた。日清戦争は、朝鮮を助けるための正義の戦争と考えられていたのである（詳しくは、佐谷眞木人『日清戦争』を参照されたい）。日清戦争は「陸奥宗光と川上操六の二人が起こしたと言ってよい」とも言われる。直接的にはそうかも知れない。しかし、歴史は重層的、複線的な構造の中で、必然性と偶発性が絡み合い、歴史的慣性法則が働くからそう簡単ではない。

私が小学生のころ、毎日のように聞かされた「万世一系の天皇を頂く日本民族の優秀性」という理念は、遡れば七世紀の天武天皇の頃になるのだろう。白村江で唐・新羅連合軍に惨敗し、いつ攻めてこられるかという状況下で、豪族たちをまとめ、一致団結する必要があって生まれた理念のようだ。天皇の権力は段々に低下していくが、権威としてはむしろ高まっていく。江戸時代には庶民は天皇の存在すら知らなったとはいえ、国学や水戸学による皇道理念が形成されることによって、明治維新の理念的エネルギー源となっていった。

第1章でも述べたとおり、私が小学校に入学したのは、ちょうど紀元二六〇〇年（一九四〇年、昭和一五年）であり、「紀元は二六〇〇年……」という歌が大流行し、「八紘一宇」が叫ばれた年だった。情報セキュリティ大学院大学の林紘一郎二代目学長のように、昭和一五年生まれの人に、紘の字がつく人を見かける。八紘一宇という天皇の神聖性を頂点とする国体によって、大東亜共栄圏を構成しようという理念が叫ばれていた。

そのような理念を信じた人もいたのだろうが、他方、中国市場を米国などと争い、石油を米国からの輸入に頼っていた日本としては、東南アジアへ侵攻して石油を入手しなければいけなくなり、そのような理念を掲げざるを得なかったという厳しい現実もあった。

思想家、吉本隆明（一九二四 - 二〇一二年）のかの有名な『共同幻想論』（一九六八）は、大日本帝国の皇国少年だった戦時中から終戦直後にかけての体験に基づかれているようだった。

第2章にも書いたように、太平洋戦争中、戦争を絶対的に「善なるもの」として鼓舞してきた文化人たちの中には、敗戦後にあっさりと豹変するものも少なくなかった。小学校六年生で終戦を迎えた私でさえ、そうだったのだから、私より九歳年上、最も感受性の強い青春期ならむべなるかなである。それにしても吉本隆明ほどの思考家（思想家ではなく）が、戦時中、戦争推進に疑念を抱かなかったのだろうか。吉本隆明は、私にとって東工大の大先輩、電気化学科卒である。石油を輸入している大国を相手に勝てると思っていたのか、それとも勝敗は別として、「正義」を信じていたのだろうか。

戦争中は、国民が一丸となって戦う必要があるのは致し方なかったとしても、知識階級は、表面的にはともかくとして、複眼的思考をもって敗戦対応もして欲しかったと思わずにいられない。明治以来の日本の教養教育は、「デカンショ」に重点が置かれ過ぎ、経済面などの現実を見る目を養う点が欠けていたように思えてならない。「デカンショ」とは、デカルト、カント、ショウペンハウエルである。子供の頃、「デカンショ、デカンショで半年暮らす」という歌も良く聴かされた。哲学も輸入品だったということか。

もう一つ。健全な社会を創るには、理念が複数ある中で、議論を闘わせ、思考を広げる必要がある。

幕府が支配しやすいように、江戸時代は朱子学が主たる理念となっていた。

安藤昌益（一七〇三 - 六二年）のように、四民平等を説いた思想家もいたが、早すぎて『忘れられた思想家』になってしまった。

徳川幕府で、四代将軍家綱の補佐役を務めた、秀忠のご落胤、家光の腹違いの弟、保科正之（一六一一 - 七三年）は、明暦の大火（一六五七年）に際し、民の救済を優先し、江戸城天守閣を再建しなかったことで知られる名君だが、会津藩主として、遺訓第一条に「幕府への忠誠」という理念を掲げたことは、幕末の会津藩に惨禍をもたらす要因となった。二〇〇年も経てば、見直す必要があった。「ならぬことはならぬことです」という教育も良くなかった。薩摩藩の郷中教育で、子供たちにも議論を闘わせていたのとは対照的である。もっとも、討幕軍の会津攻めは江戸城無血開城のガス抜きでもあったから、正之の遺訓がなくても結果は余り変わらなかったかも知れない。

もう一つ。日本人は、権威を尊び、権威になびきがちな民族だ。権力者が権威を担ぎ、民衆を洗脳して理念を注ぎ込むと「理念×権威」は強大になる。自我が弱く、論理性より情緒性の強い我々としては、自制しなければならない。軍閥が天皇を担ぎ、無謀な戦争に突っ込んだ太平洋戦争を振り返るとき、つくづくそう思う（と言っても、自衛の必要性とは別の話であるが。二〇二一年現在、米国対中国との関係もあり、日本の周辺が、中東のような情勢にも感じられ、自衛と共同防衛の区別が難しくなってきた）。

幕末から明治維新へ、お隣の清国もアヘン戦争に侵される中で、日本を植民地化から守るべく、尊王攘夷、そして尊王開国へ、皇道理念一本で突き進んだのは、止むを得なかったとも言える。しかし、一八七七年（明治一〇年）に西南戦争が終った頃から、富国強兵一本でなく、複数の理念を交錯させながら近代化を進めても良かったのではないだろうか。当時の環境下で、三つの理念に絞るとすれば、次の三つということになるだろうか。

①皇道・強兵
②富国安民
③独立自尊（個人）

皇道・強兵は止むを得なかっただろう。富国で強兵を図る必要もあったが、勝海舟が強く主張したように、清国と戦うのではなく、交易で富国を図るべきだった。福沢諭吉の独立自尊は、当時の国民のレベルでは無理だったかもしれないが、その方向性が強調されても良かったのではないだろうか。皇道理念・富国強兵で太平洋戦争まで突き進んだのは過去のこととして、今後のサイバー・フィジカル社会を進展させていく上で、現実を、広く長い視野、多様な視点、高い視座から見極めて、どのような複数理念を掲げて行くかが、今問われている。

理念先行、つまり一つの理念に合わせて現実を見ると、つまみ食いになってしまう。日露戦争の勝利はアジア諸国に自信を与えた反面、日本帝国主義につながった。この二つの現実を見る必要がある。

さて、現在はどうか。コロナ禍の中で、「公共性vs.個人の権利」など、様々な対立概念が論じられているのは好ましいことで、新たな社会像が生まれることが期待される。このことについては次節で考えたい。

ソサエティ5・0の理念と現実

二〇二〇年は、コロナに明けコロナに暮れた。コロナ禍は、人類共通の課題であり、その中で、自由の拡大、公共的安心・安全の向上、人権・プライバシーの確保という三つの理念の矛盾・相克が、浮き彫りになっている。

自由とは何か。「自由とは、自らに由ること」だと文字通り解釈すれば、自由の数は人の数だけあることになってしまう。ある時、私が加藤尚武先生に問うた時、自由とは「利便性・効率性の向上です」と答えられた。その時は、工学系向けの定義かと思ったが、一言でいえば、「利便性・効率性の向上によってもたらされること」ということになるのだろう。信仰の自由について語れるほどの知見を私は持ち合わせていないが、宗教改革は印刷技術の開発にも支えられていたようだから、科学技術と信仰の自由も無関係ではない、と考えている。というわけで、自由の範囲を明確に線引きすることは不可能だが、本書では、情報技術によってもたらされ、拡大される自由、例えば表現の自由、テレワークのような行動の自由などを念頭に置くことにしよう。

次に、二つ目の理念、公共的視点からの安心・安全については、医療・福祉分野と合わせて、監視カメラや個人の行動経路の把握などによって、向上が図られている。

そして、三つ目の理念、個人の人権・プライバシーの保護に対しては、上の二つの理念との相克が厳しい課題となっている。

まず、公共的安心・安全の向上と個人の人権・プライバシーの保護について考えてみよう。

「The Asahi Shimbun GLOBE」の西村宏治シンガポール支局長が次のような記事「シンガポールのホテルで考えた監視社会」を書いていた。

〔二〇二〇年七月現在〕シンガポールでは、新型コロナ対策のため、政府が感染者の行動を追跡しやすくするアプリが登場している。さらに、スーパーに入るにも、身分証の番号や携帯電話番号の登録が必要だ。おかげで、もし私が感染者と接触したら、その情報を早く受け取ることができる。

一方で国による「監視」への不安もある。やましいことがあるわけではないが、必要以上に見られていたくはない。それはシンガポールの人たちも同じようだ。「コロナ対策のため、ウェアラブルデバイスを開発する」。政府がそんな発表をした際には、ネットで反対の署名運動が盛り上がり、担当大臣が「利用者の居場所を把握するものではない」といった釈明に追われた。

また、この記事によると、シンガポール国立大学のチュア教授は、次のように語ったという。

〔安全とプライバシーの〕バランスという考え方は、幻想です。（……）コロナ対策の監視はあくまで

「例外」であるべきですが、問題はそれが、コロナ後の「常識」として定着するのではないか、ということなんです。

バランスと言ってしまうと思考停止になるので、私は二一世紀当初から、「三止揚・MELT-UP」を提唱している。これまでにも度々説明しているが改めて繰り返す。MELTとはManagement（管理・経営）、Ethics（倫理・道徳、行動規範）、Law（法制度・標準）and Technology（技術）の相互連携により、自由、公共性、個人の権利・プライバシーの三者の高度均衡化を図ることである。

この視点を踏まえながら、まずはサイバー攻撃の中でも特に深刻さを増している標的型攻撃について考えてみよう。標的型攻撃とは、例えば大坂城の本丸を落としたい場合、徳川家康軍の手先は身元を隠し、まず大坂城内の取りつきやすい砦に侵入し、そこから本丸へ抜け道を作り、さらに本丸から家康の本陣まで攻撃路を設け、その攻撃路から家康軍に攻め入らせるのである。

標的型攻撃を防ぐには、家康軍の手先が身元を隠せないように、入城者の本人確認を厳しく設定することが不可欠である。ネットワークに話を戻せば、送信者の身元確認のため、メールアドレスにPKI（Public Key Infrastructure）認証（印鑑証明のようなもの）を付して不正侵入を防がねばならない。そのためのシステムをS／MIME（Secure/ Multipurpose Internet Mail Extensions）と呼んでいる。送信者にとっては差し当たって得にはならないが、受信者の安全性は高まり、ネットワーク全体の安全性は大きく向上する。仏教説話に喩えれば、長い箸しかなく、自分の口に食べ物を入れられない場合、お互いに口に入れ合えば良い。あるいは江戸時代の石門心学なら「真の商人は先も立ち、我も立つことを思うなり」ということになるだろう。「売り手良し、買い手良し、世間良し」から、「送りて良し、受けて良し、ネット良し」ということである。

石門心学の開祖、石田梅岩（一六八五‐一七四四年）がこのような提唱をしたのは、アダム・スミスの『国富論』（一七七六）や『道徳感情論』（一七五九）より早かった。武士道の立場から山鹿素行（一六二二‐八五年）などが、「商人は物を動かすだけで利益を得ているケシカラン存在だ」と非難したのも、石門心学という理念構築の一つのきっかけになったのだろう。複数の理念を闘わせることが望ましいのである。

Management（管理・経営）、Ethics（倫理・道徳、行動規範）、Law（法制度・標準）and Technology（技術）の中で、特に難しいのはEthicsであろう。探究心あるいは意欲や競争で技術は進み、法制度は何とかその後を追いかけるが、人間の内面は簡単には変わらない。Managementは、E、L、Tを総括しなければならないので、これもまた大変である。

人間の我欲は当然として、相手のことも考えるのが、S／MIMEである。筆者はその普及を願って、二〇一六年（平成二八年）一二月六日、次のような記事を「日本経済新聞」に寄稿した。以下に転載する。

標的型サイバー攻撃から組織を守るには——S／MIMEを普及させよう

世の中には不思議なことがあるものだ。長い箸しかなく、食べ物を自分の口に入れ難い場合、互いに相手の口に入れ合えば良いのに、何故そうしないのか。この喩えが適切かどうか分からないが、少し説明させて頂きたい。これだけ、サイバー攻撃、とりわけ、標的型攻撃が深刻さを増し、組織の浮沈に関わる多くの被害が、大きな話題になっているにも拘わらず、そして、セキュリティ分野では、有効な対策があると分かりながら、普及しないから普及しないという悪循環が続いているのが私には理解できない。

標的型攻撃とは、攻撃者が、重要インフラ、政府系機関、企業等の特定の組織に対して狙いを定めて周到な準備を重ねた上で不正侵入し、重要情報を盗み出すサイバー攻撃である。例えば、ANAに成り済ました攻撃者が、JTBを標的型攻撃したことは記憶に新しい。こうした状況に対して、社内訓練や内部情報管理など、自らの組織を守る対策ばかりが推奨されている。しかし、「怪しいメールの添付ファイルを開くな」も度が過ぎると仕事の能率を下げてしまい、すでに限界に達している。もはや孤塁を守る時期は過ぎた。

標的型攻撃を激減させるには、組織間の連携が不可欠なのである。「このメールの差出人は、ANAに間違いないこと」が署名で確認できれば、JTBの職員は安心して開くことが出来るし、ANAの署名がついていなければ、開かなくて済むはずだ。成りすまされるのを防げるので、送信組織の信用確保にもなるだろう。郵便に喩えれば、送信者証明付き郵便を普及させれば良いわけである。

メールの世界では、送信者証明付き郵便は、S／MIME（Secure/ Multipurpose Internet Mail Extensions）と呼ばれ、すでに一九九五年からIETF（Internet Engineering Task Force）により国際的な標準化が進められて来た。また、国内でも、内閣サイバーセキュリティセンター（NISC）や総務省も、二〇一三年にS／MIMEの普及を推奨する報告書を出している。それにもかかわらず、S／MIMEが普及しないのは、多少のコストと手間がかかるからであろう。確かに、この点には工夫が必要であり、筆者等は中央大学で研究を進め、組織間連携向けS／MIMEの効率的な方式を発表している。お役に立てれば幸いである。

今後、自動運転など、IoTの普及が進む中で、安全性向上に向けて、送信者・モノの真正性の確保を図るためにも、低コストなS／MIMEの普及が不可欠である。

掲載の二日後、防衛省の防衛装備庁長官が、数名の部下と共に、中央大学の研究室に来訪され、防衛業界にとっては必須なので、至急導入を図るつもりだと言われた。経費やソフトの統一などの手間を考えると業界ごとに導入されるのが、確かに良策であろう。

さて、数百億に上る、あらゆるモノから情報が発信されるIoTソサエティ5・0の時代となった今、中央大学研究開発機構の才所敏明研究員らは、人や個体も含めた拡張S／MIMEについて、超多数のモノからの送信者・物を匿名にする場合についての検討を重ねている。匿名にした場合、犯罪的行為をどのようにして防ぐか、匿名者をどのようにして追跡するかが課題となる。匿名は個人の権利・プライバシーでもあり、匿名追跡性は公共的安全性である。この相克をどのように解消するかが、ネットワークの普及による自由を目指すサイバーセキュリティの大きな課題である。

本章の要点

●理念的世界と現実的・欲望的世界という二世界構造の違いや共通点を考慮しながら、コロナ禍におけるソサエティ5・0時代の理念について考察した。

●ここまでの議論を振り返りながら、今後ますます重要な課題となってくるであろうサイバーセキュリティにおける「プラシバシーの問題」に重きを置き考察した。

●また、サイバーセキュリティの未来、つまりソサエティ5・0社会の「理念」と「現実」について、「自由の拡大」「公共的安心・安全」「個人の権利・プライバシーの確保」という三つの視点から改めて考えた。

謝辞

崖を越え　谷を渉りて　吉野山　天の導き　人の和ありて

ちょっと誇大な印象を持たれるでしょうが、米寿を迎え、自分の小さな人生を振り返ることが多くなり、自然に湧いてきた駄歌です。

太平洋戦争で自分も両親も存命し、その後、不満は残るにせよ、実力相応の人生を送ることが出来たのも、天の時、地の利、人の和のお陰です。特に、人の和でお世話になった方々に感謝しています。

最近、マイケル・サンデル『実力も運のうち——能力主義は正義か?』（早川書房）が話題を呼んでいます。また、二〇一九年、東京大学の入学式の祝辞で上野千鶴子名誉教授が、入学者の努力は認めつつも「あなた方の努力の成果ではなく、環境のお陰だった」と諭されたのも良く分かる気がします。

私は、努力する素質まで運命に入れてしまっては、社会は成り立たないと思い、

人の一生＝実力・努力×運命

という公式が成り立つのではないか、足し算ではなく、掛け算だと考えています。

終わりに、本書の内容に興味と共感をもって丁寧に読んでいただき、適切なアドバイスと精査をいただいた講談社学術図書編集部の園部雅一氏、およびコトニ社の後藤亨真氏に深く感謝いたします。

二〇二一年六月五日

辻井重男

フェイクとの闘い

暗号学者が見た大戦からコロナ禍まで

2021年9月28日　第1刷発行

著者 辻井重男
発行者 後藤亨真
発行所 コトニ社
〒274-0824 千葉県船橋市前原東 5-45-1-518
TEL 090-7518-8826
FAX 043-330-4933
https://www.kotonisha.com

印刷・製本 モリモト印刷株式会社
装丁 西山孝司
組版 大友哲郎

ISBN978-4-910108-06-3

辻井重男（つじい・しげお）
1933年生まれ。1958年、東京工業大学卒業。1970年、工学博士。1979年、東京工業大学教授。1994年、中央大学教授。1996年、電子情報通信学会会長。1999年、中央大学研究開発機構機構長。2003年、日本学術会議会員。2004年、情報セキュリティ大学院大学初代学長。2004年、中央大学研究開発機構教授。2007年、日本ペンクラブ会員。2010年、マルチメディア振興センター理事長。2013年、放送セキュリティセンター理事長。2017年、セキュアIoTプラットフォーム協議会理事長。総務省電波監理審議会会長、総務省・内閣等の諸官庁における、電子署名法、住民基本台帳法等の多くの法制度創設に関する委員会委員長を歴任。瑞宝中綬章、NHK放送文化賞、C＆C賞、高柳記念賞、信学会功績賞、IEEE第三千年紀記念賞、全国発明表彰等を受賞。専門は情報通信システム、暗号理論。主な研究成果に、①日本初のデジタル伝送方式（PCM24チャンネル方式）の開発。②世界初のテレビ信号のデジタル方式の開発、カラーテレビのデジタル化で特許取得・発明表彰。③デジタルネットワークのグラフ理論的研究、電子情報通信学会論文賞受賞。④デジタル信号処理の先導的研究開始、電子情報通信学会論文賞2件受賞。1980年頃から現代暗号の研究を開始。⑤ 1985年、順序解法による多変数公開鍵暗号方式の提案。⑥楕円曲線暗号における理念と現実の完全な一致、新プラトン主義的確認。⑦デジタルセキュリティ総合科学構築と三止揚（MELT-UP）。⑧究極の本人確認のための3層型公開鍵暗号の提案。主な著書に、『情報社会・セキュリティ・倫理』（コロナ社）、『暗号と情報社会』（文藝春秋）、『暗号理論と楕円曲線』（共著、森北出版）、『暗号——情報セキュリティの技術と歴史』（講談社）など。

資料篇

資料1　情報セキュリティ総合科学と現代人の教養

1. まえがき

世の中、右を向いても左を見ても矛盾と相克の絡み合いである。人間と社会が矛盾に満ちた存在であることは、今に始まったことではない。しかし、昨今のネットワーク化とグローバル化に伴って、矛盾・相克は量の拡大にとどまらず、質を変えて広がっている。矛盾・相克は、人間的・社会的側面のみでなく、情報セキュリティがよって立つ数理や論理の世界の根底にも厳然として横たわっている。

数学的世界は、無矛盾・完全であると一般には思われている。しかし、19世紀末から20世紀前半にかけて偉業をなし遂げた大数学者ヒルベルトが、同じケーニヒスベルク生まれで尊敬していた哲学者カントの影響もあったのか、数学は無矛盾・完全であるという信念のもとにヒルベルト計画を推進し、1930年、ある授章式での自然認識と論理と題する記念講演を「我々は知らねばならない。知るであろう」という有名な言葉で結んだことはよく知られている。しかし、数学史も、時として皮肉なドラマを生む。その直前、ある学会で、ヒルベルト学派による数学の形式化という手法を忠実に実行したゲーデルが、ヒルベルトの予想を裏切る結果、すなわち、「決定不能な数学的命題の存在」を証明したことはヒルベルトには伝えられていなかった。決定不能な数学的命題の存在とは簡単にいえば、真であるとも偽であるとも証明できない問題があるということであり、ゲーデルの不完全性定理として知られている▼[1]。

しかし、これは、ギリシャ時代以来の自己言及の矛盾（あるクレタ人が、「クレタ人は皆うそつきである」と言ったというような）に淵源が見られる特異なケースであって、現在でも多くの数学者は、「ゲーデルの不完全性定理など辺境地帯の国境紛争くらいにしか見ていな

い」（数学者ワイル）のは事実である。しかし、数学者と違い、我々、暗号技術や情報システムの研究者・技術者は、ゲーデルの定理自体ではないが、それを連想させるような矛盾、すなわち、正しいのか正しくないのか、人間には不明な難問を抱えながら、現代社会の安全性を高めていかねばならないという宿命を背負っている。

本文は、このように、矛盾が遍在する人間・社会、そして矛盾が根在する数理・論理の世界と向き合い、様々な矛盾を軽減し、解消し、超克することが、情報セキュリティの使命であるという立場から執筆したものである。もちろん、完成したものではなく、あれこれと迷いながら記述したものであり、諸賢のアドバイスを頂ければ幸いである。

さて、奇想天外な公開鍵暗号の誕生に刺激されたこともあって、1979 年、ホテルのカード鍵の安全性解析をきっかけに暗号研究を始めた筆者が、情報セキュリティ総合科学という言葉を初めて用いたのは 1993 年であった▼2。当時、暗号が軍事・外交面のみでなく、情報社会にとっても必要であるとの認識は広がりつつあったが、情報セキュリティという言葉が実感を持って語られる状況ではなく、情報セキュリティと暗号がほぼ同義語として語られることも多かった。しかし、暗号だけでセキュリティが達成されるわけではもちろんなく、リスク分析・情報保険の研究会に参加していたこともあって、総合科学的なとらえ方が必要だと考えて、4. の図 21 に示すような暗号を中心とする構図を示した次第である。

時は移って、2002 年、中央大学に勤務していた筆者がリーダーとなって、文部科学省の 21 世紀 COE に「電子社会の信頼性向上と情報セキュリティ」が採択されたとき、情報セキュリティ総合科学を体系的にとらえる必要を感じ、取りあえず、情報セキュリティの理念を「技術、ガバナンス、法制度、情報倫理・心理などの知見や手法を強く連携させて、ネットワークの普及による自由の拡大と、安全性、及びプライバシーの保護という互いに相反しがちな要請を、可能な限り同時に満たして高度均衡を図るプロセスである」と概念規定することとした▼3･4。

ネットワークの普及は、グローバル化とも相まって、これまで、異なる価値観や法制度のもとに離れて存在していた組織やシステムを結ぶことから、至るところに矛盾を生じ、先鋭化させる。したがって、そのような矛盾・相克を可能な限り、軽減、解消、超克して、情報ネットワークによってもたらされる恩恵を享受すべく、既製の学問の壁を越えた、総合科学を構築することが求められるが、それは可能なのだろうか。

そもそも、科学とは何だろうか、と考えていた矢先、市川惇信『科学が進化する５つの条件』を読み、考えさせられるところが多かった▼5。市川博士は、一神教的整合性を持った無矛盾世界観のもとに築かれてきた自然科学を対象に論じているが、人間・社会は元々矛盾に満ちたものであり、その矛盾が情報ネットワークの普及によって遍在化・先鋭化しつつある世界を対象とする情報セキュリティに対して、自然科学と人間・社会科学を貫く共通理念をベースとする「総合科学」を構築するインセンティブは何だろうか。自然科学といえども、矛盾が立ちはだかるたびに、矛盾を乗り越える天才が現れ、整合的世界を拡大してきた。例えば、ニュートン力学は、日常的サイズの世界では、時空を超えて普遍性を持つが、極微の世界では矛盾を生じる。光子の粒子性と波動性という根本的な矛盾は、量子力学によって解消された。我々の日常サイズの世界を対象とするニュートン力学と素粒子のようなミクロの世界を扱う量子力学の統合はいまだなされていないが、統合へ向けての思索は続けられている。ニュートン力学とマックスウェルの電磁界理論の統合も統一場理論による説明が試みられている。2008 年 10 月、ノーベル物理学賞受賞に輝いた南部、益川・小林理論も矛盾の超克という視点から解釈できるように思われる。

このように、自然科学も矛盾にぶつかる度にそれを超克することによって発展してきたという歴史を持っている。

一方、人間・社会は矛盾に満ちた存在であるから、無矛盾な世界観に基づいて学問を構築するというわけにはいかない。矛盾と相克の絡み合いは、今に始まったことではないが、ネットワーク化とグ

ローバル化によって、矛盾遍在社会とでもいうべき様相を呈している。例えば、通信と放送は、片や通信の秘密、片や公序良俗という異なる倫理観・価値観の下に平和共存していたが、近ごろでは、両者の連携・融合による多様な中間形態が出現して、様々な矛盾を抱えるようになった。

ブログ炎上などはその典型的な例であり、批判的意見表明や表現の自由の尊重と誹謗中傷による被害の軽減との間で、解決を迫られている。また、Google Street View は、便利さとプライバシー侵害が裏と表にはり付いている。これは、人のプライバシーはのぞきたいし、自分の私生活は見られたくないという人間の身勝手さによる矛盾が、ネット社会で拡大した現象ともいえる。

例えば、経済学の場合、自然科学の影響もあって、「経済学の命題は時空を越えて普遍的に成立する法則である」との見方をする専門家が多かった時期もあったが、人間の本性や社会の現実とかい離した仮定のもとでしか理論構築が成功しない場合が多いようであり、市場は、貨幣のもたらす効率性と不安定性という矛盾を抱え増大させているように見受けられる。

市川博士は、社会科学・人文科学は、無矛盾世界観に立って構築できないがゆえに科学ではないという立場をとっているが、筆者は、情報セキュリティ総合科学の体系化を提唱する立場から、「科学とは、矛盾の超克という動機に基づいて、体系構築、現実世界への適用、反証、再構築というサイクルを、論証の精神と客観的な説得性を持って絶えず回し続ける学問である」と定義することとする。

通常、学問は、自然科学、社会科学、人文科学に大別される。これを、矛盾という視点から見れば、

自然科学　一神教的無矛盾世界観（自然観）
社会・人文科学　矛盾遍在世界観（人間・社会観）

と特徴付けられる。

このように両者の間には根本的な世界観の相違はあるにせよ、矛

盾を軽減し、解消し、超克しようとすることが学問構築のインセンティブであるという意味では共通しているといえるのではないかと考えられる。これが小文執筆の動機である。

本文では、まず、ネットワーク化による矛盾相克の拡大と先鋭化の具体例を見た後、矛盾概念を基軸にして、技術、ガバナンス、法制度、人間に関する知見などによる総合的対策によって、矛盾を軽減、解消、超克することが要請されている情報セキュリティに関する総合科学について考察する。

情報セキュリティを中心として諸学問を見廻すとき、学問、あるいは科学はどのように関連付けられるだろうか。情報セキュリティは、いわゆる理系、文系にまたがるが、理系というとき、人々は通常、上の学問分類に従って、物理、化学を中心とする自然科学を思い浮かべる。しかし、情報セキュリティが直接立脚するのは、物理法則・自然法則というより、情報科学、システム科学、ソフトウェア科学、数学、数理科学、論理学など、人間の論理をベースとする学問ではないだろうか。これらの学問は、情報セキュリティに限らず、現代情報社会全般の基盤となっている。これらの諸分野は、自然科学から分家してもよいくらいに、広く大きな分野に成長したこともあるが、何よりも、対象が自然ではないと考えられる。そこで、筆者は、適切な名称ではないが、暫定的に、これらの学問を総称して論理・システム科学と呼ぶこととした。

なお、数学は自然科学に分類することも多いが、「自然数は神が創ったが、他の数は人間が創造した」という見方に従って、歴史的経緯はさておき、近年では、経済学などでも広く活用されることも考え、論理・システム科学に含めることとする。

さて、ゲーデルの不完全性定理を持ち出すまでもなく、論理に完全性は期しがたい。携帯機器に入っている何百万行というプログラムに、バグがあるか、ないのか何人も答えられない。したがって、無矛盾世界観をインセンティブとして、これらの分野の研究を推進するわけにはいかない。さればといって、人間・社会のように矛盾が遍在する対象を扱っているわけではない。しかし、暗号理論や通

信プロトコルの安全性には、このゲーデルの不完全性定理そのものではないが、ゲーデル的課題が根本的なところで深刻に関係する。情報セキュリティの研究者たちは、日々そのような悩みを抱えつつ、現実には安全性の高いシステムをほぼ矛盾なく構築している。

また、情報機器にバグが絶対ないとは保障できないが、ほとんどないようにすることは可能である。要するに、自然科学のように無矛盾世界観でもなく、また、人間・社会科学のように矛盾遍在世界観でもない世界観をもって、研究開発に当たらねばならないのである。そこで、このような場合の世界観を便宜的ではあるが、矛盾根在世界観と呼ぶこととする。

本文では、このような視点から、学問を自然科学、論理・システム科学、社会科学、人文科学に4分類して、3. の図 10 に示すように情報セキュリティ総合科学をこれらの諸学の中で位置付けることとした。

次に、情報ネットワークのグローバルな普及浸透によってもたらされる可能性と裏腹に、遍在化・先鋭化する矛盾を抱える現代の知識人や各界の指導者・専門家にとって教養とは何だろうかという課題について考察し、個人的人格形成に主眼の置かれた大正教養主義とは異なった、より社会との関与を深めた教養のあり方、「教養とは、総合力と止揚力を涵養することである」を提言する。

最後に、社会の矛盾・相克が偏在化・先鋭化するネットワーク社会における人材の典型として、

Ⅰ　深い専門性を有すること
Ⅱ　副専攻を修める
Ⅲ　総合的止揚力を涵養すること

が望まれることを提案した。

2. 情報ネットワークの普及による社会構造の変化と矛盾の遍在化・先鋭化

デジタル技術は、情報を担うあらゆる信号を1か0に還元する離散的技術である。この離散的技術が、コンピュータとネットワークの基盤となって、社会構造と機能を連続化（アナログ化）するという逆説的現象を引き起している。このことは、例えば、通信と放送の例を挙げるまでもなく明らかであろう。インターネットが普及するまでは、放送と通信は別々の組織によって、異なる価値観や倫理観のもとで運用されてきた。通信と放送では、著作権法が異なっているが、両者の接近・連携によって、その統一が課題となっている。もちろん、現在でも、電話による会話には、通信の秘密が保証されねばならず、公共放送には、公序良俗が求められるから、両者が融合するわけではないが、その中間にブログやSNSなどの個人放送局ともいえる多様で連続的な形態が出現している（図1–4）。

また、インターネットが普及する前は、広告という機能と個人的体験談による紹介とは、別の機能だったが、現在では、アフィリエイト広告という名の体験談的紹介が、広告業界地図を塗り替えようとしている。更に、サイト運用者が、アフィリエイト広告に加えて、値決めまでするというドロップシッピングと呼ばれる形態まで現れ、販売責任は、販売業者のみにあるのか、サイト運用者にもあるのか、という法制度的課題が監督官庁や法律専門家を悩ませている。

このように、ネットワーク化は、異なる価値観を持つ組織や機能が無関係に存在することを難しくしている。また、個人情報が不正使用されては困るというので、個人情報保護法が2005年に全面的に施行されたが、それもあって、これまで全国民的な関心事ではなかった個人情報漏えいが、企業の命取りになり兼ねない状況を招いている。

これまで、離れて共存していた組織や機能の接近・連携により生じる、利害の対立や権限分界・責任分界などの課題を裁くため、新たな法律が定められる。しかし、情報は、有体物と異なり、占有性を持たず、法律によるコントロールが難しい対象である。そこで、

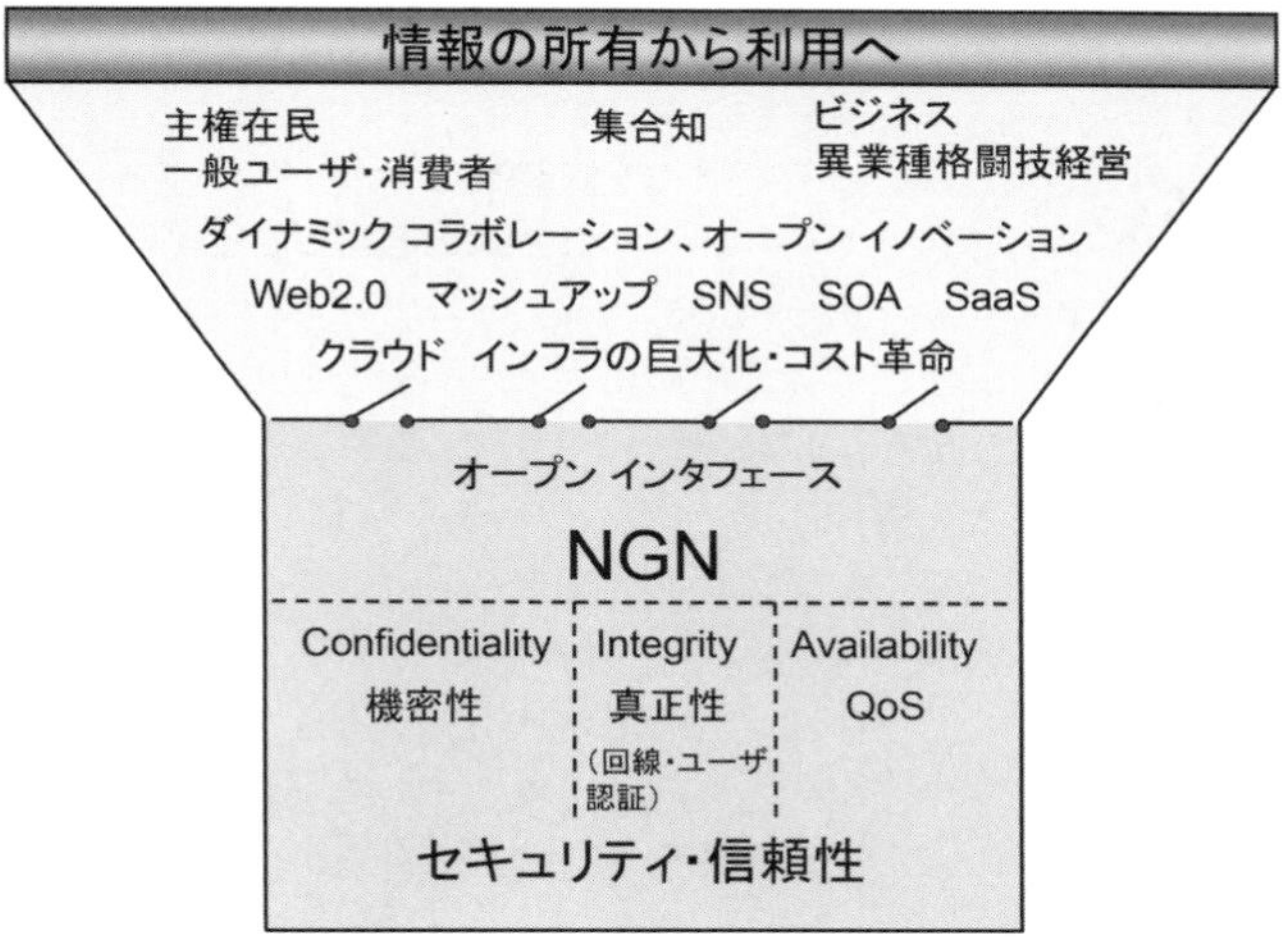

図1　Dynamic Information Security

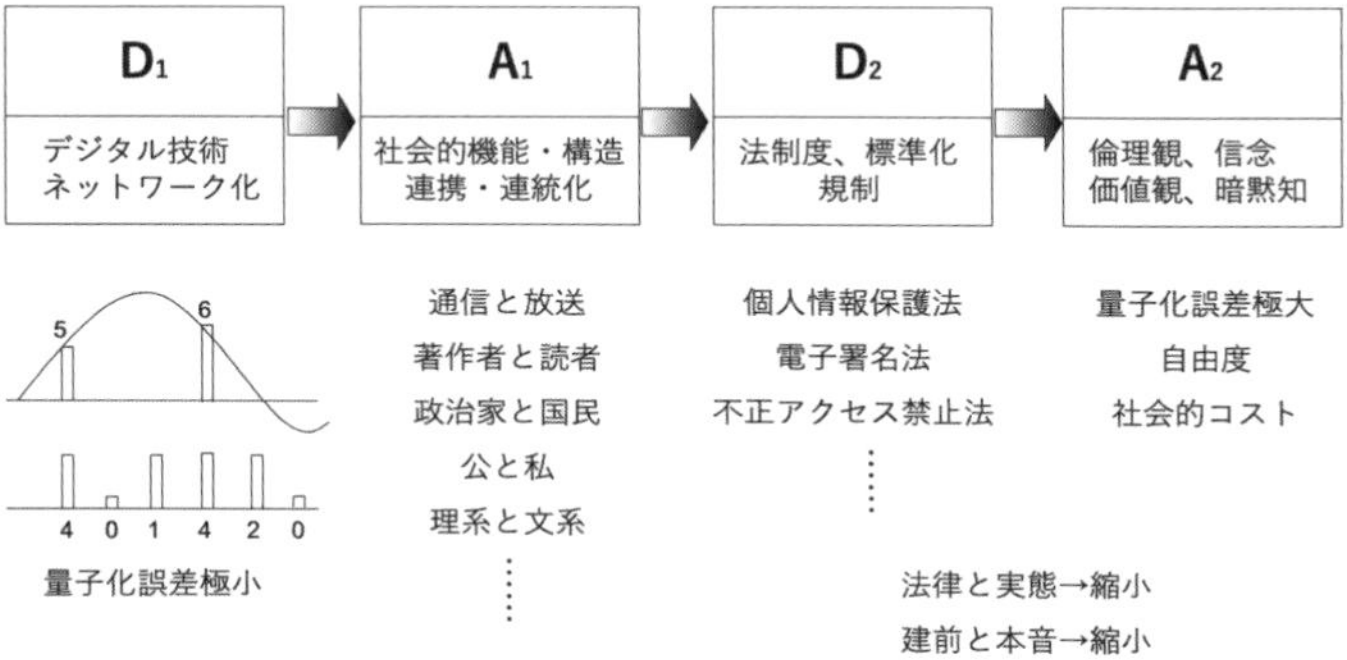

図2　DADA 変換

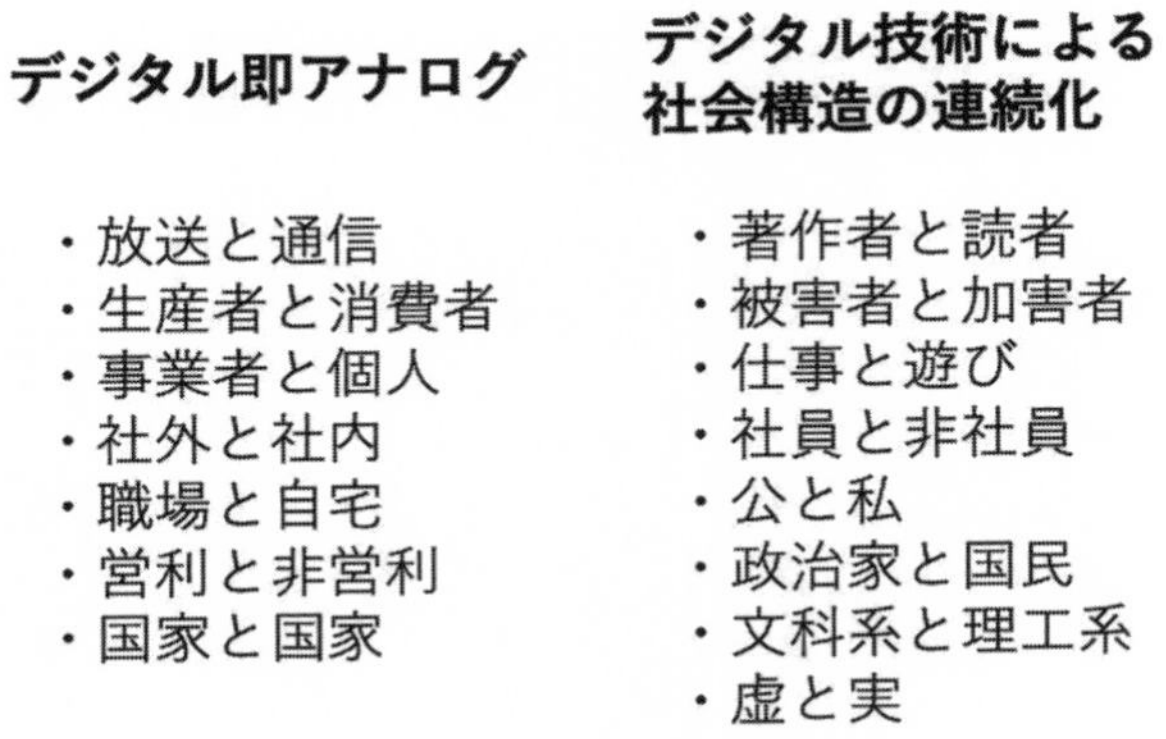
デジタル即アナログ
・放送と通信
・生産者と消費者
・事業者と個人
・社外と社内
・職場と自宅
・営利と非営利
・国家と国家
デジタル技術による
社会構造の連続化
・著作者と読者
・被害者と加害者
・仕事と遊び
・社員と非社員
・公と私
・政治家と国民
・文科系と理工系
・虚と実

図3　幾つかの例

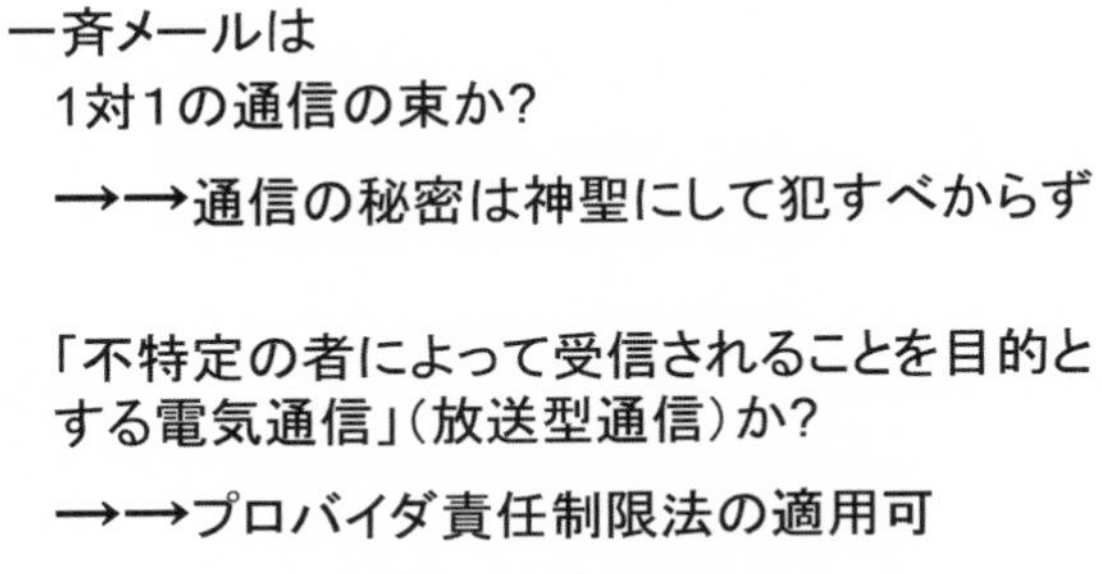
一斉メールは
1対1の通信の束か?
→→通信の秘密は神聖にして犯すべからず
「不特定の者によって受信されることを目的とする電気通信」(放送型通信)か?
→→プロバイダ責任制限法の適用可

図4　一斉メール

Hard Law とも呼ばれる法律に加えて、より柔軟な運用を目的として、省令、条例、ガイドライン、業界標準、消費者と企業の間の契約約款など、様々な Soft Law が法律を補完している。しかし、いったん、文書に書き表した規定は、解釈の幅があるとはいえ、社会的なデジタル的存在となる。例えば、公務員倫理規定で、n 名以下の会合を禁止するとすれば、それは、もはや、人間の内面に宿る倫理の問題ではなくなってしまう。そして、Hard Law にしろ Soft Law にしろ、細かく決めすぎると、柔軟性に欠け、効率を妨げることになる。ルールさえ守ればよいというのでは、いろいろと困った問題も起きるであろう。

そこで、デジタル化できない倫理観、信念、暗黙知など、アナログ的な人の心が最後の拠り所となる。結局、デジタル技術に始まるネットワーク社会は、社会構造・機能をアナログ化し、そのことが、法制度というデジタル化を促し、最後はアナログ的な人の心の状態に依拠することになる。比喩的にいえば、DADA プロセスになる。情報セキュリティの課題を解決する場合も、最後は人々の心理や倫理観に帰着される。

さて、人間が矛盾多き存在であることは、今更いうまでもないことであろう。市場万能主義の権化のようにいわれているハイエクが、夏目漱石の『心』(英訳) を読んで感動したという逸話も興味深い。理性的判断と感情的願望との葛藤はだれしも経験するところである。いわゆる総論賛成・各論反対はその現われといえる。市民としての良識と消費者・投資家としての欲望の相克に悩むこともあるかもしれない。

そのような人間が構成要素となっている社会が元来、矛盾に満ちているのもまた当然である。その矛盾が、グローバル化とデジタル化・情報ネットワーク化の進展によって、利便性・効率性の拡大と表裏を成して、多くの局面で顕在化し、鋭さを増している。その傾向は、消費者主権、ダイナミック・コラボレーションなどが話題となる昨今、ますます高まっている。既に述べたことも含めて、その幾つかの例を見てみよう。

①情報の活用と漏えい

これまで、人々や様々な組織は、情報の活用と秘匿を適度にコントロールし、両者を使い分けてきた。しかし、情報技術の発展によって、情報が本来持っている非占有性、拡散性、非可逆性などの特性が、人間や組織の制御能力を超えて、著しく拡大し、個人情報、営業情報、技術開発情報などの漏えいが深刻な社会的課題となっている。

「築城 10 年、落城 1 日」といえば過大な表現になるが、重要情報の漏えいは、企業にとって命取りにもなり兼ねない。しかし、情報は活用しなければ意味はないし、過度な規制は、仕事の効率を著しく損なう。その矛盾をどう軽減するかについては、後に考察する。

②個人情報保護と公益性

個人情報保護法の制定以来、この法律に対する過剰反応が問題となっている。個人情報といえども、利用されることに意味があるのであり、公益性も有している。例えば、牧野二郎弁護士は、医学分野の個人情報について、必ずしもすべてが個人に属するものではないとして、その多重性を論じている。

③通信と放送

同じ情報伝達ではあっても、通信は、電話を主とした 1 対 1 の世界、放送は、ラジオ・テレビのような 1 対不特定多数の世界というように、通信と放送は画然と分かれていた。通信に関する法律では通信の秘密が、放送法では公序良俗が守られるべきことをうたってきた。このように、異なる法制度と価値観のもとに発展してきた両者の間に、中間的形態が数多く生まれている。例えば、一斉メールは、それを 1 対 1 の通信の束と見るか、不特定な受信者を前提とする小規模な放送と見るかによって、価値観も法的扱いも対立したものとなってくる。

④情報技術と法律

情報技術は日進月歩するが、法律は不磨の大典を良しとしないとしても、朝礼暮改というわけにはいかず、上に述べた通信と放送をはじめ、著作権法など、悩ましい問題が生じている。

⑤国際間の法制度の相違

日本の法制度は欧州大陸に起源を持つ大陸法系であり、米国は成文法であることから、検索用データベースの発展などに課題を生じている。日本において検索用データベースを作成しようとしても著作権法による制約があり、米国は自国の法律に基づいて著作権を気にせずに日本から多くのデータを収集し、データベースを設置することができる。それを、日本から、検索するという矛盾が生じている。

⑥市場原理と情報倫理

著名な経済学者で、1960年代、米国のシカゴに滞在していた宇沢弘文中央大学研究開発機構教授（当時）から10年ほど前に聞いた話を紹介しよう▼6。

1965年中頃、英ポンド切下げが近く行われるとささやかれていた。約10年後にノーベル経済学賞（正確には、「アルフレッド・ノーベル記念スウェーデン国立銀行経済学賞」）を受賞することになるミルトン・フリードマンが、それを聞いて、シカゴのある銀行へ行き、1万ポンドを空売りしたいと申し出た。銀行は、「紳士は、そのような投機的なことをすべきでない」と断った。フリードマンは、「資本主義の世の中では、もうけられるときにもうけるのが紳士だ」と言い返したが、結局、銀行のデスクは売らなかったそうである。このことをフリードマンが大学のファカルティクラブで話したとき、シカゴ学派の総師であるフランク・ナイトは渋い顔をして聞いていたが、後に、「彼ら（もう一人はジョージ・スティグラー）の最近の言動は目に余る。もはや、彼らは私の弟子ではない」と破門宣告をしたそうである。倫理は、心の内面にあるものであり、人によって倫理

観に幅があって当然ではあるが、後のノーベル賞受賞者の話であるだけに、市場原理と倫理の相克について考えさせられる。

この話は、情報化が本格化する前の話であるが、こうした相克は、瞬時性・広域性を持つネットワーク投資の広がりによって、より身近なものになってくると思われる。2005年12月8日、みずほ証券が、ジェイコム株を1株61万円で売却するつもりのところ、誤って、61万株1円と誤発注して大きな騒ぎになったことがあった。誤発注と知りつつ購入してそのままにした人も多かったことについて、与謝野金融担当大臣（当時）は「美しい話ではない」とコメントした。それに対してある民間放送のコメンテーターが「与謝野さんはそういうけど、市場原理で動いているのだから、購入していいんだよ」と言っているのを聞いた筆者は、いろいろな機会に、社会人や学生たちの意見をアンケートしてみた。その結果は、誤発注でも購入して問題はないという人が約30%を占めた。スポーツにたとえる人もいた。しかし、市場のルールはスポーツのそれほど透明ではなく、予想外の事態も起こり得る。倫理観を全員一致でそろえる必要はないが、金融市場が実体経済を大きく上回り、世界経済を揺るがす状況を見るにつけ、議論を深めるべき課題ではあるだろう。

3. 科学とは何か

3.1　自然科学の場合

情報セキュリティ総合科学と呼ぶ以上、科学とは何かについて、一意的な定義は難しいとしても、おおよその概念は考えておくべきであろう。

科学論や科学哲学に関しては、多くの研究や学説があり、それらについては、例えば根井『物語　現代経済学』▼7を参照されたい。

科学といえば、自然科学を思い浮かべる人が多いと思われる。特に、科学技術という場合の科学は、自然科学を指している。そこで、まず、自然科学から考えていこう。とは言え、自然科学の範囲は必ずしも明確ではない。

まず、数学は自然科学に含まれるのだろうか。数学なしに物理学

や化学が今日のように発展し得なかったことはもちろんであるが、数学は自然科学の占有物ではない。理論経済学では、理工学研究者顔負けの高度な数学が駆使されている。

また、情報セキュリティの基盤技術である現代暗号は整数論や代数幾何学などの数学的土壌の上に花開いているが、もともと暗号は、人類の歴史とともに古い言語技術であり、暗号学を自然科学と呼ぶのには、抵抗を感じる。

暗号理論をシステム科学、数理科学に含めるのなら納得できるが、それでは、システム科学や数理科学は自然科学ではないのかということになる。また、医学や生物学、生命科学はどうだろうか。視点の問題もあって、一概にはいえないが、大部分は自然科学に含めるとしても、例えば、人間の心の問題を扱う精神医学は自然科学なのだろうか。

このように、学問間の境界は明確には定まらないので、主として物質とエネルギーを対象とする学問、具体的には物理学・化学を念頭において、それを狭義の自然科学と定義して、考察を始めよう。なお、下記に引用する著書とは、自然科学の範囲が多少異なるかも知れないことをお断りしておく。

市川『科学が進歩する５つの条件』▼5 では、科学を生み進化させる五つの条件として、

①言語能力の余剰
②整合的世界
③経験知の獲得
④過程論
⑤文明社会

が挙げられている。正確には、上述著書を読んで頂くとして、筆者の理解した範囲で２、３コメントしておく。

①「言語能力の余剰」とは、概念世界を語る能力のある言語という

ことである。世界には何千という言語があるといわれているが、論文を書ける言語は多くない。日本語はその数少ない言語の一つである。言語の余剰能力とは、抽象的・観念的世界を表現する能力ともいえる。文化史家J・ブルクハルト（1818–97）は、『ギリシャ文化史』の中で、古代エジプト語には「具象的でない表現を行う能力」がなかったのではないか、そして、古代ギリシャ人たちに哲学的思索をもたらしたのは、「いろいろな事物から完全に分離している言語世界」にあったと述べている。

②「整合的世界」とは、自然は無矛盾な存在であるというユダヤ・キリスト教世界の科学者の世界観を指す。以下、市川の著書から引用する。

「食うか食われるかと言う矛盾に満ちた生態系の諸現象に進化という概念を導入して、無矛盾な体系を作ろうとする、あるいは、多宇宙という直観では理解しがたいモデルを導入してまで整合性を維持しようとする、西洋の科学者に観られるしつこさの背景に、整合的世界観があり、それが独創性の根源になっているのではないだろうか」。

③「経験知の獲得」は、カール・ポパーの有名な「反証可能性」が基本になっている。現在のモデルについて、反例が見つかれば、それを含むモデルに拡張するというプロセスを繰り返すというモデルである。2008年にノーベル物理学賞を受賞した益川敏英博士は、高校生のためのテレビ番組で、「肯定のための否定の繰り返し」という面白い表現をしていた。個人のレベルでも、我々は、日常、「あの人はこういうタイプの人だ」というモデルを頭の中に作り、「意外な面があるのだ」ということになれば、モデルを修正するということを主観的にやっている。

また、ISMS（Information Security Management System［情報セキュリティ・マネジメント・システム］）におけるPDCA（Plan Do Check Act［計画、実行、検証、改善］）サイクルを連想させるモデルであるので、情報セキュリティ分野の専門家にも分りやすいモデルである。すなわち、検証段階で反例が見つかれば、改善段階で計画（モデル）を修正す

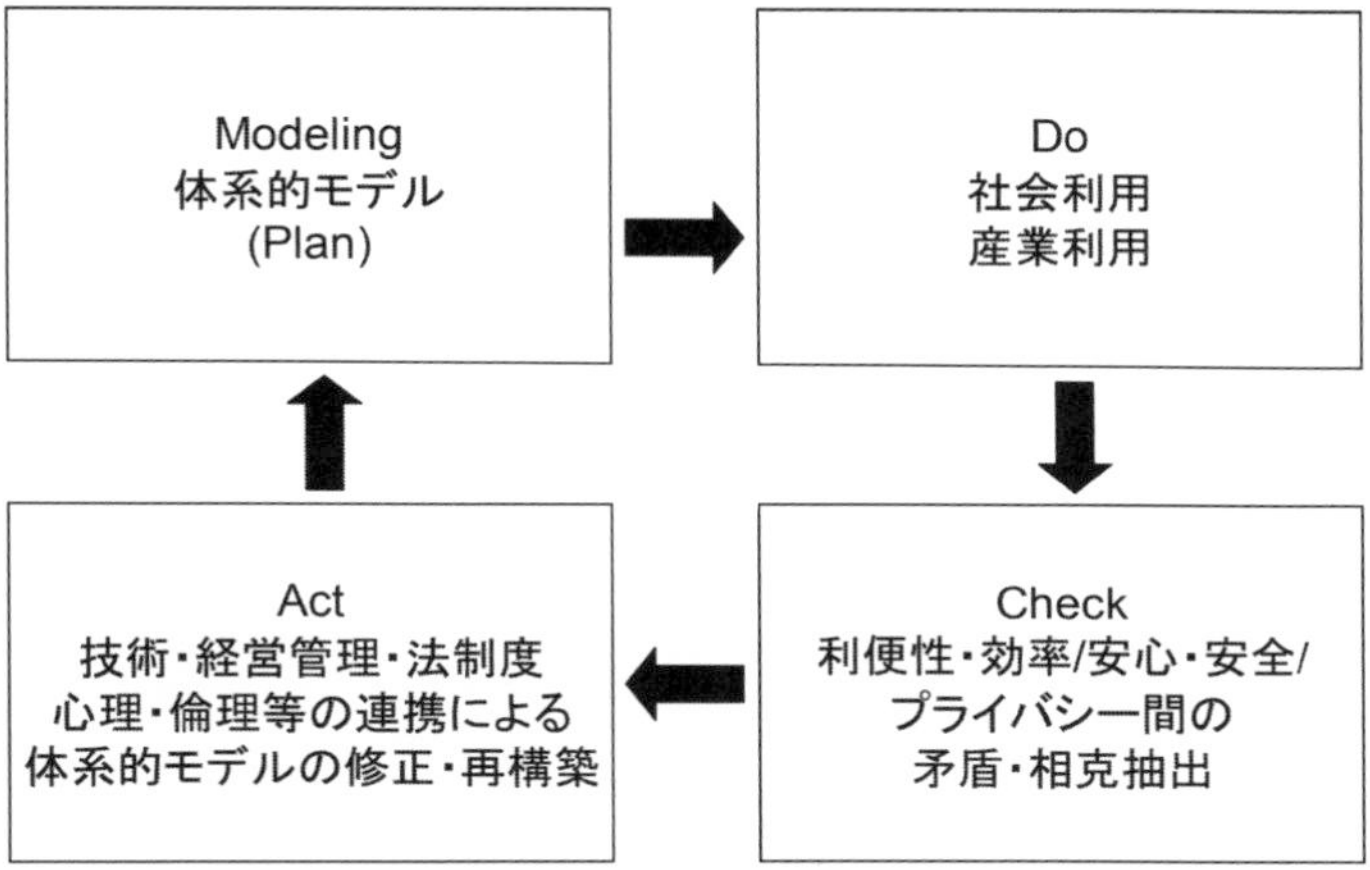

図5　MDCAサイクルによるモデル構築

るというわけである（図5）。そのようなサイクルを、客観性が得られるように、厳密に論証的に行うのが科学の特長の一つである。
④「過程論」とは、因果関係の連鎖という形で事象が起きる過程を記述することを意味する。
⑤「文明社会」とは、科学の知識を生み出すためには、その知的営みに参加する多くの専門家を抱える広域的文明圏を必要とするという意味である。

3.2　数学の場合

数学は、広い意味では、自然科学に含めることが多いが、今日では、人間の純粋な知的営みにより生み出されることを考慮し、小文では、自然科学とは切り分けて考察する。カントは、1787年、『純粋理性批判』の第二版の序文において、「数学は、人間理性の歴史が遡り得る最も古い時代から、ギリシャ人という驚異すべき民族のなかで、1個の学として確実な道を歩んできた」と述べている▼8。

そうはいっても、例えば、ユークリッド幾何学の誕生は、土地・建物の測量と無縁でないのはいうまでもないが、ピラミッドのような壮大で正確な建造物を生み出した古代エジプトではなく、なぜ、古代ギリシャで、『幾何学原論』が書かれたのだろうか。紀元前6世紀には、既に、バビロニア、エジプトなど、ギリシャに隣接するオリエント文明圏で、数学や天文学はかなり高度に発達していた。古代ギリシャに特徴的なのは、個々の知識ではなく、「論証の精神」である。用語を定義し、公理系を設定し、背理法などの厳密な証明のプロセスを踏んで定理を確立するという論理的精神である。カントが「ギリシャ人という驚異すべき民族」と記しているのは印象的である。我々は、最初から、このような思考法を教え込まれているから、当然だと受け止めている。しかし、18世紀、八代将軍吉宗のころ、『幾何学原論』を見た和算家たちは、「分かりきったことを、なぜこのように面倒に考える必要があるのか」と思い、無視することにしたのである。個々の知識では、和算は、同時代のヨーロッパを凌駕する成果を幾つも生み出している。「あの漢字文による記述法でよくも」と脱帽させられる。現在、情報社会において真正性の証明、すなわち、取引相手や文書等の真を保証し、偽を防ぐというセキュリティの基本的機能に不可欠な公開鍵暗号（RSA暗号）の基本公式は、18世紀最大の数学者オイラーに先駆けて、和算家久留島義太が発見している。だが、広く数学全体の構築法や文化といった視点で考えれば、数学者の足立恒雄が「和算芸事」と呼ぶのも、むべなるかなである。

ギリシャの哲学者タレスは「縄のイデア」、すなわち幅のない縄という概念を生み出した。再び、暗号を例にとって、その現実的効果を見てみよう。上に述べたRSA暗号に次いで、よく利用されている公開鍵暗号は楕円暗号である（RSA暗号より安全性は高いのだが、事業化の面では、RSA暗号が先行している）。楕円といえば、だれしもそのイメージを想い浮かべることができる。しかし、厳密な意味では、楕円は、幅のない線で描かなければならないから、現実には見ることも描くこともできない。数式でのみ書くことができる。哲学者プ

ラトンによれば、「我々人間は、昔、イデアの世界に住んでいた。そこで、例えば、真の三角形を知っていた。したがって、現世に生まれ変わっても、それに近い図形を三角形と認識できるのだ」と考えたそうである。

哲学者西田幾多郎は、『善の研究』において、「物理学者のいう如き世界は、幅なき線、厚さなき平面と同じく、実際に存在するものではない」と記している（正確には、数学者のいう如き…と書くべきであろうが、当時（明治末期）は、数学と物理の区別は意識されていなかったのであろう）。他方、時代は下るが、フィールズ賞受賞者、小平邦彦博士は「数学的イデアは存在する」と述べている。

筆者も、数学的実在を信じる立場から、「数学的実在は物理的実在を経由せずに社会的実在となる」ことを具体的に楕円暗号について、以下のように確かめてみた（図6）。

今、宇宙的サイズの広がりを持った円Aを考えよう。次に、Aの直径の2倍の長径を持つ楕円B（短径はAの直径に等しい）、及び、Aの直径を極僅か（Aの10の−50乗倍）だけ広げた楕円Cを考える。RSA暗号は円に相当し、現在知られている解読耐性は準指数時間である。楕円暗号は、楕円に相当し、現在知られている解読耐性は指数時間である。具体的にいえば、鍵長1024ビットのRSA暗号と同じ安全性を楕円暗号なら160ビット程度で実現できる。

さて、円Aと楕円Bの違いは見た目にも（実際は見えないのだが）明らかであるが、円Aと楕円Cの違いは、数式でしか見分けられない。それでも、楕円Cは楕円Bと同じ安全性を持つのだろうか。有理数と有限体の性質から当然、両者は同じ安全性を示すはずだが、そのことは、筆者の研究室で行った計算機シミュレーションによっても確認できた▼4。

上に述べたプラトンの説は、人間が、実世界ではアナログ的パターン認識能力を備えていることとも言い換えられるが、アナログ感覚では、当然、円にしか見えない楕円Bも数学的イデアの世界では、楕円に見事に区別されて、ICカードという社会的実在物として利用されているのである（図7）。

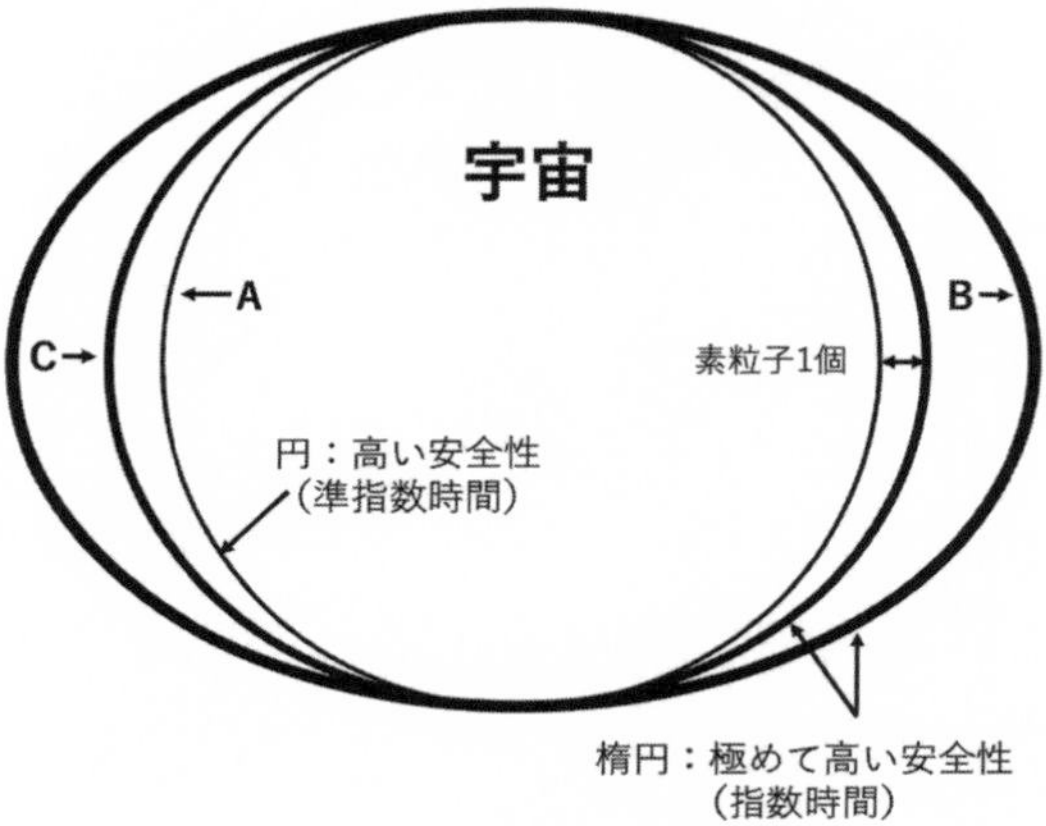

タレス　　　「縄のイデア」

西田幾多郎　『善の研究』

「物理学者のいう如き世界は、幅なき線、厚さなき平面と同じく、実際に存在するものではない。この点より見て、学者よりも芸術家の方が実在の真相に達して居る」

プラトンの２世界モデル

アナログ技術の時代	可及的誤差小
デジタル技術	誤差想定通り 均質保証
現代暗号理論	有限体の世界 ０≠限りなく０に近い （社会的実在物として異質）

図６　縄のイデア

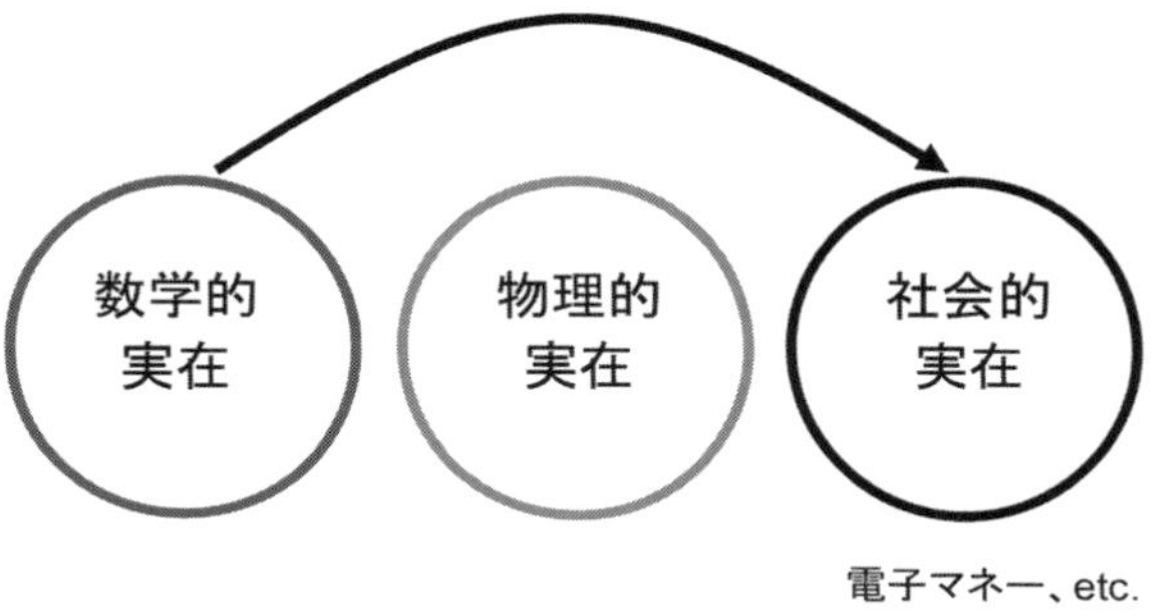

図7　数学的実在と社会的実在

ユークリッド幾何学もこのような数学的イデアの世界を基礎に構築されている。プラトンの2世界モデルでいうイデアの世界の豊かさと論理性が、ユダヤ・キリスト教的無矛盾世界観と相まって、西洋の数学、自然科学の思想的基盤を形成してきたと見ることができよう。ユークリッドの平面幾何学は、近代に至って、非ユークリッド幾何学を生み、その一つ、リーマン幾何学は、アインシュタインの相対性理論に応用されることになる。

さて、数学は、厳密な論証をベースに順調に発展してきたかに見えたが、様々な矛盾も抱え込み、集合論の創始者カントールは、苦闘の末、精神病院で亡くなっている。そして、1900年、ヒルベルトは、「数学は、形式的に、無矛盾に記述できるはずである。そのことを証明せよ」という課題を提案し、「我々は知らねばならない。我々は知るであろう」と予想したが、これは、1931年、ゲーデルによって否定的に解決された。

1978年、「ニューヨークタイムズ」がゲーデルの死亡記事の中で、「今世紀の最も重要な数学的原理の発見者であり、それは、哲学者や論理学者にとっては革命的なものであった」と報じた（廣瀬健・横田一正『ゲーデルの世界』海鳴社）。「ゲーデルの不完全性定理」を正

確に述べることは難しいが、おおよそ、「無矛盾な公理系の中に、真であるとも、偽であるとも証明できない問題が存在する」ということを意味している。物理学者オッペンハイマーは、この定理を「人間の理性の限界を示した」と評したそうだが、筆者はむしろ、「自然（造物主）の不完全さを人間の理性が解き明かした」というべきではないかと、最近、考えるようになった。

それは、暗号、あるいはそれに関連する暗号プロトコルなどでは、ゲーデルの不完全性そのものではないが、それを連想させる類似の証明不可能性に悩まされるからである。例えば、上に述べた、RSA暗号が依拠している素因数分解が、現在のコンピュータで解けないこと（多項式時間で素因数分解が不可能であること）を証明することはできていない（ちなみに、量子コンピュータを用いれば、原理的には解けることが、1994年に明らかにされている）。

3.3 社会・人文科学の場合

筆者の専門外ではあるが、総合科学という以上、触れないわけにはいかない。経済学について見れば、大きな流れとしては、現実の経済社会と向き合い、より良い社会の設計に有用な理論を構築する努力を重ねてきたように見受けられる▼6。

アダム・スミス（1723–90）は、分業の発達した近代社会においては、いわゆる「神の見えざる手」によって、市場メカニズムが円滑に機能するとして、政府の積極的政策を説く重商主義を批判した。続いて、アルフレッド・マーシャル（1842–1924）も、需要・供給による価格決定の視点から自由な市場を重視する経済学を構築した。新古典派経済学と呼ばれている。ただし、アダム・スミスは、『国富論』に先立って『道徳感情論』を著し、他人の立場になって考えるという意味のシンパシーの重要さを説いており、マーシャルは、経済騎士道（企業家が、蓄積した富を公益のために提供するような態度）を提唱していることに注意しておく必要がある。

1920年代末期の世界恐慌を受けて、ケインズ（1883–1946）は、政府の積極的財政・金融政策の有効性を説いた事はよく知られている。

1940年代から60年代にかけて、欧米各国や日本で、ケインズ的政策が採用された。続いて、ポール・サミュエルソン（1915-2009）は、完全雇用が達成されるまでは、ケインズ的政策を実施し、完全雇用が達成されれば、市場調整にゆだねるという、新古典派経済学とケインズ経済学の調和統合を提唱した。しかし、1970年代に入り、インフレと不況が同時進行するスタグフレーションに見舞われて以降、ケインズ経済学への信頼は揺らぎ、1970年代後半からは、新古典派に基礎を置く新自由主義への評価が高まった。

新古典派経済学の代表といわれるミルトン・フリードマンは「投機は市場を安定化させる」といったが、2008年秋に始まった金融破たんによる経済不況の状況を見ると、市場経済を成立させている貨幣は、その投機という機能を通して、本質的に不安定性を含んでいることはだれの目にも明らかなように思われる。2009年1月のあるテレビ番組で、竹中平蔵元大臣は「市場原理主義などというものはどこにもないんですよ」と強調していたのが、印象的だった。「市場原理主義は理念としてはあるが、現実にはそれだけを貫くわけにはいかない」という意味であろう。また、佐伯啓思は次のように述べている。

「『新自由主義』もしくは、今日の米国経済学の誤りは、市場経済をあたかも抽象的に組み立てられた普遍的体系とみなしてしまう点にある。市場競争原理は普遍的なものだから、どこにいても通用する、とみなされている。この考え方の決定的な誤りは、『市場経済』を『社会』から切り離してしまう点にある」▼10。

門外漢の筆者がなぜ、経済学の動向を書き記しているかと言えば、自然科学との相違を見たいからである。自然科学においては、例えば、極微の世界や宇宙サイズの世界は別とすれば、日常サイズの範囲では、ニュートン力学の法則は、時空を超えて普遍的に成立する。人間・社会が深くかかわる経済学はそうはいかない。いつの時代、どこの国にも当てはまる正解はなさそうである。

ケインズは「一般理論」（『雇用・利子および貨幣の一般理論』塩野谷祐一訳、東洋経済新報社、1983年）を著す6年前、世界不況の最中の

1930年、「わが孫たちの経済的可能性」と題する講演の中で、百年後の世界では、経済問題は緊急課題ではなくなり、「美的対象の享受や人間的交わりの喜び」を楽しめるような世界が実現されるという楽観的見通しを述べている。時空を超えて成り立つ経済法則は考えていなかったようである。

岩井克人は「ケインズは、理想的な市場など理論的にも不可能であって、効率性と安定性との必然的な二律背反を認識して、個々の市場の特徴を見ながら現実的な対策を講ずるべきだと説いた」と述べている。経済学を例にとって考えてきたが、数理科学化が進んでいると見られる経済学においても、時空を超えた普遍的体系を求めるのは無理な状況であるから、他の人間・社会科学についても、それは難しいと考えざるを得ない。ケインズは、より広く、個人的自由、社会的公正、経済的効率の均衡を重視していたようであり、情報セキュリティの理念に通じる面が多い。

法律についても一言触れておきたい。法律は、世の中の様々な紛争や矛盾と向き合い、技術や経済の進展にも合わせて、社会との整合性を図るべく制定され、あるいは解釈されているが、無矛盾な体系を築くことは（数学ですら不可能であることを考えると）無理であろう。しかし、最近、興味深い研究プロジェクトが、北陸先端科学技術大学院大学において、21世紀COEプログラム「検証進化可能電子社会」の一環として進められているので、紹介しておこう。その報告書の冒頭では、研究の目的が次のように述べられている▼11。

「法における矛盾の形態は二つに分けられる。法的知識に含まれるルールが組み合わさって内部で引き起こされる矛盾、もう一つは、法を実際の社会に適用したときに発生する矛盾である。前者の矛盾は、条文の論理構造が矛盾を含んでいるために起こる矛盾である。（…）後者の矛盾は、法を実際に適用し、現実の問題に適応したとき、社会と法の溝によって生まれるものである。その矛盾の原因は、時代や適応される状況、また解釈する人間によってそれぞれ異なるため、原因箇所を一意に特定することは非常に難しい。よって、前者の『法の条文どうしが組み合わさって内部で引き起こされる矛

盾』をわれわれは検出対象の矛盾とする」。

要するに、後者は、論理学の手に負えないということであり、これは当然ではあるが、それでも、法学は後者の矛盾に取り組み、それを軽減する使命を背負っている。その使命を、法学のみに、あるいは他の単独の学問に追わせるのではなく、技術、経営・管理、人間に関する学問・知見を総動員して、矛盾の超克を図るのが、情報セキュリティ総合科学に課せられた使命ではないだろうか▼[9,10]。

倫理については、カントは「嘘をついてはいけないということに例外があってはならない」と説いている。例えば、強盗に追われている人をかくまっているとして、その強盗にかくまっているだろうと問い詰められた場合でも、かくまっていると答えねばならない、と述べている。どうして、カントはそこまでいうのか。ニュートン力学の影響か。それとも、法律が現在ほど整備されていなかった18世紀にあっては、倫理が法の役割を兼ねる面があったためか。筆者は、哲学者、加藤尚武先生に聞いてみた。「それは両方でしょう」ということであった。もう一つ、カントの几帳面な性格もあったのだろうが、基本的には時代背景の影響が大きいと思われる。ニュートンが亡くなったとき、カントは幼児だった。成長して物理学を学び天文学の論文を書いている。カントはニュートンを尊敬していたし、万有引力は、善人にも悪人にも平等に作用するので、倫理にも例外を認めたくなかったのであろうか。また、カントに限らず、18世紀から19世紀にかけて、自然科学のような時空を超えて成立つ普遍的な法則が、人間・社会にも希求されたことも少なくなかったようである。しかし、現実世界では、「嘘も方便」を認めなければ、無用な摩擦を生むことになる。

したがって、市川博士の主張するように、無矛盾世界観による動機によって構築するのが科学であると定義すれば、それは自然科学に限られることになる。佐和隆光は「経済学＝科学という妄信」と述べているが、この場合の科学も自然科学という意味であろう。

それならば、自然科学と人間・社会科学に共通する学問構築の動機はないのだろうか。

筆者は、矛盾に対する世界観は両者で異なるにせよ、それぞれが対象とする自然、あるいは社会の矛盾を軽減し、解消し、超克しようとする動機や姿勢は両者が共有しているのではないかと考えている（図8）。

さて、このように、

自然科学　一神教的無矛盾世界観（自然観）
社会・人文科学　矛盾遍在世界観（人間・社会観）

と大別したとすると、情報セキュリティを含む情報システムという立場からは、大きな分野が抜け落ちていることに気付く。それは、情報社会がよって立つ論理・システム科学ともいうべき分野である。これについては、まえがきに述べたので、繰り返すのは差し控えるが、情報セキュリティの視点から、筆者は学問を、大雑把ではあるが、世界観と研究の動機によって、下記の四つに分類することとした（図9、10）。

自然科学　無矛盾世界観（自然観）　矛盾の超克
論理·システム科学　矛盾根在世界観（システム観）　矛盾の超克
社会科学　矛盾遍在世界観（社会観）　矛盾の超克
人文科学　矛盾遍在世界観（人間観）　矛盾の考究

文学や哲学をはじめとする人文科学は、一概にはいえないが、その多くは矛盾を超克するというより、人間の矛盾について深く考究する学問であろうと考えた。ただし、情報セキュリティに課せられた社会的課題は、自由・効率性・利便性と安心・安全性というような矛盾を倫理・心理など人間の内面も考えながら、軽減・超克していくことであるから、人文科学についても、矛盾の超克という立場から情報倫理や情報心理などを開拓していくことになる。

さて、再び、「科学とはなんだろうか」を考えてみたい。科学が学問であることはいうまでもない。学問と科学の線引きをどこにす

自然科学：　　　一神教的無矛盾世界観（自然観）
社会・人間科学：矛盾遍在世界観（人間・社会）

理論経済学者 ハーン：

「これからの経済学者は定理と証明に喜びを感ずるという習慣と絶縁するか、少なくとも遠ざかるべきだと思う。それに替わって歴史学・社会学・生物学をなんらかの形で経済学に取り入れるべきであろう。」

不完全情報とリスクの経済学、経済心理学、経済行動学

矛盾の超克 ― インセンティブ共有

図８　諸科学と矛盾の超克

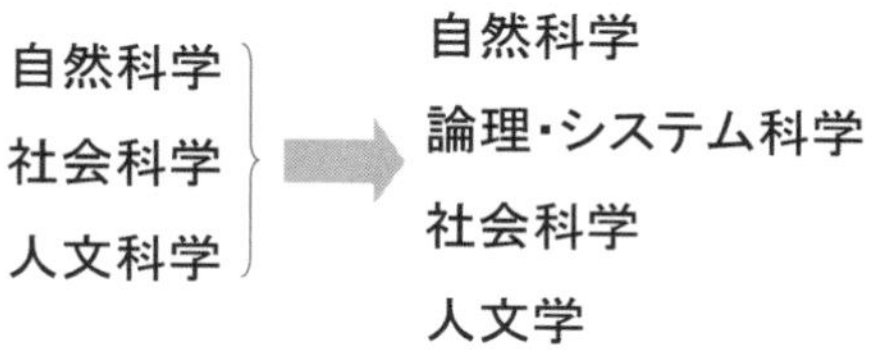

図９　情報セキュリティから見た学問分野

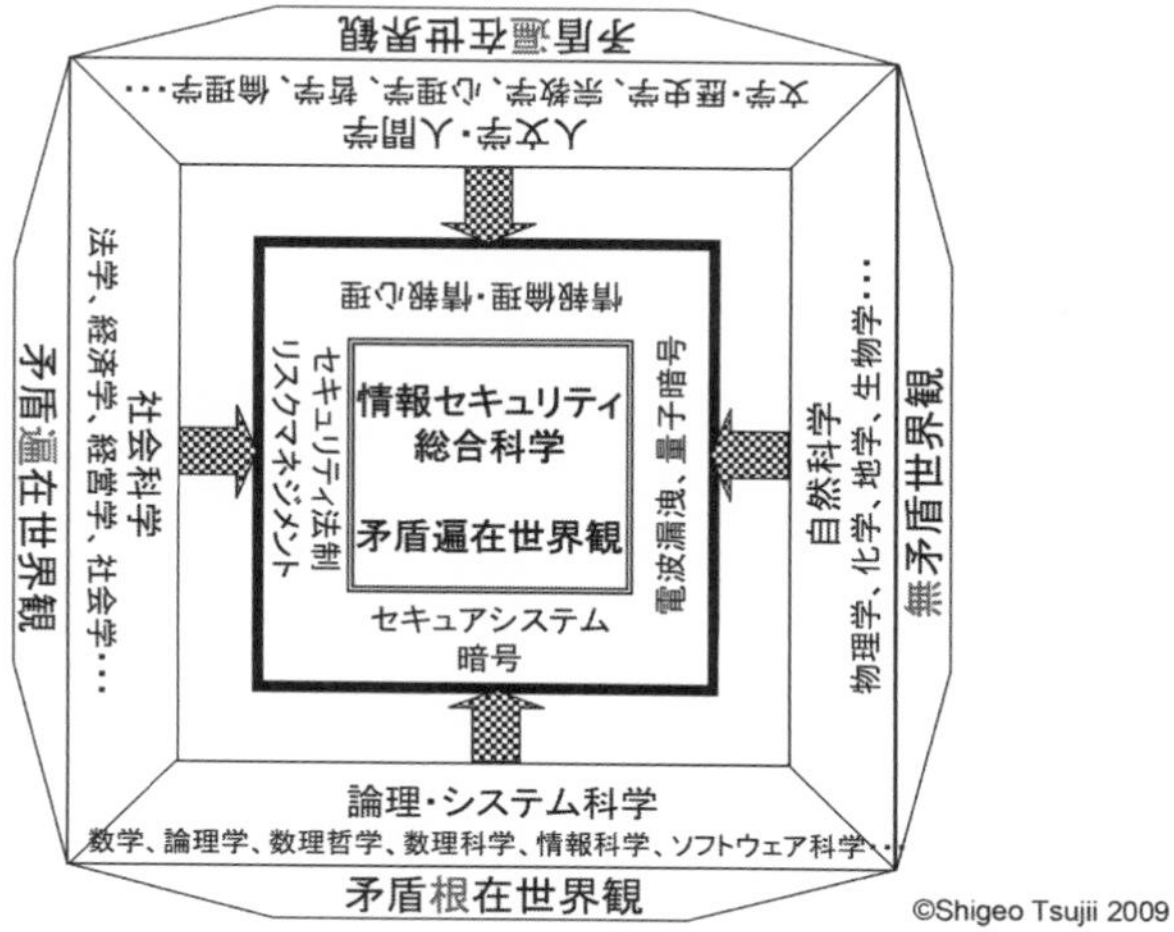

図10　矛盾という視点から見た情報セキュリティ総合科学の諸学の位置付け

るかが問題となる。ちなみに、ドイツ語では、学問（学術）も科学も、Wissenschaft であり、両者の区別は内容であるから、様々な、見方、立場があるのだろうが、少なくとも、日本語では、区別があるように思われるので、その観点から考えてみたい。まず、学問とは何かを考えねばならないが、ここでは、それは多くの人々が抱いているイメージにゆだねることとし、科学が、学問に包含されるとして、市川博士の科学が成立する五つの条件を参照しつつ考えてみたい。まず、学問としての必要条件としては、言語能力の余剰、文明社会は必要条件であろう。

問題となるのは、経験知の獲得である。人々が学問というとき、モデルの設定、実行（調査、実験など）、検証（反証があるか）、改善（モデルの修正）というサイクルを、客観性が得られるよう厳密な論証を行いながら、回すことをイメージしているだろうか。必ずしもそうではないだろう。「学問する」という行為と「科学する」という行為の差はそこにあるように思われる。自然科学に限らず、社会科学、システム科学など、一般に科学と呼ばれている学問では、このサイクルを回すことは必修であろう。

次に、過程論について考察する。市川博士は、「過程論の反意語は、事象をその存在の目的により記述する目的論である」「モデル検証法により獲得される真理は、過程論に立って記述されるものに限られる」と述べている。

しかし、自然科学や数学のように真理の獲得を目指す学問、あるいは学問のための学問と異なり、ある社会的目的や価値観を前提として、経験値を獲得し、サイクルを回しつつ、定められた評価基準のもとで、最適解を求める学問分野も多い。例えば、筆者は、先にも述べたように、自由、安心・安全、プライバシーという三つの価値を前提とした上で、ある評価基準に対する最適値を得ることを情報セキュリティの要諦と考えている。

次に、自然科学と一般に科学と呼ばれている学問との境界はどのように定められるのだろうか。自然科学は、市川説のとおり、無矛盾世界観（整合的世界観）と過程論が、科学を進化させる必要条件と

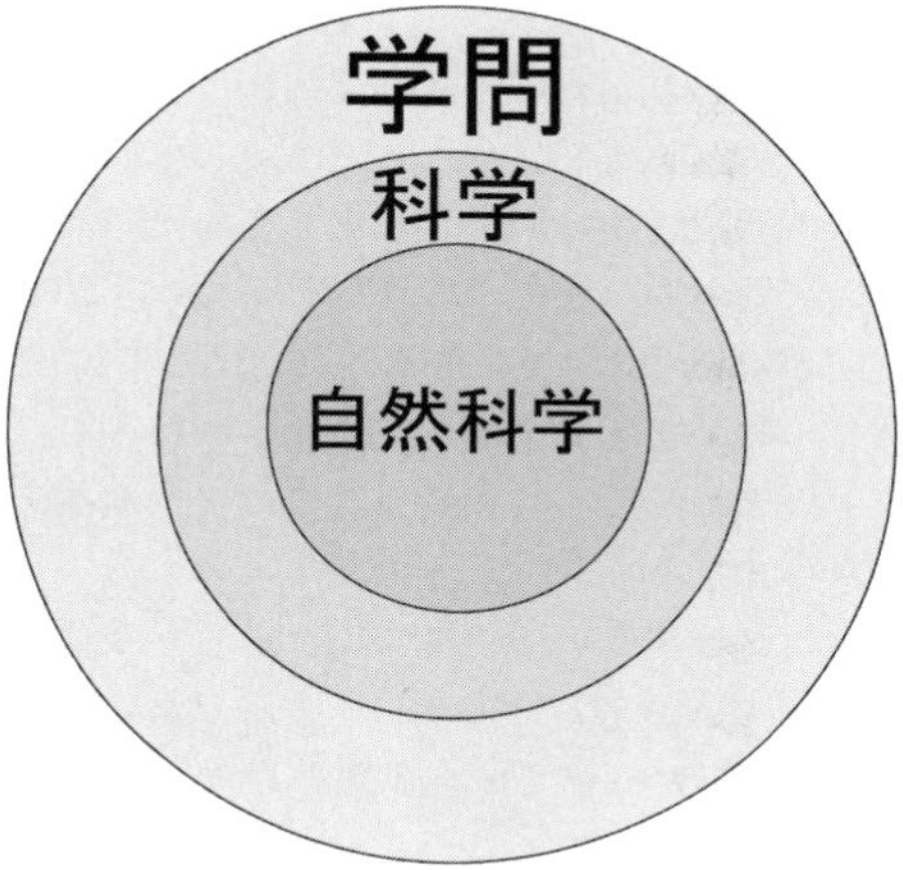

図 11　学問、科学、自然科学の階層

考える科学者が多いと考えられる。

結局、筆者は、必要条件の点から、学問と科学は次のように線引きされると考えている（図 11）。

学問全般　言語の余剰、文明圏の存在
科学（広義）　言語の余剰、文明圏の存在、経験知の獲得
自然科学　言語の余剰、文明圏の存在、経験知の獲得、過程論、無矛盾世界観

すなわち、言語の余剰、文明圏の存在は、今や当然の環境として、社会科学や論理・システム科学のように、無矛盾世界観は持てないが、人智を尽くして矛盾を軽減し超克しようとして、モデルやシステムを構築する学問を（広義の）科学と呼ぼうということである。

したがって、科学の特徴は、システムやモデル、あるいは理論体系をダイナミックに構築するプロセスにある。情報セキュリティマ

ネジメントシステムにおけるPDCAサイクルのように、モデルや体系を常に厳密に検証し論証して、反証が見だされれば修正、あるいは再構築していくというプロセスである。現実世界をより整合的に解釈することを可能にし、人々の思考の効率性を高め、技術的・社会的システムのデザインに直接・間接に寄与できるモデルや体系を構築するプロセスであるともいえる（図5）。

人文科学は科学かといえば、一概には言えないが、先にも述べたように、総じて、矛盾を超克するというより、人間の持つ矛盾について深く考えるという特徴を持っているといえる。従来、大学の教養課程では、人文科学と呼んできたが、英語では、humanitiesと呼ぶように、人文学と呼ぶのが適切であろう。ただし、情報セキュリティにおいては、倫理、心理など、人間的要素が重要であり、これらもMDCA（Modeling Do Act Check）、あるいはPDCAサイクルを回す場合に十分考慮されねばならない。

以上独断的であることを恐れるが、情報セキュリティという狭いながらも総合的な分野の専門家から見た一つの見解を述べた。ご意見を賜れば幸いである。

4. 情報セキュリティ総合科学の構築に向けて

4.1　情報セキュリティ文化の共有

情報セキュリティは、今や、企業・産業・経済活動はもとより、国民生活・国家社会の基盤であり、それぞれの立場に応じて、認識を深めるべき課題である。2002年に改訂された、OECDの情報セキュリティガイドラインでは、情報ネットワークへのすべての参加者（participants）が、「情報セキュリティ文化（culture of security）を共有すべし」とうたっている。文化の定義は文化人類学者の数だけあるともいわれるが、文化とは、「あるグループに固有の価値観、行動様式などの総体」を意味するものとすれば、これは誠にもっともな提言であると思われる。

それでは、情報セキュリティ文化とは何だろう。筆者は情報セキュリティを貫く基本原理の一つは、乗算法則であると考えている。

100点満点の人がいても、0点の人がいれば、結果は0点となる。平均点50点というわけにはいかない。企業などの組織体では、よく「2割-6割-2割」の法則が成り立つといわれている。全社員の2割がよく働き、6割はまあまあ、2割は働かない、あるいは足を引っ張るというわけである。優秀な人ばかり集めてもそうなってしまうのが組織という生き物の不思議な現象だともいわれる。しかし、情報セキュリティの乗算法則は、このような組織のあり様にも変革を迫っていることは、例えば情報漏えい問題を考えても推察される。経営者、業務管理者、CIO（Chief Information Officer）等は、従業員の間に大きな忙閑差を生じないように、また、できるだけ不平・不満層が少なくなるように人材の活用と適材適所化を図ることは、情報漏えいをはじめとする情報セキュリティ課題を解決することと表裏をなしているといえる。米国で、情報セキュリティ分野のある組織がまとめた情報漏えいに関する報告書の代表者の専門が行動科学であることはこのことを物語っている。

セキュリティの乗算法則は、ネットワークの本質に由来するので、OECDガイドラインがいうように、すべてのネットワーク利用者、すなわち、現在では、国民のほとんどに当てはまる。筆者は、情報セキュリティの究極の目標は、人々や組織が、ICT（Information and Communication Technology）によって拡大した自由をできるだけ享受できることを保証することにあると考え、

「情報セキュリティとは、技術、経営管理手法、法制度、情報倫理・心理などを相互に深く連携させ、それらの相乗効果により、自由の拡大（利便性・効率性の向上）、安全性の向上、プライバシーの保護という、互いに相反しがちな三つの価値を可能な限り同時に達成するための基盤的プロセスである」

と定義している。ここで、「技術、経営・管理、法制度、情報倫理・心理などによる相乗効果」と述べたが、これらの一つが、欠けても、上記の目的は達成されないので、この意味でも、乗算法則が働いていると言えるだろう。

本文では、まず、デジタル技術に基づく情報ネットワークが、社

会の構造と機能をどのように変えているかを考察した上で、情報セキュリティの課題を多角的に考えてみたいと思う▼12-24。

4.2 情報セキュリティの理念――総合・相乗・止揚

情報セキュリティは通常、CIA、すなわち、機密性（Confidentiality）、完全性（Integrity）、可用性（Availability）という3要素を守ることといわれている。これに信頼性を意味するLiabilityを加えて4要素とする場合もある。

情報ネットワークが、人々の活動範囲を拡大し、効率性・利便性を高めていることは、異論のないところであろう。哲学者ヘーゲルは「歴史とは自由拡大の歴史である」と言っているが、ネットワークを楽しく便利に使っている人にとって、これは実感であろう。しかし、その自由と表裏を成すように、安全への不安やプライバシー侵害への恐れが我々を悩ましている。グーグルアースは便利さとプライバシー侵害が背中合わせにはりついている。先ほど述べたように、ネットワーク社会では、様々な価値観や利害の矛盾対立が必然的に先鋭化しがちである。特に、情報セキュリティに深く関連する自由、安全、プライバシーという三つの価値の相互関係について考えて見よう（図12-23）。

①自由のみを追求すれば、安全性は低下し、プライバシー侵害の被害も大きくなることが多い。
②安全性のみに力を入れれば、自由な活動は妨げられ、また、監視カメラ、監視ログなどによるプライバシー侵害が問題となる。
③プライバシーのみに注意すれば、個人情報の利用が極度に抑えられて、人々の自由な活動は妨げられる。そして、過度の匿名性が社会の安全を脅かすことにもなる。

ここで自由の意味は多義的であり簡単には定義できないが、取りあえず、低い次元でとらえ、利便性・効率性ということにしておこ

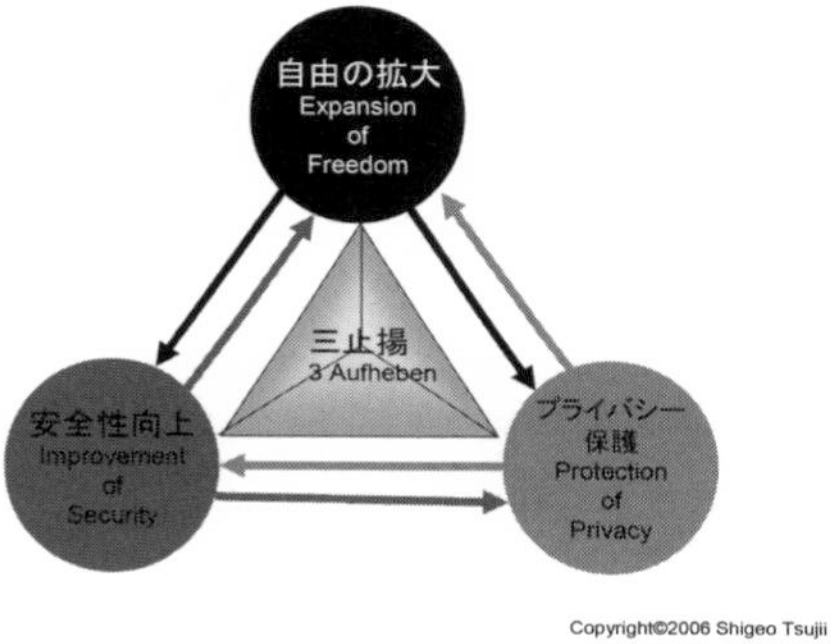

図 12　三止揚

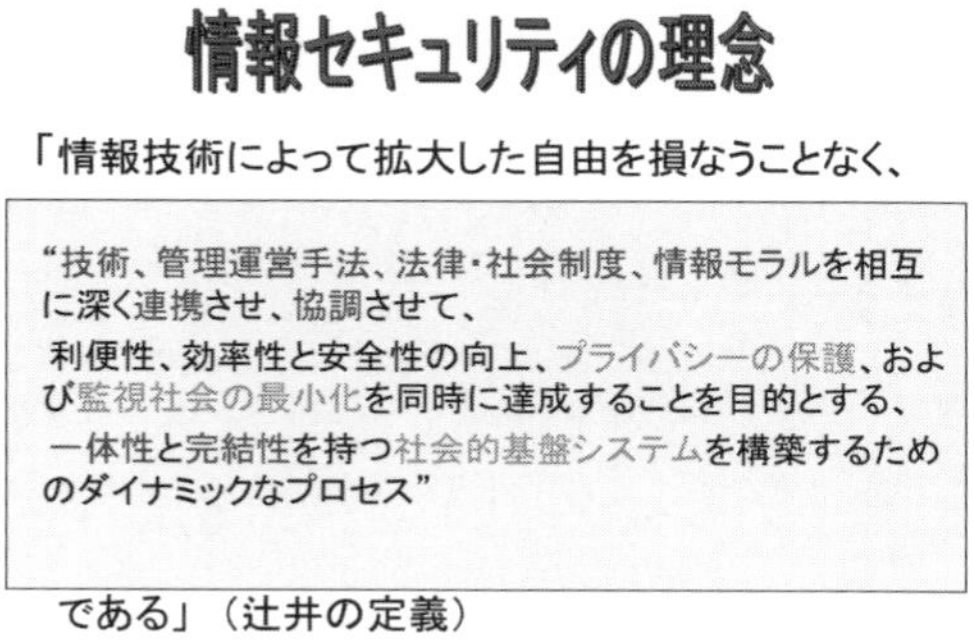

図 13　情報セキュリティの理念

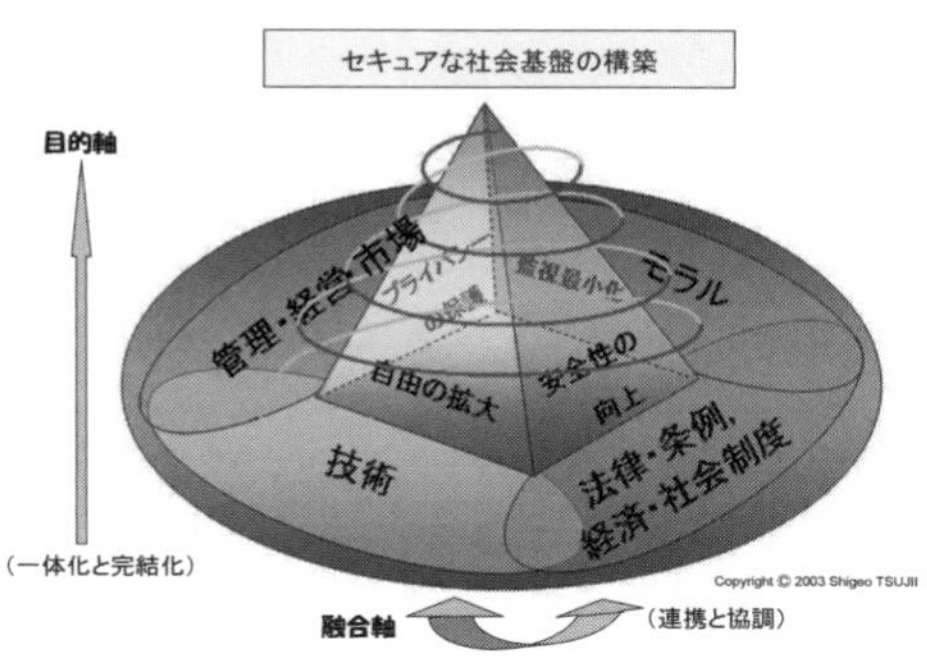

図 14　情報セキュリティの理念

止揚は難しい？
しかし、技術に限っても

・個人識別において
　指紋の場合：本人拒否率と他人受容率はトレードオフ
　ゼロ知識相互証明の場合：両立可能

ゼロ知識相互証明（ZKIP、Zero Knowledge Interactive Proof）
ゼロ知識性、完全性、健全性

・電子投票において
　プライバシー（誰に投票したか）と安全性（二重投票など
　不正）の両立もZKIPにより可能

図 15　止揚は難しいか

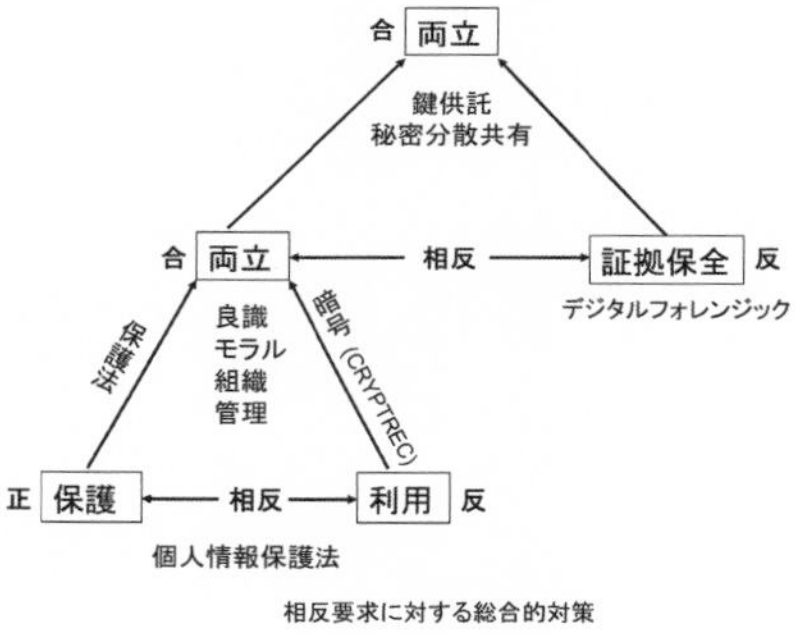

図 16　止揚の一例

様々な視点・立場からの情報セキュリティ

経営・管理的立場からは総合的対応・乗算原理が重要
　　　　　　　　　例　暗号アルゴリズムと鍵管理
（日本得意の）個別最適化・部分最適化では不可

学問的には総合科学

図 17　情報セキュリティの説明

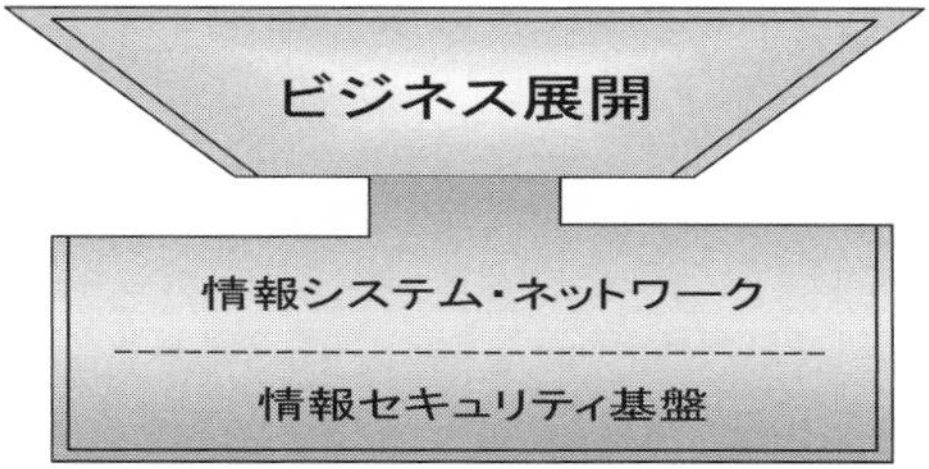

図 18　ビジネスは情報セキュリティの基盤の上で展開

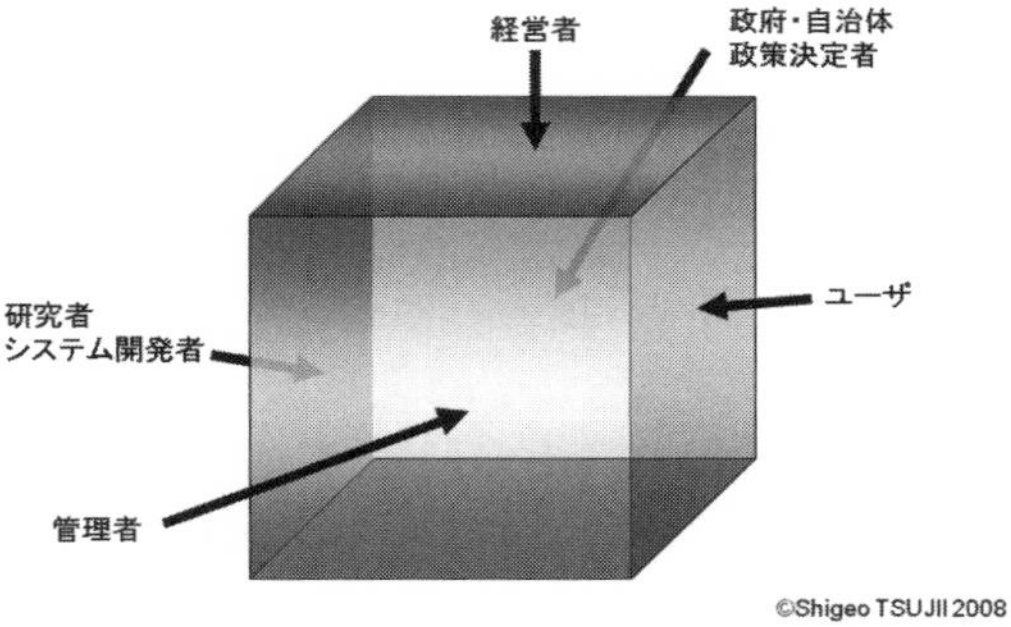

図 19　それぞれの立場・視点からの情報セキュリティ

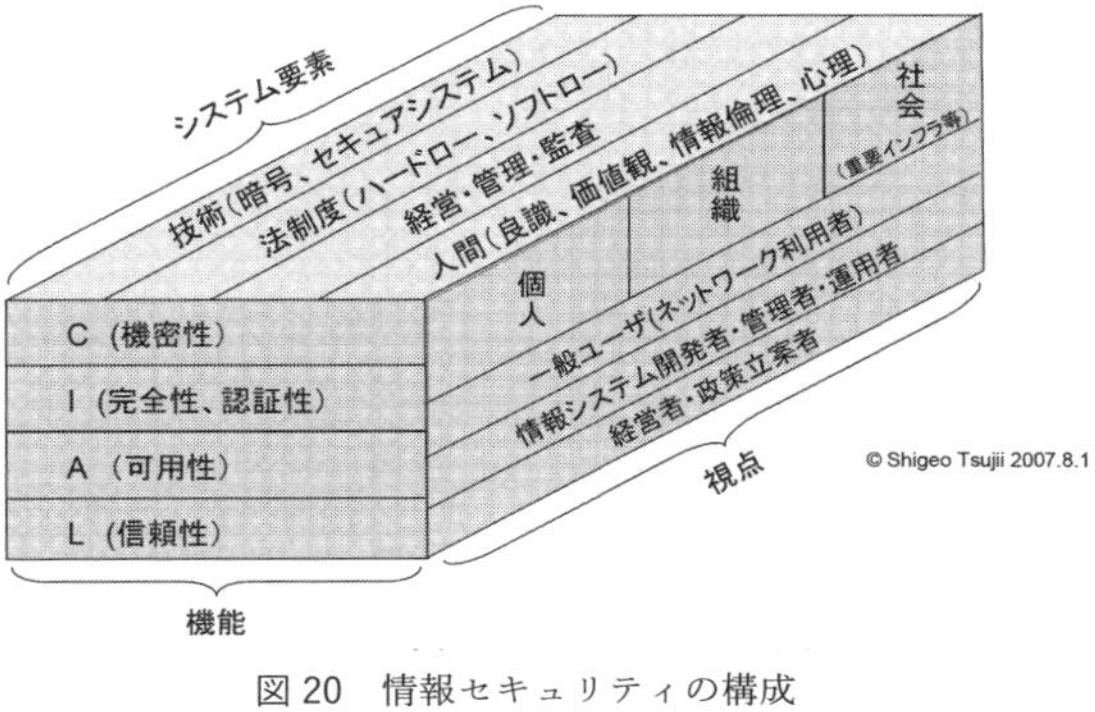

図 20　情報セキュリティの構成

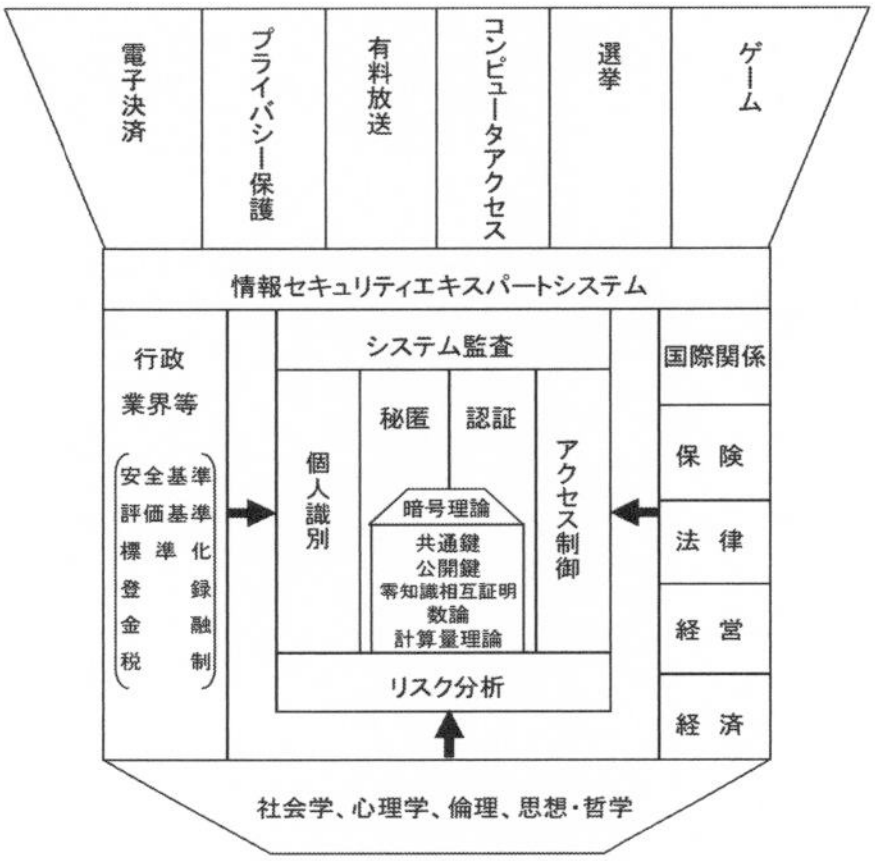

図 21　情報セキュリティ総合科学の展開、1993 年版（辻井重男「展望――情報セキュリティ総合科学の確立を」『テレビジョン学会誌』Vol. 47 No. 2、1993 年より）

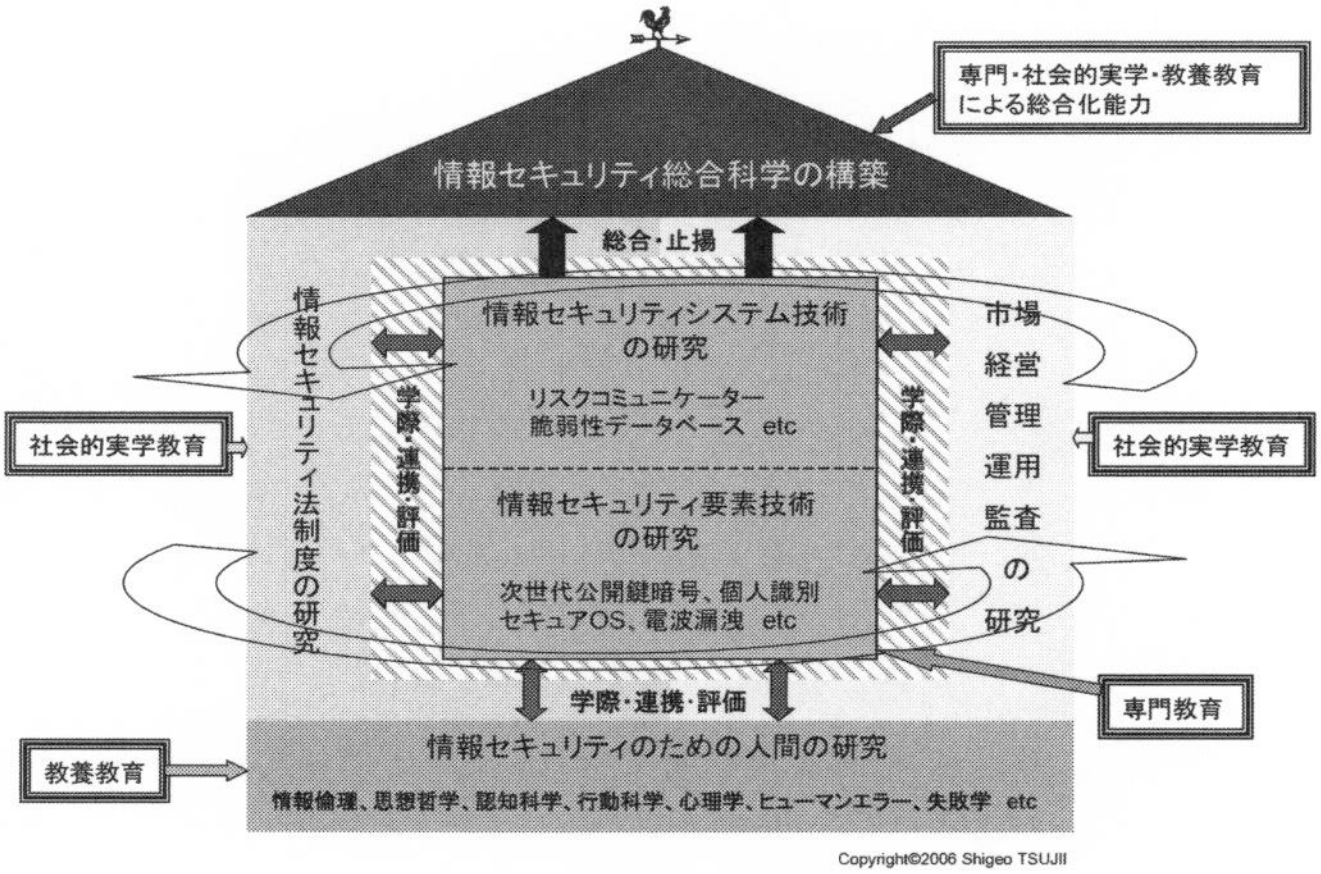

図 22　理工系大学院生のための専門・社会的実学・
教養教育と情報セキュリティ総合科学の関係

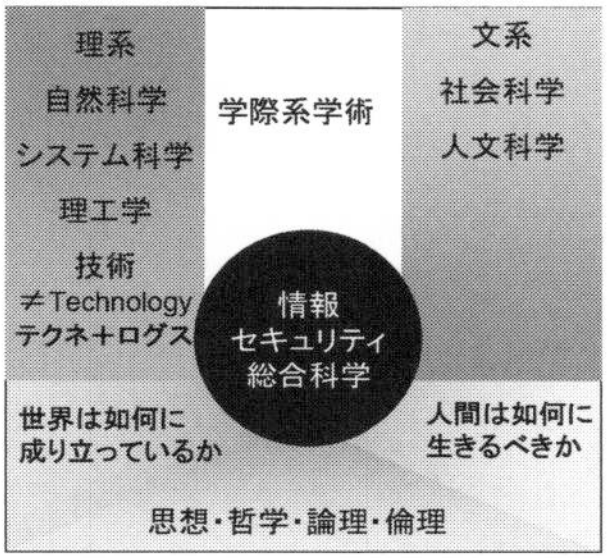

科学化とは：明晰に語り得ぬことを明晰化する営為
（人間とは：語り得ぬことを語らずにいられない生き物）

図 23　情報セキュリティ総合科学

う。その場合でも、例えば、大局的な視点から組織経営を見るとき、組織構成や機能を効率的に分かりやすくすることが、安全性やプライバシーの保護に有効である場面も少なくないので、どのレベルで考えるかによることに注意する必要があろう。

プライバシー・個人情報の保護が、人々の安全を守るのに有効である場合も多いので、安全とプライバシー保護は必ずしも相反するわけではないが、対立する場面も少なくない。

この３者の矛盾相克する価値を、できる限り両立・三立させることが情報セキュリティの理念ではないかと筆者は考えている。それは、多くの場合、かなわぬ願いであるが、初めから、バランスの問題とするのではなく、技術、経営・管理、法制度、倫理・心理などを総動員して、それらの相乗効果（シナジー効果）を挙げるような総合的対策を立て、自由、安全、プライバシーを可能な限り高いレベルで均衡させること、いわゆる止揚させること、そして、それを定常的プロセスとして実行することが、情報セキュリティの理念ではないだろうか。いい換えれば、情報セキュリティは、せっかく、

ICTによって得られた自由をできる限り保証するための対策であると考えたい。

企業等における内部統制についていえば、業務の効率化という攻めの目標とコンプライアンス・財務諸表の適正化という守りの目標との止揚を図ることを目指すのが情報セキュリティガバナンスの要諦であろう。情報セキュリティガバナンスとは、内部統制の仕組みを、情報セキュリティの観点から組織内に構築し運用することといえる。

IPA（独立行政法人情報処理推進機構）では、小・中・高校生から情報セキュリティに対する標語を募集しており、筆者が選考委員長を務めている。2006年度は、約1000件の応募があったが、多くは「ちょっと待て、そのクリックが命取り」式のものが多い中で、ある女子高校生から、

ネットで広がる無限の世界　明暗決めるはあなたの手

という応募があり、これをグランプリに選んだ。無限に広がるサイバー空間をできる限り活用し、楽しむための対策が情報セキュリティであり、これは、自己責任のみですべて実行できるわけではもちろんなく、図19に示すように、組織経営者、CIO、システム開発者・管理者、利用者、技術や法制度などの研究者、政策決定者などがそれぞれの立場から、智恵を出し合うことが必要である。

情報セキュリティにとっては、総合、相乗、止揚という概念が重要であると述べたが、止揚というのは、いうほど簡単ではないといわれるかもしれない。しかし、工夫してできることは多いと思う。例えば、

①電子投票・アンケートシステムにおける匿名性の保証と不正防止の両立。

電子投票・アンケートシステムでは、プライバシーを守るため匿名性が保証されなければならないと同時に、不正な投票を防ぐとい

う意味で安全性が保証されなければならない。ある事案に対して賛成を1、反対を0で投票するとしよう。これは、投票者本人のみの秘密だ。しかし、それをよいことに、2と水増し投票しても受け付けてしまうシステムでは困る。このような場合、ゼロ知識相互証明（Zero Knowledge Interactive Proof: ZKIP）と呼ばれる暗号技術などにより、秘密は守りつつ、不正時のみ、それを暴くことが可能である。また、一人一人の投票は本人以外だれも知ることなく、集計を正確に行うことも、暗号技術により可能となる。

ちなみに、電子選挙には、第1段階から第3段階まで3段階がある。第1、第2段階は、投票所投票方式である。第3段階は、投票者が、任意の端末からインターネットなどを介して投票する方式である。我々、暗号研究者は、1980年代から、プライバシー保護と不正防止の両立を主なテーマとして、第3段階を対象に研究を進めてきたが、現実には、政治的思惑やインターネットの信頼性などにより、第3段階の実現はいまだ視野に入っていない。第1段階と第2段階の相違は、前者は投票所と集票所をネットワーク化しないのに対して、後者は、投票所間をネットワーク化し、投票者がどの投票所からでも投票できるようにする点にある。

現在、我が国では、幾つかの自治体で第1段階の選挙を実施しているが、半数近くが失敗している。それは、主に管理・運営面での拙劣さに原因があった。電子投票システムに対しても、内部統制的視点から、リスク評価を行い、リスクコントロールマトリックスを作成し、情報セキュリティ監査を実施する体制を整えなければならない。電子投票においても、暗号やネットワークをはじめとする技術、管理・運営、法制度、投票に関するモラルなどの総合的対策が必須である。

第1、あるいは第2段階の場合、紙による投票に比較し、集計は速くなるが、筆者は、電子化のメリットをより生かすべく、次のような提案をしている。紙による投票方式の場合、自分の投票結果が集計に正しく反映されているか否か確かめようがない。電子化した場合、それを自分だけが確認できるようなシステムを、ゼロ知識相

互証明などの暗号技術を用いて構築することができる。このようなシステムを情報セキュリティ監査なども含む総合的システムとして検討している。

以上、国、あるいは自治体の選挙について述べたが、電子投票は、本格的な選挙に限らず、自治体における住民の意識調査や企業など様々な組織における匿名によるアンケート調査にも有用である。その場合には、現在でも、第3段階のシステムが活用できる。例えば、高校生の喫煙状況調査には、匿名性が保証されれば、正直な答えが得やすいであろう。

②個人情報漏えいと過剰反応への止揚的対策。

自治体や企業などにおいて、個人情報漏えいが深刻化する一方で、個人情報保護法に対する過剰反応による効率や安全性の低下が問題となっている。個人情報保護法を制定する過程で、暗号化された個人情報は個人情報か否かということが、関係官庁で議論され、暗号化されていても復号できるのだから、個人情報であると結論されたと聞いている。これは当然である。しかし、高度に安全な暗号方式で暗号化された個人情報が、ネットワークへ流出した場合、それを漏えいとみなすかどうかについては議論が必要ではないだろうか。高度に安全な暗号かどうかをどのようにして判断すればよいだろうか。

世の中に出回っている暗号の安全性は強弱様々である。暗号の安全度評価は、情報セキュリティの専門家でも判断できないほど、専門的知識を必要とする。総務省と経済産業省は、今世紀初頭、NICT（国立研究開発法人情報通信研究機構）、IPA（上述）を事務局とし、暗号研究者数十名の協力を得て、CRYPTRECという暗号評価委員会を設置して、3年間かけて、電子政府の利用に供し得る29種類の暗号方式をリストアップした。現在それらの暗号方式が危たい化する兆しはないか監視を続けている。

このような暗号方式を用いて個人情報を暗号化し、暗号鍵などの管理を安全に行っているという保証が得られた場合、それが、記憶

媒体やネットワークへ流出しても、解読されるおそれがないと判断して、漏えいとみなさないようにしてはどうか、と筆者は提言してきた。なお、米国では、24 州で、強度の高い暗号で暗号化された個人情報は流出しても漏えいとはみなさないと決められているそうである。

2007 年 3 月に改訂された「個人情報の保護に関する法律についての経済産業の分野を対象とするガイドライン」では、このような方針が取り入れられているが、全省庁や自治体が、足並みをそろえ、単に「強度の高い暗号」ではなく、「CRYPTREC で定める暗号方式」と明記することが、個人情報をその有用性に配意しつつ保護するという個人情報保護法の精神に沿うことになると思われる。

その際、鍵管理の利用者が実施しやすいガイドラインの役割も重要である。

③情報漏えいの際の情報公開の是非とタイミング。

ある企業から顧客情報が漏れて、企業ブランドが失墜するといった事件がおきている。いつ何が起きたのか、被害は広がるのか、責任の所在とその果たし方などに関する説明が誠意をもってなされるかどうかに、事件後の企業の業績回復がかかっている▼[12]。しかし、誠意ある対応も、事実関係の確認やタイミングを考えると簡単ではない。例えば、ウィニー経由で情報が漏えいした場合、それが記者発表で報道されると多くのユーザーが当該ファイルをダウンロードすることになり、結果的には、漏えい情報が急激に拡散する▼[13]。2005 年 6 月に起きた米国カードソリューションズ社からのクレジットカード情報流出事故では、当初、4000 万人分のカード情報が流出したと報じられ、大きな社会不安と混乱を招いた。その後の調査で、実際に漏れた可能性のあるのは、20 万件であることが判明した。事故の公表に当たっては、慎重な事実確認と適切なタイミングが必要ということになるが、先に、情報漏えいをメディアに報じられては、その企業は不誠実のそしりを免れない。これは、深刻なジレンマである。このジレンマの解決は難しいが、軽減することは

可能である。例えば、上述したように、CRYPTREC にリストアップされているような強度の高い暗号方式で暗号化され、鍵が安全に管理された個人情報は、流出しても漏えいとはみなさないと定めることもその一つである。

④企業などで、いかに多くの従業員が、仕事を怠けてパソコンで私用メールに時間を費やし、ゲームソフトに興じているかがレポートされ、情報漏えいの土壌ともなっていると警戒される一方で、監視ログの実施が増えたことに対し、社員監視時代という批判も耳にするようになった。人間は弱く、ときに愚かにも、邪悪にもなる。怠惰や出来心を防ぎ、かつ、いかに仕事中とはいえ、四六時中監視されているという不快感・圧迫感を軽減するには、どうすればよいか。次に述べるシンクライアントシステム（thin client system）の採用が一つの解決策かもしれない。いずれにしても、モラル・心理という人間の内面、組織のルール、技術的・物理的システムの三者による総合的対策による相乗効果を挙げる工夫が必要である。

⑤企業等の組織における情報漏えいとシンクライアントとデータ管理による対策。

企業などの組織からの情報漏えいは、起きれば実質的な被害や信用の低下などから大きな損失であるが、情報漏えいを起こさないようにするために、業務の効率が低下するとともに、パソコンの自宅への持ち帰りが禁じられる中で仕事を片付けねばならないというストレスが社員にたまっている。

このような情報漏えい問題に対する対策として、シンクライアントシステムとデータベースのアクセス制御の高度化による方法について考えて見よう。シンクライアントにも様々な形態があるが、一般には、メモリを持たない簡易端末をブロードバンド回線でサーバにつなぎ、高度な処理はサーバで行うシステム構成をシンクライアントと呼んでいる。ブロードバンド通信網の整備に伴い、シンクライアントシステムは普及しつつあるが、問題は、効率的で情報漏え

いのない安全なデータベースの構築であろう。

データベースには、covert channel と呼ばれる情報漏えい経路がある。アクセス主体が規定どおり、許可されたデータを読み書きしていても、予期せざる漏えい経路が生じてしまう。このような経路を covert channel という。これに関しては、米国では、軍用システムを中心に 1970 年代以来研究が重ねられてきた。我が国でも、1980 年代から、2、3 の研究者が、その重要性を認識して研究を開始したが、

(i)最近まで、情報漏えいが深刻な問題として認識されていなかったこと
(ii)データベースが一つの組織内で閉じた形で利用されていたため、重要な情報の漏えいは多くなかった

ことなどにより、情報技術関係者の間ですら、その重要性に対する認識は低かった。

しかし、21 世紀を迎えて、web2.0、SNS（Social Network Service)、オープン・イノベーション、ダイナミック・コラボレーション、異業種格闘技経営、SaaS（Software as a Service)、そして 2007 年ごろから、連日ジャーナリズムをにぎわしているクラウドなどの言葉に象徴されるように、組織を超えた情報流通が増え続けている。例えばライバル企業同士が、情報交換をするとき、秘匿情報が誤って発信されれば、由々しいことになる。このようにデータベースがネットワーク化されると、従来とは比較にならないほど、covert channel は重大な問題になる。

covert channel をすべて計算することは、計算量は大きいが可能である。しかし、単独のデータベースの場合は、起こり得るかもしれない covert channel をすべて遮断することで、情報漏えいを阻止することも許容し得るかもしれないが、ネットワーク化されたデータベースの場合は、至るところ通行止めになり、使い物にならなくなる可能性が大きい。このように、情報の有効活用と情報漏えいの

矛盾を解決するために、森住らは、直観主義論理による情報漏えい阻止の方法を提案している▼17。直観主義論理とは、古典論理と異なり、排中律を認めない論理、例えば、あるデータを、読み出し可か、不可かに限るのではなく、現在のところ不定（留保）というように、時間の流れを考慮して、中間値を認める論理である。直観主義論理の採用により、データベースの有効活用と安全性という矛盾する要請をともに満たすシステム構築が期待できる。

以上の五つの例に示したように、矛盾対立する難題も、技術、法制度、管理運営を適切に組み合わせることにより、解決されないまでも軽減される。上の例では、暗号が活用される例を示したが、多様な電子社会システムを題材として、このような知見を蓄積していくことが望ましいといえる。それにしても、コンピュータなどの専門家も含めて社会全般の現代暗号に対する認識が浅いのは情報セキュリティの基盤確立上、大いに問題である。インテリジェンスで著名な評論家があるところで、「暗号は解けるが、符号は解けない」と述べているのを読んで、いまだ暗号に関する知識はこの程度かと驚愕した。符号というのは、日露戦争から第一次大戦当時のコンピュータがない時代の、ある言葉を別の言葉に置き換えるような暗号に対する呼び名である。現代暗号は強固な数学的基盤の上に、安全性を可能な限り理論的に証明している。そのような評価を受けてない暗号も出回っているので注意が必要である。また、絶対的な安全性証明は、人間の理性の限界、いや神の摂理として不可能であり、さればこそCRYPTRECでは、いったん、選定した暗号方式の安全性評価を継続している。ISO（国際標準化機構）では、14種類の暗号の標準方式を定めているが、この内、日本の方式が五つに上ることからも、我が国の暗号技術のレベルが高いことが分かる。それを、情報セキュリティに活用するのが今後の課題であろう。

情報セキュリティには、繰り返し述べたように、技術はもちろん、法制度、経営管理・運営、人間自体の内面等、多角的、総合的な対策が必要である。したがって、学術的には総合科学として考察しなければならない。そして、それらの中で最も難しいのが、人々のモ

ラルであろう。これについては、既に、本ソサエティ誌で述べたので、小文では、割愛する。

5. 情報新時代に求められる教養――総合力と止揚力

2008年は、日本から4名（正確には3名？）のノーベル賞受賞者でお祭り気分だった。その前に出版された本だが、哲学者で、現在、大阪大学総長の鷲田清氏が『てつがくこじんじゅぎょう』（バジリコ、2008年）のオルテガ・イ・ガセット『大衆の反逆』の項で、次のように述べている。

> これまで、針の穴ほどの狭い領域をやっていた人が、ノーベル賞をもらった途端に、文明論とか教育論をやりだす。それは大衆の典型ではないか。

正面から受け止める話ではないかもしれないが、現代人の教養とは何かについて考えさせられた。本会基礎・境界ソサエティ元会長の笠原先生から伺った話だが、湯川博士が日本人初のノーベル賞を受賞される前、敗戦直後の昭和20年10月発行の「科学朝日」において、「何故、太平洋戦争に敗北したのか」について、湯川博士は、「思想と言って難しければ、物事の考え方が問題だった」と語っていたという▼24。同じ特集で、フランス文学者で、俳句第二芸術論で知られる桑原武夫氏は、「日本語は漢字をやめてローマ字にせよ」と主張していた。どちらを教養人と言うべきだろうか。

湯川博士は、私が高校生のころ、全集5巻を出版しており、とても「針の穴の専門家」とは思えず、知的貴族のように思われたことを記憶している。狭い分野を通して、普段考えていたことを、ノーベル賞受賞を契機に話し始める学者も多いように受け取れる。個人差が大きい問題でもあるし、理工系研究者の社会的発言の機会が少ないのも問題かも知れない。

しかし、湯川博士は例外で、一般には、我々、理工系の専門家は視野が狭くなる傾向があるのも事実だろう。だが、それは、いわゆ

る理系・文系を問わず、ある分野で優れた多くの専門家に当てはまることのように思われる。

他方、いわゆる文化人についても、社会全般を長期的に見通す眼力と視野の広さが求められることを、筆者は、内閣官房や総務省で電子行政推進に関係している観点から痛感している。そのことを述べる前に太平洋戦争にまつわる話にさかのぼって考えてみよう。

昭和17年7月、雑誌『文學界』が、著名な文化人たちによる座談会「近代の超克」を開催したことはよく知られている。皮肉なことに、同じ年の6月初め、暗号解読が大きな原因となってミッドウェー海戦で壊滅的打撃をこうむり、以後、日本は、敗戦への坂道を下ることになる。そのことは、時の首相、東条英機すら知らなかったといわれるくらいだから、この座談会は、戦勝気分の中で開催されたのだが、それにしても、文芸評論の神様と称される小林秀雄が、座談会で、「アメリカの機械文明は大和魂には勝てないのだよ」という趣旨の発言しているのには驚きを禁じえない。この座談会には、当時の文化人たちが勢ぞろいしたが、戦後になって民主主義の元祖のような発言をしていた評論家らを含めて、多くの参加者は小林秀雄に近い発言をしており、数理哲学者の下村寅太郎の「いや、機械を作った精神が問題なのだよ」という声も、少数派に留まった。

また、西田幾多郎ほどの大哲学者が、大東亜戦争を理論武装する発言をしているのも気にかかる。昭和15年、ある論説（『日本文化の問題』岩波新書）で、「矛盾的自己同一的世界の形成原理を見出すことによって世界に貢献しなければならない。そのことが、皇道の発揮と言うことであり、また、八紘一宇の真の意義でなければならない」と述べている。前半は、情報セキュリティの哲学にも通じるところがあるが、後半は頂けない。このような論説が、近衛文麿など時の政治家の思考や世論にも、影響を与えていることは否定できない。

もう一つ例を挙げておこう。伊藤整といえば、昭和30年代を中心に『女性に関する12章』などのベストセラーを世に出した著名な英文学者・文芸評論家であった。東工大の教養課程で英語を講義

しており、筆者も受講した１人であった。その伊藤整も、真珠湾攻撃成功のニュースを聞いて、次のように日記に記している。

> 大和民族が、地球の上では、もっともすぐれた民族であることを、自ら心底から確信するためには、いつか戦わなければならない戦いであった。
>
> （ドナルド・キーン『日本人の戦争——作家の日記を読む』文藝春秋）

他にも、同じような感想を持った著名な文学者や作家が少なくない。

後世の歴史の外野席から批判するのはだれでもできるといえばそれまでだが、平凡なサラリーマンでも、経済と科学技術の知識をある程度持っていた人は、日米戦争を始めた当初から敗戦を予想していたのである。山本五十六は、「戦争を始める前に、アメリカへ行って煙突の数を数えて来い」と言ったそうだが、当時のいわゆる文化人たちは日米の経済力が一けた違うことや技術力の差を認識していたのだろうか。私事になるが、ただの勤め人であった私の父は、米国との戦争が始まって半年間、日本が連戦連勝で浮かれていたころから、「この戦争は負ける」と口癖のように言っていた。母親が、「こんなに勝っているのに、どうして、そんなことを言うのか」と不思議がっていたのを記憶している。

戦時中の発言は大きく割り引いて批判しなければならないとすれば、戦後、日本が坂の上の雲を目指して高度成長を始めた昭和42年（1967年）、「朝日新聞」に掲載された桑原武夫の次の発言はどうだろうか。

> そう考えると、日本はイギリスやフランスより先進国になりつつあるのではないか。（…）もはや近代化は西洋化ではない。（…）象徴的に見よう。パリには、オートマチックドアはおそらく三つほどしかない。日本にはパチンコ屋にまである。

これはまたフランス文学の大家の発言とは信じがたい単純さである。技術に対する過大評価から来るのだろうか。桑原武夫は当時を代表する評論家でもあった。

これまで、教養といえば、文学や哲学に偏っていたが、経済や科学技術を通して現実を広く見通す目を養うことも、特に世論をリードする人たちに求められる。著名な文化人たちは、本人が意識しているかどうかは別として、その発言は、結果的に世論に大きな影響を与える立場にあり、社会的影響は大きい。

古い話を持ち出したのは、情報化の流れを読めない文化人や作家、評論家が現在も少なくないからである。国民にID番号を持たせようとすると、決まってプライバシー侵害論が出てくる。平成15年ごろの住民基本台帳カードに関する議論の折もそうであった。それだけが要因ではないが、今や、日本の行政電子化は欧米や韓国に大きく遅れをとってしまった。国民がID番号を持つことは、自己のプライバシーを守りつつ、年金、税金、介護、医療等の情報を知るための権利なのである。官民連携による健全な電子化を阻害することは、日本経済を停滞させ、国民を不幸にする。仮に、自分の年金の状況を、自分だけのID番号で確認できるような電子私書箱があったとすれば、数年前の年金騒動はなかっただろう。

神様扱いされている哲学者や評論家を一工学者の私が批判するのはいかにも僭越の沙汰だといわれそうだが、物事は総合的、長期的、大局的に見なければならず、それは一つの分野でいかに傑出した人でも簡単にできることではないから、有名人へのブランド思考的な敬意はわざわいのもとということではないだろうか。最近の経済不況にあたって、経済界の大物や著名な経済学者がいたく反省している姿を見てその感を深くしている。

さて、教養主義の没落という文化現象が始まって久しいが、情報化の普及に伴い、これまで述べてきたように、社会的組織や機能が密結合されるに伴い、快適さや効率性の良さと裏腹に、遍在化・先鋭化する矛盾や不整合を軽減、解消、超克する思考力、実行力が指導的立場にある人や社会システム・情報システムのデザイナーに求

められることから、筆者は、情報新時代の教養を次のように定義してみた（図 24）。

IT 人材に求められる教養とは、遍在化する矛盾対立を超克するための総合化能力と止揚化能力を涵養することである。

ここで、「教養」を巡る状況について少し考えてみたい（図 24–28）。上に述べたように、教養と言う言葉は、多くの大学における教養部解体に伴って、死語になった観もあったが、最近、また議論が盛り上がっているようである。例えば、『学術の動向』2008 年 5 月号（日本学術会議事務局が編集協力して、日本学術協力財団が発行）では、「21世紀の大学教育を求めて――新しいリベラル・アーツの創造」と題する特集を編集している。

教養といえば、古くはデカンショ（デカルト、カント、ショウペンハウエル）に象徴される大正教養主義、戦後は、大学での教養課程、いわば、大衆教養主義が連想される。後者は、大教室での講義が多く、学生にも講師にも評判が悪く、制度としては崩壊した。電子工学を専攻する筆者は学生時代、それなりに、一般教育の教授たちの著名な講義を楽しんだが、もう少し深い講義を聴きたいという願いから、学生時代以来、副専攻論者になって、今日に及んでいる。

大正教養主義は、個人的人格形成に重きを置くものであった。例えば、昔、広く読まれ、筆者も学生時代、そのムードの良さを味わった阿部次郎『三太郎の日記』（1914）には、

> 我等は我等の教養を釈迦に（…）基督に、ダンテに、ゲーテに、ルソーに、カントに求むることに就いて何の躊躇を感ずる義務をも持っていない。

と記されている。

このような教養のとらえ方は、西洋文化へのあこがれが濃厚であった日本の特徴であったかもしれない。旧制高校生たちは、どこまで理解し得たのかは別として、難解な哲学書を持ち歩いた。しかし、本家の西洋では、ヘーゲルがその著『精神現象学』において、教養

講演者のメッセージ

IT人材に求められる教養とは

遍在化する矛盾対立を超克するための
総合力と止揚力を常に向上させる能力を
身につけることである。

図 24　辻井の定義

教養とは？

ノーベル賞受賞者は大衆（オルテガ）の典型？（鷲田大阪大総長）
太平洋戦争直後　対談「日本は何故負けたのか」
湯川秀樹（ノーベル賞受賞前）　思想（ものの考え方）
桑原武夫　俳句第二芸術論、漢字使用やめてローマ字

昭和15年	西田幾多郎　大東亜戦争理論武装	8割引？
昭和17年(7月)	小林秀雄　大和魂＞米国機械文明	
昭和42年	桑原武夫　もはや近代化は西洋化ではない（オートロックドアの数）	

文化人たちも経済、科学技術に対する総合的長期的視野が欠けていた？
平凡なサラリーマンでも分かること

図 25　湯川秀樹 vs. 桑原武夫

大正教養主義

「我等は我等の教養を釈迦に･･･基督(キリスト)に、ダンテに、ゲーテに、ルソーに、カントに求むることに就いて何の躊躇を感ずる義務をも持っていない」

阿部次郎『三太郎の日記』(1914)

(西洋文化:哲学・文学・芸術)

VS

ヨーロッパ　リベラルアーツ

自由七科:文法学・修辞学・倫理学
算術・幾何学・天文学・音楽

図 26　「三太郎日記」vs. 自由七科

「日常の衣食住の生活をぬけだして教養へと一歩足を踏みだすには、一般的な原則と視点に立つ知識を獲得し、事柄一般を思考できるまでに訓練を重ね、根拠をあげて事柄の是非を判定し、具体的で内容ゆたかな対象を明晰にとらえ、きちんとことばにし、真剣に判断をくだせるのでなければならない」
（ヘーゲル『精神現象学』長谷川宏訳、作品社）

日本における古典的教養
人間形成＋西洋の哲学・文学・芸術
に関する知識（デカンショ）

図 27　ヘーゲルの場合

「私は教養を次のように定義している。『教養とは自分が社会の中でどのような位置にあり、社会のために何ができるかを知っている状態、あるいはそれを知ろうと努力している状態である』」　（阿部謹也『学問と「世間」』岩波新書）

図 28　阿部謹也の定義

（Bildung）に、次のような意味を与えている。

日常の衣食住の生活をぬけだして教養へ一歩足を踏みだすには、一般的な原則と視点に立つ知識を獲得し、事柄一般を思考できるまでに訓練を重ね、根拠をあげて事柄の是非を判定し、具体的で内容ゆたかな対象を明晰にとらえ、きちんとことばにし、真剣に判断をくだせるのでなければならない。
（ヘーゲル『精神現象学』長谷川宏訳）

つまり、人間の精神が、個別性から普遍性へ向かう弁証法的発展のダイナミズムを指している。

日本における最近の教養に関する議論は、むしろこれに近く、また、社会との関係性により重点が置かれている。

例えば、阿部謹也は、

> 私は教養を次のように定義している。「教養とは自分が社会の中でどのような位置にあり、社会のために何ができるかを知っている状態、あるいはそれを知ろうと努力している状態である」。
> （阿部謹也『学問と「世間」』）

また、野家啓一は、

> 教養とは歴史と社会の中で自分の現在位置を確認するための地図を描くことができ、それに基づいて人類社会のために何をなすべきかを知ろうと努力している状態である。
> （「科学技術時代のリベラル・アーツ」『学術の動向』2008年5月号）

と述べている。

いずれも、自己の位置付けを踏まえた社会への貢献という視点からの定義といえる。

さて、冒頭に述べた筆者の定義について少し説明しておきたい。まず、総合力とは、特に、その人の主張や発言が社会的に大きな影響を持つ人に特に求められる総合的な視野とバランスの取れた知識、分析力、判断力、止揚力を指す。これまで、教養といえば、文学や哲学に偏っていたが、経済や科学技術を通して現実を広く見通す目を養うことも、特に世論をリードする人たちに求められる。

6. 情報セキュリティ人材の育成

情報セキュリティが、社会・産業の基盤であることを考えると、情報セキュリティにかかわる人々は5. で述べたような教養を涵養することが望ましいが、人それぞれ得意・不得意もあり、興味も異なるし、また、社会も多様な人材を求めている。そこで、人材を図

29のように、極端ではあるが、分りやすく、二つに類型化して考えて見よう。もっとも人生は長いので、同じ人でも、人生経路に応じて、変化していくことはもちろんであり、固定化して考える必要はない。

類型A　Ⅰ型　この道一筋という研究者、職人型の人材
類型B　Ⅱ型　深い専門的能力に加え、それとは体系を異にする学問分野で副専門を修め、かつ総合的な知見や教養をベースに止揚力を発揮できる人材

これらの人材は、それぞれ社会にとって有用であるが、情報セキュリティは、総合的な知見や止揚力、あるいは戦略立案能力、危機対応能力が求められることを考えると、Π型人材の果たす役割は大きいし、今、社会が最も求めているのも、このタイプであろう。ちなみに、戦略（ストラテジー）について、塩野七生氏は、「古代ギリシャ以来使われてきたこの言葉の意味の一つには、予期しなかった困難に遭遇してもそれを解決していく才能、というのもあるのだ」（『文藝春秋』2008年11月号）と述べている。要するに、危機対応能力ということである。

筆者が2009年3月まで学長を務めた情報セキュリティ大学院大学では、図29に示すような四つの標準的コースを用意しており、学生は、これを参考にして、自由に自分に応じたカリキュラムを組み立てることができるよう配慮している。ちなみに同大学では、社会人学生が8割以上を占めている。大きく分ければ、

テクノロジー・コース　暗号テクノロジー・コース、システムデザイン・コース
マネジメント・コース　法とガバナンス・コース、セキュリティ／リスクマネジメント・コース

言い換えれば、技術系、社会・管理系に大別される。

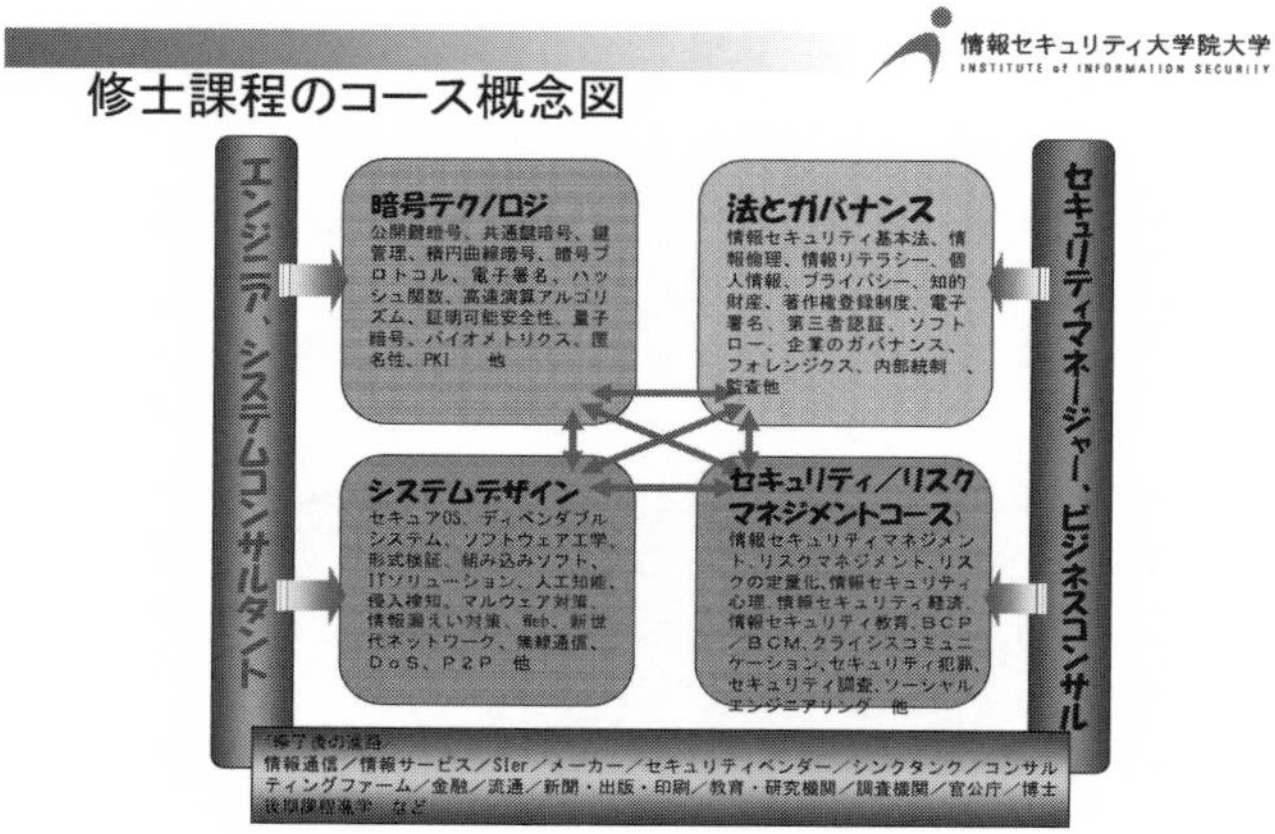

図29　情報セキュリティ大学院大学の4コース

特徴的なのは、工学部出身者で、企業等で、技術的な業務についている学生が、マネジメント・コースをとっている学生が相当数在学していること、あるいは既に他大学で修士号を取得していながら、改めて、情報セキュリティを学んでいる学生が十数%に上ることである。いわゆる文系出身者でテクノロジー・コースを履修する学生は今のところ少ないが、そのような人材も必要であろう。いずれにしても、これらのΠ型人材の養成は、緊急の課題である。

筆者は、情報新時代に求められる人材の能力を三階層化している。第一層は専門分野における深い知識と高い能力である。第二層の副専門については、電子工学を主専門、機械工学を副専門とすることなどを意味すると考える向きもあるが、筆者の意味する副専門は、主専門とは、価値観や体系を異にする分野からある専門を選択することを意味している。例えば、工学は、価値観がそれほど多様ではないため、工学者、技術者は思考の幅が狭くなりがちであるから、社会科学や人文学のような、多様な価値観に基づいて学問構築がなされている分野から副専門を選ぶのが、様々な価値観が交錯し、相

克するネットワーク社会を生きる工学者、技術者には望ましい。中央大学理工学研究科では、理工系の大学院学生に、情報セキュリティ法制度や、システム監査などを学ばせる副専攻を開設しており、多くの学生が修得している。

第三層の総合的止揚力は、深い専門性と副専門を基盤に、広い視野の下で、例えば、情報セキュリティを俯瞰し、多くの矛盾を軽減、解消、超克しつつ、社会システムや情報システムに対する要求を総合的に止揚する能力を高めることを意味している。

Ⅱ型人材は、欲張った理想的人材像であるが、社会人大学院博士課程学生や、オーバードクターを対象として考えてはどうだろうか。

最後に、少子高齢化が進む日本において、必須となる60から65歳以上の人材活用について、研究分野を念頭において、述べておきたい。高齢者が目標を持って働く、あるいは趣味を持つことは本人の生き甲斐と社会貢献の両面から不可欠である。

筆者は、現在、総務省の競争的研究資金SCOPEのプロジェクト研究「量子コンピュータの出現に対抗しえる公開鍵暗号」を実施中であるが、65歳を過ぎて定年になった大学教授ら3名も研究分担者として活発な活動を続けている。企業の研究者・技術者は中年になるに従い、管理職的な仕事が多くなるが、定年後、再び専門の研究開発に復帰するのもよいだろう。若いときほどスタミナはないとしても、抽象的概念構築能力は60代から70代がピークであるという学説もある▼5。

そこで、若い研究者の成果を表彰するのと合わせて、高齢者表彰を考えてはどうだろうか。返り咲き賞というのもよいかもしれない。

7. 結び

情報ネットワークが様々な社会的組織や機能を結びつけ、融合させる現代社会は、これまでのような異なる価値観、倫理観や法制度の下での各組織の相互不可侵的平和共存の時代は終わり、様々な矛盾・相克が遍在し、先鋭化する時代であるとの認識のもとに、矛盾の軽減、解消、超克という視点から、自然科学、人間・社会科学を

統合的にとらえ、総合科学としての情報セキュリティ、及び、情報新時代の教養と人材育成について考察した。

今後、検討を深めるべきことが多いのはいうまでもない。各位のアドバイスをお願いする次第である。

文献

▼1　ゲーデル『不完全性定理』林晋、八杉満利子訳・解説、岩波文庫、2006年。

▼2　辻井重男「展望――情報セキュリティ総合科学の確立を」『テレビジョン学会誌』vol. 47 no. 2、pp. 12–15、1993年2月。

▼3　辻井重男「21世紀COEプログラム――中央大学『電子社会の信頼性向上と情報セキュリティ』」『電子情報通信学会誌』Vol. 86 No. 11、pp. 900–905、2003年11月。

▼4　辻井重男「電子社会の信頼性向上と情報セキュリティ」『情報処理』Vol. 46、pp. 405–409、2005年4月。

▼5　市川惇信『科学が進化する5つの条件』岩波書店、2008年。

▼6　辻井重男「私の研究者歴　アナログからディジタルへそして有限体へ――総合と止揚」『電子情報通信学会　通信ソサイエティマガジン』No. 2、pp. 4–13、2007年9月。

▼7　根井雅弘『物語　現代経済学』中公新書、2006年。

▼8　野家啓一『科学の哲学』放送大学教育振興会、2004年。

▼9　カント『純粋理性批判』篠田英雄訳、岩波書店、1961年。

▼10　佐伯啓思「新自由主義の考え方には『社会』の存在が欠けている」『週間エコノミスト』2008年9月9日。

▼11　東条敏編「オントロジーを用いた法的知識からの不整合の検出」『COE Research Monograph Series』Vol. 3、2008年6月。

▼12　林紘一郎「情報と安全の法制度」『日本経済新聞（ゼミナール欄）』日本経済新聞社、2006年12月6日～12月29日。

▼13　岡村久道『情報セキュリティの法律』商事法務、2007年。

▼14　林紘一郎編著『入門情報セキュリティと企業イノベーション』ジアース教育新社、2008年。

▼15　土井智明「企業における個人情報漏えい事故発生時の事後対応のあり方について」情報セキュリティ大学院代大学情報セキュリティ輪講にて発表、2007年5月2日。

▼16　武田圭之「漏えい情報は誰のものか？」『ITコンプライアンスレビュー』Vol. 1、pp. 4–80、2006年11月。

▼17　森住哲也「直観主義論理の意味論に基づく統合セキュリティモデル」情報セキュリティ大学院大学博士後期課程学位論文（情報学）、2008年3月。

▼18　辻井重男「情報セキュリティと倫理の課題」『電子情報通信学会Fundamentals Review』Vol. 1 No. 3、pp. 10–26、2008年1月。

▼19　経営情報学会情報倫理研究部会『情報倫理――インターネット時代の人と組織』村田潔編、有斐閣選書、2004年。

▼20　滝久雄『貢献する気持ち――HOMO CONTRIBUTIONS』紀伊国屋書店、2001年。

▼21　中岡成文『ハーバマス――コミュニケーション行為』講談社、2003年。

▼22　西垣通・竹之内禎編著訳『情報倫理の思想』NTT出版、2007年。

▼23　大谷卓史『オウト・オブ・コントロール――ネットにおける情報共有・セキュリティ・匿名性』岩波書店、2008年。

▼24　笠原正雄『情報技術の人間学――情報倫理へのプロローグ』電子情報通信学会、2007年。

（電子情報通信学会「Fundamentals Review」Vol. 3, No. 3、2010年1月）

資料2　尸位素餐《しいそさん》とは？
——ビッグデータ時代の日本語の論理性と国際性

このところ、NHKから「第2次大戦と暗号」について取材を受けている。我々、暗号研究者は、1970年代以降の、情報社会の基盤としての暗号を「現代暗号」と呼び、20世紀前半までの軍事・外交用暗号を「古典暗号」と呼んで区別している。

2016年からマイナンバーの使用も始まり、本人確認やデジタル署名の基盤性は増すばかりだから、公開鍵暗号をはじめとする現代暗号についても、メディアの関心を期待したいのだが、そうはいかないのが悩ましいところだ。

それはさておき、改めて古典暗号関連の資料を読み直してみると、それはそれで、これからの日本再生に向けて考えさせられることも多い。

冒頭にあげた「尸位素餐」という言葉をご存知だろうか。私も最近、小松啓一郎著『暗号名はマジック——太平洋戦争が起こった本当の理由』（KKベストセラーズ）で初めて知ったのだが、「尸位素餐」とは、「高い官位にありながら、満足に職責を果たさず、給料だけを貰っていること」だそうである。

昭和16年（1941年）12月8日の真珠湾攻撃にはじまる日米開戦を回避すべくアメリカとの折衝に当たっていた、野村吉三郎駐米大使は、遅々として進展しない外交交渉に失望し、「このまま、成果が挙がらないのに、給料を貰い続けるのは、心苦しいので、辞任したい」という気持ちを「尸位素餐」の四文字に託して、米国から日本に向けて暗号電文で送信したのである。この電文を傍受した、米国の暗号解読者は、日本人でも分からない漢語が分かるはずもなく、別の意味にすりかえて、米国政府に報告したのである。

これは一例であるが、暗号解読はできても、その翻訳ができず、好戦的に解釈された事例が多かったようである。こうした誤訳の積み重ねがなければ、日米開戦は避けられたかも知れないと、上記の著者は述べている。

古い話を持ち出したが、現在でも翻訳は難しい問題を孕んでいる。例えば、情報通信分野の国際標準を日本語に、ニュアンスが正確に伝わるように翻訳するのも難しい作業である。

最近の流行語とも言えるビッグデータの正確な定義はないようであるが、多様で膨大な非定型なデータをさすことが多い。したがって、文学・小説などは別として、産業、科学技術、法令などの多岐にわたる分野で、日本語で書かれた多くの文書も広い意味ではビッグデータと見なければならない。この場合、日本語の論理性と国際性が問題となる。

日本語の論理性が低いかどうかは、形態素解析（単語レベル）、構文解析（文法レベル）、意味解析、文脈解析という言語解析の4段階のどのレベルで考えるかによる。機械翻訳の場合は、形態素解析、構文解析の論理性が高い方が処理しやすい。人間は、意味解析のレベルで理解できることが多いが、構文解析レベルでの論理性を高めないと誤解を招く可能性も生じる。

「赤いお墓の彼岸花」と聞けば、赤いのは、「お墓」でなく「彼岸花」だと理解できるが、「眠れる森の美女」で、寝ているのは？と聞けば、「美女」と答える人が多い。だが、フランス語では、文法的に明確に「森」を指している。このような誤解を避ける上からも、形態素解析、構文解析レベルでの日本語の論理性を高める必要がありそうである。

イギリスでは、17世紀末、シェークスピアから100年近く経った頃、「我々は、このような情緒的で感覚的な言語を使っていて良いのか」という反省が起こり、言語の大改革を実行したそうである。

日本語の場合、平安時代は、和歌などが中心で、論理性よりも情緒性が重視されたが、鎌倉時代になると、事務処理も増え、論理性が高まったようである。近代に入り、明治の開国期、そして第2次

大戦後と言語の改革が進められたが、現在、改めて、言語について考える時期を迎えているように思われる。

もっとも、これからは、ビジネス言語は英語で書かれるようになるだろうという意見も多いが、そういうケースが増えるにせよ、日本語について考える必要性が高まっていることは否定できない。

デジタル・フォレンジックについては、米国における訴訟で、日本語文書の翻訳文を証拠書類として提出する際の、労力、コスト、時間が大きな問題となっており、法令や社内規則などの機械翻訳も要請されよう。ここで、法令分野について考えてみよう。

憲法のように理念を掲げる場合は別として、一般の法律や条令などは、論理的に明解でなければならない。北陸先端科学技術大学院大学では、片山卓也前学長が研究リーダーとして推進した「21世紀COE」以降、法令工学プロジェクトを進めている。法令工学とは、法令を社会のソフトウェアと考えて、法令間の矛盾、例えば、法律と条例との矛盾の検証や、法令文自体の論理性のチェック等の情報処理を進める学問である。法令工学では、日本語の論理性を高める研究、および、自然言語処理に適するように、直観主義論理や様相論理などを用いて、論理学を多様化・高度化する研究という両面からのアプローチによる考察を深めている。

私も、2年ほど前から、暗号文を論理式で表すという発想で、研究を開始した関係で、論理学をにわか勉強していることもあって、法令工学の動向を興味深く見守っている。

いずれにしても、ビッグデータ時代には、日本語の論理性と国際性を高める研究は不可欠であろう。

（デジタル・フォレンジック研究会「IDFコラム」2014年4月1日）

資料3　万里の長城、胡を防げず
——内部情報漏洩に備えてMELT-UP止揚

このところ、組織内部からの情報が深刻な話題となっている。筆者も、ベネッセの監視委員会（社長の諮問機関）の委員長を仰せつかり、身を引き締めている。佐々木良一会長も、「読売新聞」の「論点」で「『内部犯罪』想定も必要」と題して（2014年10月30日朝刊）、企業の情報漏洩対策を論じておられるが、件数は別として、被害額では、内部漏洩が全被害額の半分を超えているという統計も報告されている。実態はそれを上回るかも知れない。

万里の長城、胡を防げず、明王朝は内部から崩壊した。Fire wallを高くするだけでは、内部情報漏洩は防げない。本丸、すなわちデータ本体・データベースを守ることを真剣に考えねばならない。企業などの従業員の54%がデータベースへのアクセスログを取られていることを気にしているが、経営者・管理者は、情報漏洩対策の中で、アクセスログによる監視の重要性を19位に位置づけているというアンケート結果も出ている。組織的合意の下で情報漏洩対策に取り組まねばならない。

さて、OCBMの普及に伴って、情報社会のDADAismが浸透し、MELT-UPを図ることの重要性が緊急さを増している（何のことか。勝手な略語ばかり並べて分からないではないか。失礼しました。これから説明します）。

OCBMは「Open data」「Cloud」「Big data」「My number」の略である。一般に、Digital技術、特にBig dataの拡大・浸透により、社会的機能や構造を連続化、つまり、Analog化が進む。個人情報についていえば、Big dataの拡大浸透は、その特定度（Identotifiability）と機微度（Sensitivity）の連続性を増している。ヨーロッパの

ENISAでは、各々を4段階に分類した上で、個人情報の重要性を7レベルに整理している。

この現象を私は、DA変換と呼んでいる。若かりし頃、取り組んだ技術的なDA（Digital to Analog）変換ではなく、社会的なDA変換である。この社会的DA変換現象が進むと、法的規制が必要になる。20世紀までは特に必要としなかった個人情報保護法などが、21世紀になって制定されるようになった。法制度は、解釈の幅はあるにせよ社会的な意味でのDigital的存在であり、その役割は大きいが、万能ではなく、上記のENISAの分類に対応して法制度を定めて運用することは難しい。最後に頼れるのは、人間のAnalog的な倫理（Ethics）、モラル、心理、自己規制、行動規範、Management能力などである。こうして、Digital技術は、社会的機能・構造をAnalog化し、それが、法制度という社会的digital化を進め、最後に、人間というAnalog的存在に頼るというDADAプロセスを生むことになる。これが、情報社会のDADAismである。

私は、IPA（独立行政法人　情報処理推進機構）で、小・中・高の生徒たちから応募された情報セキュリティ標語の選考委員長を務めているが、数年前、ある中学生が「アナログの心受け継ぎデジタルへ」という標語で、応募してきた。「何を言っているのか分からない」という選考委員もいたが、私は、背負う子に浅瀬を教えられた気がして、強く推薦し入選させた。情報社会のDADAismは、DADAプロセスでは終わらず、Analog人間からDigital技術へのFeed backが大事なのである。

ここで、余談を1つ。この頃、スマホから目を離さない子連れの若いお母さんをよく見かける。最近のセキュリティ標語では、小学生から「お母さん、スマホより僕の顔を見てよ」という類のものが多くなった。これも、母親が、背負う子に浅瀬を教えられている例だろう。

さて、Big dataをはじめとするOCBM現象は、自由を拡大する。自由には様々な意味があるが、それはさておき、19世紀のはじめ頃、哲学者ヘーゲルは、「歴史とは自由の拡大のプロセスであり、自由

の拡大に伴って矛盾も拡大する」と述べている。ヘーゲルに言われるまでもなく、我々は、例えば、表現の自由と児童ポルノ規制など様々な矛盾相克に悩まされ続けている。歌の文句ではないが、「この世の中、右を向いても左を見ても、矛盾と相克の絡み合いじゃござい ませんか」と言わんばかりである。

自由の拡大、安心安全の向上、プライバシーの保護は、互いに矛盾する場面が多い。この矛盾を可能な限り解消し、高度均衡を図る手段を日々、探求するのが、我々の使命である。3つの止揚を図らねばならないので、私は、十数年来、三止揚（Drei Aufheben）と唱えてきたが、最近は、より具体的に、MELT-UPと呼ぶことにしている。

MELTとは、Management、Ethics、Law、Technologyであり、この4者を強連結・密結合させて、三止揚を図ろうということである。この中で、特に難しいのが、EthicsとManagementである。

抽象的な話ばかりで具体的提案がないではないか、と言われそうなので、暗号の例を1つ挙げておこう。

1980年代から90年代にかけて、暗号は、軍事・外交だけでなく情報社会にも役立つのかという意味で、話題性を持っていた。拙著『暗号――ポストモダンの情報セキュリティ』（のちに『暗号――情報セキュリティの技術と歴史』と改題し、講談社学術文庫で復刊）を野田聖子郵政大臣（当時）に謹呈したところ、「こういう本が読みたかったのよ」と言って読んでいただいた。また、大蔵省（現、財務省）に呼ばれて暗号について講演をした際、法学部卒の局長さんたちから「あなたの本は良く分かった。しかし、素数って、そんなに沢山あるのですか」と玄人裸足の質問を受けたりもした。

その後、暗号が社会的基盤として活用されるようになると、新技術の宿命として、話題性がなくなり、縁の下に入って、社会的関心も薄れてきた。正しく利用されていれば、それで良いのだが、情報系技術者にすら、RSA暗号が正しく理解されておらず、素数の使い回しという、素因数分解にその安全性を依拠するRSA暗号にとって、とんでもない使われ方をしていることもあるようだ。

内部情報漏洩対策としてのManagementには、不満分子を減らすというような組織経営のレベルから、技術を手抜きせず、正しく使うというレベルまで、多様な段階があるが、九仞《きゅうじん》の功《こう》を一簣《いっき》に虧《か》くことのないよう、蟻の一穴をなくすため、コストや効率を考慮しながら、綿密な対策表を作成することが要請される。

（デジタル・フォレンジック研究会「IDF コラム 2014 年 10 月 30 日」）

資料4　組織通信における理念と情報セキュリティ概念の高度化

20世紀までの情報通信は、通信の秘密保全を価値観とする個人通信が主であったが、今後、マイナンバーの導入、関与者の拡大、大量の文書の電子化などのより、組織間の通信（以下、組織通信と呼ぶ）が飛躍的に増大するものと予想される。より広く放送・通信分野の世界は、個人通信、組織通信、交流サイト、公共放送の4つの分野に分類されることになろう。

組織通信では、正確性、緊急性・迅速性、機密性、証拠性、送信文の論理的無矛盾性、日本語の論理性、多言語性など、これまで重視されなかった多様な価値観が要請される。

例えば、私が理事長を努めている「一般財団法人　マルチメディア振興センター」が、総務省と協同して、全国的展開を進めている公共情報コモンズ（災害情報伝達システム、「Lアラート」と略称）では、自治体やライフラインからNHKなどのメディアへ、災害情報を正確に迅速に伝達しなければならない。また、海外からの観光客などのために多言語で、災害情報を伝達することが必要である。

このような、組織通信の例としては、

①これまでの日本の電子行政では、自治体間でのデータ交換はほとんど行われていなかったが、今後、マイナンバーの導入により、自治体間、自治体と金融機関・企業間での電子文書のやり取りが増大する。
②医療・介護分野でも、これまで、病院内で閉じていた医療情報が、複数の病院間や医療機関と介護施設間での共有のため、個人の医療情報を送受信する必要が生じている。

③民間企業同士では、これまでも電子文書の送受信はかなり行われていたが、最近あいついで生じている個人情報漏洩事件などを考慮し、情報の機密性や法的整合性にこれまで以上に注意を払うべき通信が多くなる。

等が挙げられる。

これらの情報通信に共通する環境としては、クラウドの利用が挙げられる。送信情報に関する知識の取得や文章の論理的整合性、あるいは法的整合性などを、受信組織に送信するに先立って、クラウド等を利用して獲得・確認しておくことが望まれる場合が少なくない。

組織通信の理念・価値観と課題

個人通信における理念と価値観は憲法21条に明記されている通り「通信の秘密は、これを侵してはならない」であったが、組織通信では、状況に応じて、正確性、緊急性・迅速性、機密性、証拠性、送信文の論理的無矛盾性、日本語の論理性、多言語性など、これまで重視されなかった多様な理念と価値観が要請される。以下、これらについて簡単に説明する。

正確性　個人通信と異なり、安易な訂正は好ましくない。特に、災害情報等では、訂正が間に合わないケースもあるので、可能な限り正確性を期すことが望まれる。

緊急性・迅速性　災害・救急情報をはじめとして、緊急性・迅速性が要請される場合が少なくない。

機密性　個人情報や企業の営業・技術情報等、機密を要する情報が組織間で送受信されることが多いことはいうまでもない。個人情報については、保護と利用の両立という課題が重要性を増しており、技術、法制度、行動規範、マネジメントを総動員した対策を急がねばならない。特に、クラウドを利用して、情報・知見を得る場合には、秘匿詮索や暗号化状態処理が必要と

なるケースも多い。これについては、後述する。

証拠性　組織通信においては、法的トラブルや内部統制の観点から、送受信された重要なデータを証拠として保全しておく必要がある。証拠の収集・分析・保全・開示に関する技術、法制度、システム監査に関する総合的手法としては、デジタル・フォレンジックがあり、これまでは刑事訴訟法・民事訴訟法が主たる対象であったが、今後は、組織の内部統制上および法的リスク管理の必要性も増大すると考えられる。

法的整合性　自治体が作成する条例や企業などが制定する諸規則が、法律、政令・省令、あるいは省庁が定めるガイドラインに適合していることを確認した上で、他の組織に送信することが必要である。そのためには、北陸先端科学技術大学院大学などで研究されてきた法令工学が有用であるが、法令工学は、言語解析と論理学の両面から攻究されるべき奥の深い分野であり、今後の発展が期待されている。

送信文の論理的無矛盾性　送信組織は、構文解析的レベル、あるいは意味解析的レベルで、送信文に論理的矛盾がないことを確認してから、相手組織へ文書を送信することが望まれる。

日本語の論理性　日本語は、英語など欧米語に比べて、無主語であるケースが多いことや、単数と複数の区別がないことなど、論理性が低い面があり、組織通信において注意が必要である。

多言語性　冒頭に述べた災害情報の伝達に限らず、在日外国人の増加や国際化の進展に伴って、多言語での送信が必要となる場面が多くなると予想される。

情報通信の新階層

これまでの情報通信の階層は、送信者が伝えたい内容（情報、知識、意思、感情等）とそれを支えるためのTCP・IP、あるいはOSIセブンレイヤーの2階層から成り立っていた。将来の組織通信では、送信者が伝えたい内容に対して、上に述べたような組織通信の理念・価値観を正確に具現化する階層が重要な役割を果たすと考えら

れる。これらの、高度化された情報セキュリティ概念ともいえる、理念・価値観を具体化するための階層を、TCP・IP、あるいはOSIセブンレイヤーの上位レイヤーとして構築し、送信者が伝えたい内容（情報、知識、意思、感情等）を支えると考えてはどうだろうか。

我々、中央大学研究開発機構では、デジタル・フォレンジックも視野に入れて、私が、楕円曲線暗号などによる組織暗号、片山卓也教授（前北陸先端科学技術大学院大学学長）が法令工学の視点から、ポスドクや高齢研究者らと共に、上記、新階層の具体化に取り組んでいる。

余談

課題先進国日本の課題の1つは、高齢化であるが、ポスドク1万7千人の活用も深刻な課題である。博士は取得したが、大学の就職口がない。箱根の関を越えるまでの首都圏の大学教員の募集に対する競争率は100倍を超えると言われている。

数年前、NHKが、ポスドク問題を取り上げ、末はノーベル賞かと言われたある物理学分野のポスドクが、年収270万円でトラックの運転手をやっているという話を紹介していた。

私は、10年以上前、70歳で、中央大学を正式には退職したが、その直前に、文部科学省の「21世紀COE」を研究代表者として獲得したのが、運の定め。以来、中央大学研究開発機構教授という非正規のポジションながら、3名のポスドクを抱えて、悪戦苦闘、3年毎に政府系大型プロジェクトを獲得してきた。今年（2015年）、ようやくそのうちの1人（海外から度々、講演などに招待される程の業績のある数学系研究者）が、ある大学に教授の定職を得たという次第。

そうこうしている内に、高齢者でやる気のある研究者が増えてきた。例えば、今、私のグループにいる山口浩中央大学研究開発機構教授は、76歳、毎朝4時に起床して研究開始。2015年は、1月は米国、2月はタイ、3月は韓国の国際会議で論文発表という目覚しい活躍ぶりである。上記の片山先生も後期高齢者。また、現在、世界で年30回くらい開催されている暗号の国際会議で、約25%は、

ペアリングに関する分野だと言われていますが、そのペアリングを世界に先駆けて提案した笠原正雄中央大学研究機構教授（ご子息の笠原健治氏は「ミクシー」会長）は、喜寿を過ぎてなお、学会発表を続けておられる。

というわけで、ポスドクと合わせて、高齢研究者の活用も日本の課題ではないだろうか。

（デジタル・フォレンジック研究会「IDF コラム」2015 年 4 月 5 日）

資料5　エニグマ暗号解読で母国イギリスを救った悲劇の天才

歴史のIFを大胆に推理すれば

「イミテーション・ゲーム」という映画が上映されている。主人公は、1940年頃、コンピュータの数学的モデルを創った天才数学者であり、ナチスドイツの暗号エニグマ（謎という意味）の解読を主導してイギリスを勝利に導いた功労者、アラン・チューリング（1912-54）である。

エニグマの解読は、第2次大戦を2年縮めたとよく言われるが、磯田道史（NHKBSテレビ「英雄たちの選択」のコーディネーター）ならぬ、辻井重男が歴史のIFを大胆に推理すれば、「エニグマの解読に成功していなければ、イギリスは敗北し、第2次大戦後の冷戦構造は、米ソの対立ではなく、米国とナチスドイツの対立となっていたであろう」ということになる。

軍事外交暗号の宿命とチューリングの悲劇

それほどの功績者がなぜ、悲劇的な人生の幕を41歳で下ろさねばならなかったのか。その理由は、1つには、戦争に果たす暗号の宿命的役割であり、もう一つには、同性愛という当時、法的に禁止されていた個人的趣向にあった。

第2次大戦がはじまった頃、イギリスへ物資を運ぶアメリカの輸送船は、ドイツの潜水艦ユーボートに次々と撃沈され、イギリスの敗北感は深まりつつあった。潜水艦は、暗号電報を発しており、それが解読できれば、輸送船はユーボートの攻撃を回避できる。その解読を成功に導いたのが、チューリングである。

しかし、敵の暗号を解読したことが敵に知られれば、暗号機の構

造を変更され、新たな解読作業に、月日を要することになる。当時のイギリス首相チャーチルは、日本の指導者と違い、情報の価値を知っており、暗号情報の収集、分析、利用に熱心であった。ある時、ドイツ空軍が英国のコベントリーという古都を攻撃するという情報がエニグマの解読によってもたらされた。しかしチャーチルは、暗号解読の事実を敵に悟られないようにするため、非情にもコベントリーを敵の空爆にさらしてしまった。ドイツに勝つために、古都の寺院と数百名の人命を犠牲にしたのである。このような、暗号利用の宿命の中で、アラン・チューリングの業績は、長い間、国家機密とされてきた。そして、チューリングは、当時、処罰の対象となっていた同性愛という性向も禍して、青酸カリ自殺を遂げたといわれている。

辻井研究室のエニグマ機が度々テレビ出演

さて、エニグマ暗号機であるが、現在、日本には2台しかないと言われている。その内の1台を、私が中央大学研究開発機構の研究室に保管している。「イミテーション・ゲーム」の上映を機に、2015年3月8日(日)、フジテレビの「めざましテレビ」に、そのエニグマ機が主役で登場し、私も介添役で顔を出した。また、3月16日(月)日本テレビ「スッキリ」内の映画紹介でも上映された。映画とは関係ないが、2年ほど前、池上彰氏の番組でも私の愛機が映された。

池上彰氏の番組では、軍事・外交の歴史に果たした暗号の役割も大事だが、「現在、公開鍵暗号が、社会基盤・生活基盤になっていることも、放映してくださいよ」と頼んだのだが、難しいといって断られてしまった。公開鍵暗号とは、鍵の片割れを公開するという画期的な暗号である。ある科学史の本には、公開鍵暗号の発明は、火薬の発明に匹敵すると記されている。公開鍵暗号は、情報の秘密を守るという役割もあるが、それよりも、認証(「私に間違いありません」ということの証明)、および署名(「この文書は私が書いたものに間違いありません」ということの証明)というデジタル社会の基本技術になっ

ているのである。

公開鍵暗号もイギリス諜報機関の発明――鍵を安全に配送するために

公開鍵暗号は、戦後、情報社会の到来に先立って、1970年代後半に、アメリカで発明されたとされてきたのであるが、実はそれより数年早く、イギリスの諜報機関でも発明していた。その目的は、認証・署名ではなく、軍事・外交のための秘密保持であった。暗号が解読されるのは、多くの場合、鍵が推定されるからである。したがって、鍵を秘密裏に配送することが決め手となる。

太平洋戦争の話になるが、ミッドウェー海戦において、日本海軍が、決定的敗北を喫した大きな原因は、海軍の暗号がアメリカに解読されたことにある。なぜ解読されたのか。それは鍵の交換が間に合わなかったことが大きな原因であった。

余談になるが、半藤一利氏は、テレビで、「ミッドウェーは、暗号解読で負けたのだとよく言われるが、そんなものじゃない。驕慢《きょうまん》ですよ。驕慢」と声を大きくしておられた。確かに、ハワイ真珠湾の奇襲が一応成功した後の半年ほどは、日本軍は全戦全勝に慣れて驕り昂ぶっていたことは確かだが、米国海軍のニミッツ提督は、「暗号解読に成功していなければ、我々は完敗していた」と明言していることも事実である。もう一つ。日本が暗号を解読された話ばかりが話題になるが、日本も米国の暗号の多くを解読していたことも、当時の暗号関係者の名誉の為に付記しておこう。

さて、このように、鍵を安全に運ぶことは、勝敗を決めるほど大事なことなのである。そこで、イギリスの諜報機関の研究者は、いっそ鍵を白昼堂々と運ぶことは出来ないかと考えた。そして暗号化のための鍵は公開し、暗号文を平文に戻すための鍵を秘密にしておくという方式を考案したのである。それは、1970年代前半のことであり、アメリカの公開鍵暗号の発明より数年早かった。しかし、そのことを公表したのは、発明後、20年くらい経ってからである。もし情報の分野がノーベル賞受賞の対象になっていたら、間違いなく受賞されるほどの業績も国家機密として伏せていたのである。

情報科学のノーベル賞——チューリング賞

このような暗号を取り巻く機密性重視の環境の中で、チューリングは悲劇的な生涯を終えることになる。「死して屍拾う者なし」という時代劇の台詞のように、暗号関係者の宿命もそれに近いのかと思われたが、チューリングが亡くなって半世紀以上経って、彼の名誉は回復した。2009年、ブラウン首相は政府を代表してチューリングに謝罪し、2013年、エリザベス女王は彼に栄誉を与えたのである。

暗号解読者というより、情報科学の創始者としてのチューリングを記念して、情報分野では、早くから情報のノーベル賞と言われるチューリング賞を設けており、受賞した日本人研究者もいるのだが、新聞などのメディアは、「ノーベル賞以外は要らない」と言って、取り上げようとしない。困ったものである。

暗い暗号から明るい暗号へ——今も昔も鍵の管理が決め手

さて、以上のように書いてくると、暗号は文字通り暗いイメージになるが、現代暗号は、公開を原則としており、1990年代には、「明るい暗号研究会」を開催されていた。現代暗号の研究がはじまった頃、「暗号は軍事外交以外に、情報社会にも役立つのか」と人々の興味をそそり、拙著『暗号——情報セキュリティの技術と歴史』（講談社学術文庫）を、当時の郵政大臣、野田聖子氏に差し上げたところ「こういう本が読みたかったのよ」と言われたし、大蔵省（当時）の局長さんたちに呼ばれて講演し、玄人裸足の質問を受けたりしたものである。

しかし、新技術の宿命であるが、現代暗号も社会基盤となるにつれて、縁の下の力持ちとなり、社会的関心は薄れていった。そして、困ったことに、鍵の管理をおろそかにして、暗号が破られたという騒ぎが起きている。現代暗号は、数学的証明を重視しており、実用化されている暗号が、理論的に破られることは滅多にない。しかし、鍵の生成・管理が疎かになっているケースが多いのである。いくら

頑丈な金庫を作っても、鍵を金庫の上に載せておいたのでは話にならない。鍵の管理の重要性は、チューリング時代の古典暗号でも、人々の日常生活を支える現代暗号でも変わりはないのである。

（中央大学広報室「ChuoOnline」2015 年 5 月 1 日）

資料6　標的型攻撃から日本を守るには
――組織対応型 S/MIME を広げよう

標的型攻撃を主とするサイバー戦争は、一国の盛衰に関わる闘いであるが、実際に攻撃を受けるのは、重要インフラや自治体等、個々の組織である。標的型攻撃は、従業員の内、一人でも対応を誤れば、その組織の中枢が侵されるので、組織内セキュリティ教育（「怪しいメールの添付は開くな」というような）や内部システム対策だけでは、完全な対応は不可能であり、認証と署名の確認を確実に行うことにより不正侵入を防ぐ以外に基本的な対策はなく、逆に、それにより、標的型攻撃をほぼ確実に抑止できるはずである。

具体的には、個人メール向けの S/MIME を組織対応型に再構築し、再暗号化などの組織暗号と併用することにより、標的型攻撃を抑止できると考えられる。ここで、S/MIME とは、認証（送信相手の確認）、電子署名を行うシステムである。これまでも、内閣官房や総務省などから、S/MIME の普及に対する提案がなされてきた。これらの提言では、個人も組織も含めて、S/MIME の普及・促進を図ろうとするものであるが、全ての個人を含めるには、コストがかかる（PKI に年間数千円）、手間がかかる、プライバシー保護の視点から、秘匿暗号と認証・署名暗号の両立が難しい等の壁がある。このため、S/MIME の普及は進んでいない。普及しないから普及しないという悪循環に陥っているのである。

そこで、個人は後にして、まずは、組織対応型 S/MIME の普及を推進するという国家戦略を立ててはどうだろうか。標的型攻撃が狙われるのは、年金機構や JTB のような組織であり、多少のコストと手間を惜しむべきではないだろう。企業等の社員は、メール対応に勤務時間の３分の１を費やしているとの調査結果もあり、こ

れ以上、怪しいメールに注意させることは仕事の効率を下げることも合わせて考えるべきであろう。

次に、組織レベルでは、従業員の公私を厳格に切り分ければ、組織管理者に、原則として組織内の情報管理を行う権限を持たせることが出来る。去る6月11日の「日本経済新聞」に「サイバー防衛、一括で総務省が『ネットの関所』」と出ていたが、それ以外に手はないだろう。こうして、現在のS/MIMEを改良して組織対応型S/MIMEを再構築すれば、普及と標準化を進めやすい。さらに、中央大学研究開発機構において、筆者がリーダーとなり、「国立研究開発法人　情報通信研究機構（NICT）」の委託研究として進めてきた組織暗号などと併用することにより組織内での情報漏洩を抑止することが可能となると考えている。

今こそ、各業界が一致して、組織対応型S/MIMEを標準化・普及するための新しい情報セキュリティビジネスを立ち上げる時である。組織対応型S/MIMEが普及した段階で、次のステップとして、マイナンバーも活用して、個人レベルを含むS/MIMEの普及を促進すれば、日本の守りを固めると共に、その新たなS/MIMEを、日本発のシステム標準として世界に向けて輸出し、国際貢献することも出来よう。

（放送セキュリティセンター「サーク・コミュニケーションズ」No. 29、2016年7月1日）

資料７ 「添付ファイル開くな」は限界

サイバー攻撃、とりわけ標的型攻撃が深刻さを増し、組織の不沈にかかわる多くの被害が話題になっている。セキュリティ分野では有効な対策があると知られていながら、「普及していないから利用しない」という悪循環が続いているのが今の状況だ。

標的型攻撃とは重要なインフラ、政府系機関、企業などに狙いを定め、準備を重ねた上で不正に侵入して重要な情報を盗み出す攻撃である。ANAになりすましたJTBへの攻撃が記憶に新しい。

組織を守る方策として「怪しいメールの添付ファイルを開くな」といった社内教育などが推奨されている。しかし、これらは度が過ぎると仕事の能率を下げてしまう。企業などの社員はメール対応に勤務時間の３分の１を費やしているとの調査結果もあり、これ以上、怪しいメールに注意させることは限界だ。

もはや弧塁を守る時期は過ぎたのではないか。標的型攻撃を激減させるには、組織間の連携によってメールの送信者・受信者が協調することが不可欠だ。郵便に例えれば送信者証明付き郵便を普及させれば良いわけである。

署名で「このメールの差出人はANAに間違いない」と認識できれば、JTBの職員は安心してメールを開くことができる。なりすましを防げるので送信する側の信用確保にもなるだろう。この方式はS/MIMEと呼ばれる。

1995年から任意団体のIETF（インターネット技術タスクフォース）が国際的な標準化を進め、国内でも内閣サイバーセキュリティセンターと総務省が2013年に推奨する報告書を出している。それにもかかわらず普及しないのは、コストと手間がかかるからであろう。

そこで個人は後回しにして、まずは組織対応型のS/MIMEを普

及させる国家戦略を採ってはどうか。標的型攻撃が狙うのは国や企業などの組織であり、多少のコストと手間を惜しむべきではない。著者らは中央大学で研究を進め、組織間連携の効率的な方式も発案している。個人情報の取り扱いも、組織レベルでなら、従業員の公私を厳格に切り分ければ管理者に権限を持たせることができる。

今後、自動運転など IoT の普及が進めば、送信者・モノの真正性を確保する重要性も高まる。長い箸しかなくて食べ物を自分の口に入れにくい場合、二人で協力して互いに相手の口に入れ合えば良いのだ。

（「日本経済新聞」2016 年 12 月 16 日）

資料8　送り手良し、受け手良し、ネット良し

江戸時代、近江商人は、「売り手良し、買い手良し、世間良し」と言ったそうである。今なら、「送り手良し、受け手良し、ネット良し」と言うのではないだろうか。

また、明治時代、日本赤十字社を設立した、佐野常民は「文明の進歩は、道徳の進歩を伴わざるべからず」と言ったが、これほど難しいことはない。筆者は、十数年来、MELT-UP（三止揚）を提言してきた。Management、Ethics、Law and Technology の4分野の密結合強連結による三止揚の実現という意味である。三止揚とは、自由の拡大、安全性の向上、プライバシーの保護という、矛盾相克しがちな情報社会の三つの価値を可能な限り高度に同時均衡させるという意味である。MELT の中で、最も難しいのが、道徳、Ethics である。ここで、Ethics とは、倫理に限らず、人間の内面に関わる心理、行動規範などの全てを含めている。ネット利用者に聖人君子になれといっても無理である。人間の利己的本性を認めた上で、Management しなければ、社会システムは上手く機能しない。その意味では、近江商人が、自分も利益を得るが、取引の相手にも、世間全体のためにもなるようにと言っているのは現実的な解である。

ところが、インターネットの世界では、このような当然のモラルが普及していない。ちょうど1年前の No. 29 の巻頭言にも書いたので繰り返さないが、サイバー攻撃、特に標的型攻撃を激減させるには、S/MIME（Secure/ Multipurpose Internet Mail Extensions）を普及させれば良いことは分かっている。すなわち、メール送信の際、真正な送信者であることの公的な公開鍵証明を付した上で、メールを送れば、受信者は安心して添付ファイルを開けることは分かっている。送り手も、受信相手の立場を考えて、多少の経費と手間をかけ

れば、ネットワーク全体の安全性は著しく向上し、自身の為にもなるのである。3大銀行やJIPDEC、IPAなど、一部の組織を除いて、ほとんどの組織は、送信者認証を付さず、内部統制により孤塁を守ることばかりに経費と労力を注いでいる。「怪しい添付ファイルを開くな」という組織内訓練をしても、皆無にしなければ、重要情報を盗まれる可能性が大きい。「怪しい添付ファイルを開く確率をゼロにした。どうしたのか？　メール使用を止めて、電話とFAXに戻した」という笑い話のようなことも実際にあったそうである。

そこで、「受信する相手の立場も考えて、S/MIMEを普及させよう」という趣旨の提案を、2016年12月、「日本経済新聞」の「私見・卓見」に掲載したところ、ただちに、防衛省の幹部らが訪ねてこられ、防衛産業界にS/MIMEを導入するとの意向を告げられた。S/MIMEには、多少面倒な点もあるが、偽者に「防衛産業の企業である」と騙られる被害には換えられないとのことであった。IoT環境下では、送信者認証は、生命の危険防止にとっても不可欠であり、筆者らは、サイバートラスト株式会社らと共に、今年4月、セキュアIoTプラットフォーム協議会を設立した。人、組織、物、データ、通貨、あらゆるモノを含めた、送信者認証に対する認識を日本全体に広めたいものである。

（放送セキュリティセンター「サーク・コミュニケーションズ」No. 30、2017年7月1日）

資料9　次世代のIoTセキュリティ標準として目指すべきものとは何か

次世代のIoTセキュリティ標準とはどのようなものか

IoTセキュリティの基本は「それが本物かどうか」です。真正性の保証、真偽の区別が非常に大事になる。特に、車や医療など、命に直結するものはさらにデリケートな管理が要求されるでしょう。その基本になるのが「認証」です。日本では“認証”と“認定”を曖昧に使う悪い癖がありますが、私たちが推進している認証は「それが本物であることをそれ自身が他に対して証明する」という厳密なものです。

実は日本には古くから印鑑登録証明という優れた制度があります。しかしこれが逆に電子署名法や公的個人認証の仕組みづくりに出遅れた理由にもなっていました。ただ、このあたりはマイナンバー制度がスタートしたことで、ようやく欧米にキャッチアップできる状態になりつつあると考えて良いでしょう。いずれにしても電子的な本人性の確認はIoT時代には今までとは比較にならない重要度を持つことになるはずです。

そもそもIoTというよりも、Internet of Everythingという広範囲な視野を前提とすべきで、ここでは人も当然の事ながら、組織も機械も、全てにおいて真正性証明が非常に大事になってきます。

我々の協議会では4つのレイヤーを想定しています。デバイスレイヤー、ネットワークレイヤー、データベース管理レイヤー、そして一番上がサービスレイヤーです（図1）。

まずはデバイスそのものを製造工程からきちんと証明書を入れていきます。ここにはPKI（Public Key Infrastructure）というものがあります。印鑑証明でいう所の区役所とか市役所みたいなものだと考

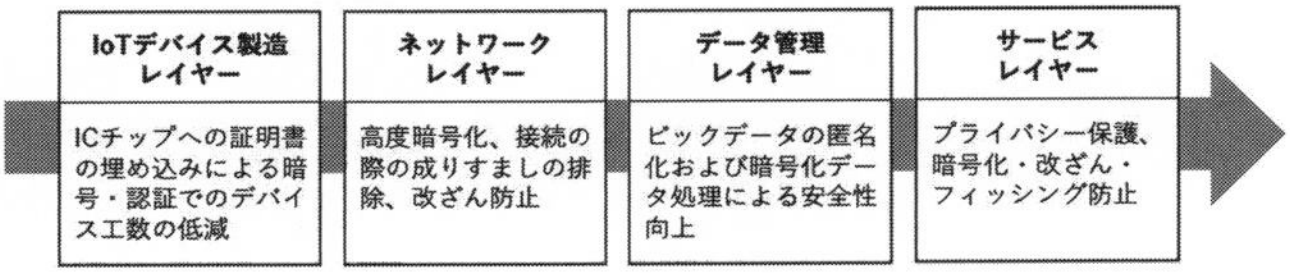

図1　4つのレイヤー

えればよいでしょう。国として認証基盤を日本に1つだけ作り。それを各自治体に配布しています。民間ではサイバートラストとセコムトラストシステムズの2社だけが印鑑証明登録を出すような認証システムをつくっています。レイヤーは上の階層に行くほど様々な社会的制約が出現するので、協議会としてはそのあたりを継続的に議論し、実装して行くことになるでしょう。

IoT関連の協議会は他にも色々ありますが、“認証”という本物性の証明に重点を置いてやっているところはあまりないはずです。コネクテッドカーにしても、クルマそのものの認証のみならず、クルマを構成している数多くのデバイスに対して1つ1つちゃんと証明を付けていって、何か事故があったときにどのデバイスの責任なのかがはっきりできるようにする、というようなことも想定しています。

セキュリティの概念は変わってきたか

私とセキュリティの関係は、私が暗号を始めた1980年頃からになるわけですが、暗号で最も重要なのは鍵の管理です。戦時などもそうですが、鍵を敵に隠して送るのが大変なわけです。それで、RSA暗号や公開鍵暗号などが1977年頃に米国のスタンフォード大学などを中心にして誕生しました。暗号というと隠すことばかり考えてしまいがちですが、「この署名は本物か」「私のカードに間違いないか」がむしろ重要なのです。今流行のブロックチェーンも楕円曲線暗号をベースにしてハッシュ関数を使う一種の暗号化です。ブ

ロックチェーンは「欲と二人連れの総当たり計算」だと考えればいいのです。ともあれ、「公開鍵暗号」というのはまったく新しい概念で、これはある科学史の本によれば火薬の発明に匹敵するというくらいまで評価されているのだけれども、普通の人にその重要性を理解していただくのは案外難しいのかもしれません。

情報セキュリティで正義感は実現可能か

90年ごろまで、セキュリティはあまり深刻に考えられていなかった。ごくシンプルに「暗号＝情報セキュリティ」という時代が長く続いたように思います。しかし、技術的課題、法律・倫理的な問題、あるいは管理上の問題など、様々な課題があることがわかってきました。そこで、私は93年に「情報セキュリティ総合科学」という概念をテレビジョン学会誌（現在の映像情報メディア学会）に投稿しました。情報セキュリティ大学院大学（横浜市・神奈川区）で『情報セキュリティ総合科学』という雑誌を発行していますが、これは私が言い出したタイトルをそのまま使っていただいているようです。

暗号のような基礎技術関連もさることながら、昨今やはり、法律、倫理、管理という３つの価値をメルトアップ（持ち上げる）することが重要です。“利便性”“効率性”“表現の自由”を含む「自由」。そして「安心・安全」「プライバシー保護」を重視します（図2）。しかしこの３つの価値は互いに矛盾相克します。“利便性”“効率性”ばかり考えていると、当然、「安全」がおろそかになったり、プライバシーも守れないことがありうる。

加えて「安心」と「安全」も全く別の概念です。日本の場合は「安全なのに安心できない」人が多いのに対して、別のラテン系の国だと「安全じゃないのに安心している」ということがあるわけです。セキュリティはCIAが重要だと以前から指摘されています。Confidentiality（企業秘密やプライバシー）、Integrity（改ざんされていないこと）、Availability（可用性）ですね。ただし、CIAという概念は実は一番狭いセキュリティの概念に過ぎません。

私としてはそれをもう少し幅広く考えたい。具体的には、自由の

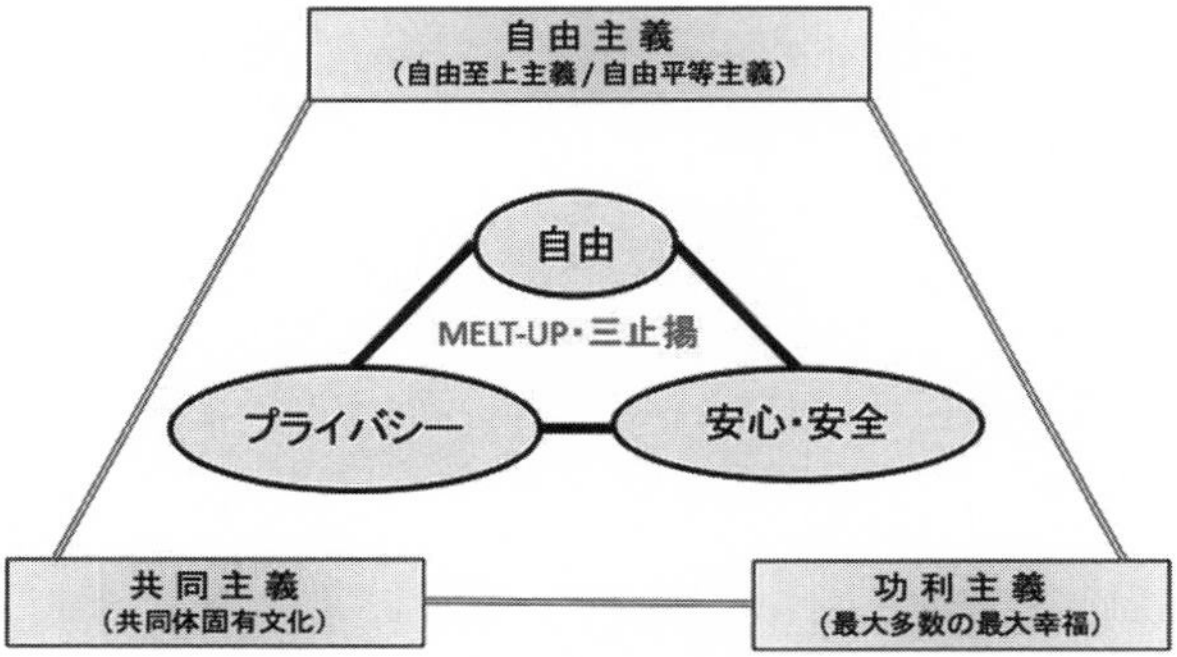

図2　サンデルの体系と本提案の三止揚の関係（サンデルの体系は、西垣通『ネット社会の「正義」とは何か』［角川学芸出版、2014年］による）

拡大、安心・安全、そしてプライバシー保護です。加えて、さらにもう少し広い概念、例えば「正義感」みたいなものも検討したい。一時期よくテレビに登場していたハーバード大学のサンデル（Michael J. Sandel）が「社会の価値観は３つある。功利主義、最大多数の最大幸福。それから、自由主義だ。自由主義には自由至上主義と自由平等主義がある」と言っていました。自由至上主義は共和党系、自由平等主義は民主党系ですね。さらに彼が付け加えていたのは共同体主義です。IoTセキュリティではこの共同体主義が非常に重要になる。

これは文化圏に基づく正義感のことを指すようですが、私はここでの正義感、というものに着目していきたいと考えています。一種のネット共同体主義といってもいいかもしれません。仏教の説話的に言えば、長い箸しかなくて食べ物を自分のところで入れられないときはお互いに入れあえばいいじゃないか、みたいなものも一種のネット共同体主義です。

送り手良し、受け手良し、ネット良し

どんな小さなネットワークであっても、地球を覆う世界的なネットワークの中で考えていかなければいけない。江戸時代の近江商人は「売り手良し、買い手良し、世間良し」と言いました。これを現代風に言い換えると「送り手良し、受け手良し、ネット良し」です。

ある時代、ある土地、ある国で育ったモラルというものを世界中に広めるわけにはいかない。例えば武士道を世界中に広めるわけにはいかない。そもそも武士道はモラルというよりは美学ですからね。ウィトゲンシュタインが「モラルとは美学である」と言ったけれども、違うと思いますね。美学じゃないのです。みんなが納得して、お互いのためになるようなモラル、相手のことも考える。これはやはり近江商人の立場のほうが世界的な広がりを持ったモラルになりうるでしょう。

例えば標的型攻撃を防ぐためのS/MIME（Secure Multipurpose Internet Mail Extensions）は20年以上前から、IETFで標準化しているのだけれど、なかなか広まらない。なぜ広まらないかというと、相手のためにやるからでしょうね。自分が自分であることを、証明を付けて送る。署名が付いていればみんな安心して開けるわけです。ただし、多少手間とお金がかかる。一部の組織、例えば三大銀行、経済産業省所管のIPA、JIPDEC、などはかなり前からやっていますから、これを徐々に広げていくにはどうしたらいいのか、このあたりも協議会で議論していきたいと考えています。

哲学と技術が融合する世界の登場

哲学や思想という一種の教養的な扱いを受けてきたものが暗号理論のような技術と接続をし始めた、と思っています。（東浩紀氏が『一般意志2.0』［講談社］で言及していましたが）ルソーの言う“一般意志”はグーグルがかき集めたビッグデータで表現されている、そこに人々の無意識は集まっている、というわけです。ただ、公共性や信頼性は担保されているのか、と考えると少々微妙かな、という気がします。

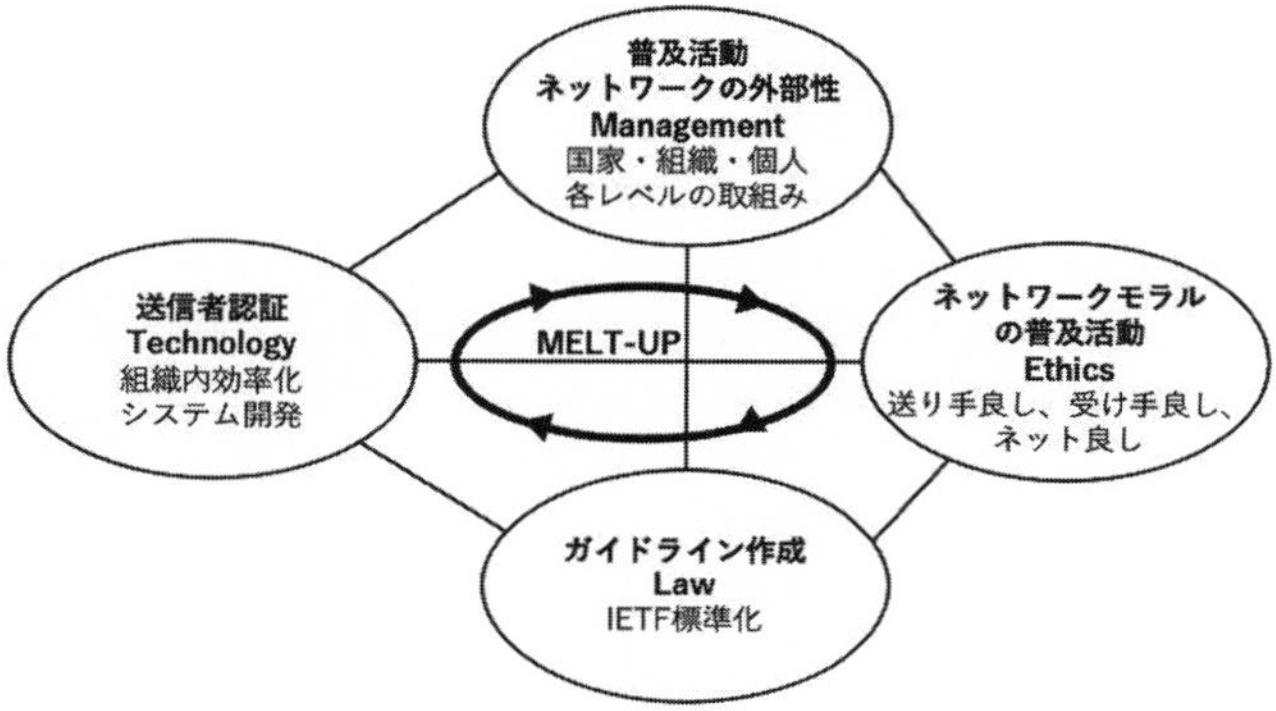

図3　IoTを含むS/MIMEの普及へ向けてのMELT-UP活動

例えば、BPO（Broadcasting Ethics & Program Improvement Organization［放送倫理・番組向上機構］）という組織があります。日本放送協会（NHK）や日本民間放送連盟で運営されていて、放送倫理に関して議論しています。民放も当然公共放送ですよね。ただ、放送には2種類あって、視聴率重視のものと、信頼性重視のもの2種類で構成されている、という考え方もあっていいわけです。社会を構成する一般意志は2種類ある、みたいに考えてみるのが面白いのではないかと考えています。要するに（少し前に流行した）アウフヘーベン（aufheben）です。直接セキュリティとは関係ないのですが、全く無関係ではなさそうだ、と考えています。

実はメルトアップ（MELT-UP）というのは昔から言っていたのですが、これを4つの分野についてやろうと考えているわけです。1つはIoT（図3）、次がS/MIME。S/MIMEをモノに適用するとどうなるのだろう、ということも視野に入れてます。次にマイナンバーですね。マイナンバーをもっと活用しなければいけないというのが1つ。

もう１つの関心事が法令工学です。「法律というものは社会のソフトウェアである」という立場です。法律自体の論理的な矛盾、法律と県の条例との矛盾、別に善し悪しではなくて、中身ではなくて、法律の論理性を工学的に検証しようと考えています。

日本語は非常に曖昧なので、法令などもよくわからないところがある。しかしこれを英訳すると、実によく理解できる場合があります。日本語よりは英語のほうが構造化されている、ということです。少し前のエピソードですが、数年前にアメリカで日本の企業が裁判に巻き込まれて、本裁判の前のプレトライアルだけで80億円を負担せざるを得なかった。そしてその費用の大半は翻訳料だったなどという話もあったのです。オントロジーとも近い話ですが、まだ特徴抽出に終始しているAIがもう少し発達するとちょっと面白いことになるかもしれません。

いずれにしても、IoTで集めたものがビッグデータになり、それをAIで解析するという一連の流れでクラウドに預けることになる。我々が重要視しているのは「そのクラウドは信用できるのか」ということです。管理者が見ている可能性も検討しなければならない。したがって、大事な情報は暗号化が必須になります。暗号化して預けたデータを今度はいろいろ統計処理するときに、平文に戻してやるとまたそこで隙間ができるから、暗号化したまま処理をする。だから、暗号文そのものを全部かけていくと、平文の領域に直した時に、それは正確な足し算になっているかというような課題があります。そのような暗号化状態処理に関する研究なども進めています。

日本人は了見が狭いオプトイン民族なのです。法律で決まると一所懸命守る。要するに「やっていい」と言われたこと以外はなかなかやらない。アメリカ人は「やってはいけない」と書いてなければ、やってしまう。この差は大きい。徳川250年の遺産なのか、もっと前なのかわかりませんが、とにかく日本は権威に弱い。すぐに土下座する（笑）。これはもう魏志倭人伝の頃からの風習だ、という説もある。

権威と形式に弱く建前と本音が離れすぎていると、責任をとると

いうときも誰の責任かが曖昧になる。建前的責任と実質的責任とが分かれる事が多いので、結局、誰が責任をとるのかわからなくなってしまう。セキュリティで一番変えなければいけないのは実は国民性なのだけど、これは難しいでしょうね。90年頃までの日本の高度成長というのは大量生産型工業社会だから、みんなが一斉に同じ方向に向かってやっていれば生産性も上がって経済力も上がったのだけど、それ以降、だんだん今みたいな時代になってくると、もうちょっと人間の個性を認めてやらないとだめじゃないかな、という感じがしてきますね。

さらにもう1つ気になっているのが物質的文化の集積度の違いによる差ですね。具体的には地域文化のあり方が気になっています。コミュニティを再構築しようとする時にセキュアなIoTが全く役に立たないとは思わない、というかむしろ、実はここが本丸なのではないかと思ったりします。様々な市区町村で経時劣化が進んでいる社会資本（道路、トンネル、橋梁、水道管、電線など）を維持、改良していくにはIoTは欠かせない。人口減少、少子高齢化などの課題満載である先進国の日本としてはこれらの課題を解決していき、かつプライバシーに対する考え方なども含めた文化の違いを吸収していく中で海外でも通用するセキュアなIoTの標準を作りたいですね。

そのあたりも法律化というよりは魅力的なガイドラインを、まずはデバイスレイヤーから作っていきますよ。そしてそれを徐々に上にあげていきます。これが協議会の責務である、と考えています。

（「WirelessWire News」2018年4月18日）

資料 10　理念と現実

――真贋の判定こそはモノ層から文化層まで貫く理念

フェイクニュースが氾濫している。その拡大スピードは真正情報の倍以上とも言われている。偽情報戦略は昔からあったことで、その真贋判定は、戦国武将の命とりにもなりかねなかった。織田信長は、今川義元のある武将 A の筆跡を、1 年かけて輩下に学ばせ、「寝返りを画策している」という A の自筆と見せかけた偽手紙を、今川義元が見るように仕向けた結果、A は義元に討ち取られたそうである。義元は、元々、織田方から寝返った A を信用していなかったので、偽情報と知りながら、良いチャンスとばかり、A を討ち取ったとも言われており、どちらが上手か分からない。

閑話休題。IoT 環境が広がり、万物が情報を発する現在、全てのモノ（物、人、組織）の真正性保証・真偽判別が不可欠となっている。

そこで、PKI（Public Key Infrastructure）系の電子認証を、重要デバイスの耐タンパー領域へ埋が必要となってきた。以前、「IDF コラム」でも書いたように（498 号）、サイバートラスト株式会社が事務局となり、2017 年 4 月、「一般社団法人　セキュア IoT プラットフォーム協議会」（理事長：辻井重男、監事：佐々木良一）が設立され活動が続けられている。その一環として、当協議会は、2018 年度、総務省の SCOPE（戦略的情報通信研究開発推進事業）から委託研究「IoT デバイス認証基盤の構築と新 AI 手法による表情認識の医療介護への応用についての研究開発」を、中央大学と共同で受託し、デバイス層を基盤に、ネットワーク層、データ管理層、情報サービス層の 4 階層にわたって、研究開発を展開している。

特に情報サービス層では、現在主流の深層学習で問題となっている敵対学習が生じる恐れのない、リーマン幾何学に基づく新しい

AI手法の研究に取り組んでいる。これは、中央大学の趙晋輝教授によってはじめられた画期的なAI手法である。

深層学習で深刻な課題となっているのは、敵対学習により悪意ある者が、本物とは全く異なる偽モノを認識結果としてユーザーに返すことによる被害である。これは、ニューラルネットワークによる深層学習が、教師付学習を行う際、過剰学習やローカルな最適解をグローバルな最適解と誤認識してしまうなどブラックボックス方式から起きる課題である。これに対して、本研究では、データ空間をリーマン空間と見なし、非線形特性をリーマン幾何学的な構造として解明して利用しているため、真贋判定に誤りは生じ難いのである。その成果を遠隔医療・介護や犯罪者特定などに活用されるようになれば良いと考えている。

さて、またしてもデジタル・フォレンジックと関係のない文化層に話を広げるのか？　と言われそうだが、まあ、しばらくお付き合い願いたい。文化的社会層においても、現実を知り、その背景を洞察して真偽を探求しなければ、国家の命運にかかわるような歴史的誤りをおかすことになり兼ねない。例えば、世界最高の知性を目指した西田幾多郎一派の田辺元や四高弟（鈴木成高、高坂正顕、高山岩男、西谷啓治）をはじめ、亀井勝一郎や吉川英治など、多く評論家や作家たちは、結果的になぜ戦争協力へ墜ちたのか？　時代に阿《おもね》る結果になってしまったのか？　この問題については、現役の思想家・評論家らによって、多くの著書が出版されている。

例えば、

菅原潤『京都学派』講談社現代新書、2018年。
中島岳志『親鸞と日本主義』新潮選書、2017年。
佐藤優『学生を戦地へ送るには――田辺元「悪魔の京大講義」を読む』新潮社、2017年。

などでは、いずれも思想的な、あるいは宗教的な視点から論じられている。私は太平洋戦争の最中、小学校高学年だったが、流行歌、

「（欧米列強の）東亜侵略百年の野望をここに覆す…」を勇ましく歌いながら歩き、近所のおばさんに「重男ちゃんは忠義なのね」と冷やかされたりしたものである。

何百年もヨーロッパの植民地になっているアジアを解放すべきだという考えが間違っていたわけではない。グローバル化が進み、米中が対立する現在、高山岩男の「ヨーロッパ世界も数ある近代的世界の1つにすぎない」という「世界史の哲学」は実現しつつあり、高山の先見の明を称えるべきかも知れない。「大東亜共栄圏」は理念として間違っていたとは言えない。「八紘一宇」、つまり「神武天皇にはじまる万世一系の天皇が、東亜を治めるべきだ」となると話は別だが。

しかし、日中戦争当時の現実はどうか。日米どちらに正義があるか、などという話ではない。現実は厳しい。日本は、中国市場をアメリカと争い、米国が日本に石油禁輸出を仕掛けると、東南アジアに侵攻して、石油を獲得せざるを得ないということになり、「日米開戦か、中国大陸からの日本軍全面撤退か」の選択を迫られるという状況に追い込まれた。もし中国大陸から日本軍全面撤退ということになれば、陸軍はクーデターでも起こしたのではないかと私は想像している。

山本五十六は、海軍次官当時、米内光政海軍大臣、井上成美軍務局長とのトリオで、遺書を懐に暗殺覚悟で対米戦争に反対し、「戦争するなら、アメリカへ行って、煙突の数を数えてこい」と言ったそうだし、零戦の設計者、堀越二郎は、「アメリカの国力は日本の百倍、とても戦争などやれない」と戦前、奥さんに話していたと、先日（2018年夏頃）、ご子息がテレビで語っておられたのが印象に残っている。

私が不思議でならないのは、次の2点である。

①世論を先導すべき、思想家・評論家・作家たちの多くが真珠湾攻撃（昭和16年12月8日）のニュースに感動し、「これで、4年間（日中戦争）のモヤモヤが晴れた、すっきりした」と感じ、太平洋戦争

の理念構築に協力したのはなぜか。現在のようにGDPという数字はなくても、国力の差は、分かりそうなものだが。

彼らは、時代に阿《おもね》った、空気を読んだ、忖度したなどの見方もあるが、国力差という現実認識があり、勝敗ははじめから明らかだと思えば、結果的に時代に阿ることもなかっただろう。

戦争の当事者ではなくても、普通の勤め人だった私の父ですら、連戦連勝の昭和17年当時から、「この戦争は負ける」と言って、「なぜ？　こんなに勝っているのに」と母親を不思議がらせていたし、「アメリカと戦争なんかしたらアカン」と言っていたオバサンも近所にいたというのに。

②現在の評論家・思想家たちの多くが、戦時中の有識者達の言動を評価するに際して、主に、思想的な面や人間的・人格的な側面から論じており、現実認識の甘さを指摘していないのが、私には不思議なのである。

というわけで、社会的テーマについては、理念と現実の関係は複雑である。真を追求し、贋を排除するため、現実認識を深め、現実の背景を広く洞察した上で、既存理念を活用し、また、新たな理念を構築することの重要性を痛感している。

終わりに、話をデジタル・フォレンジックに戻せば、今話題の暗号通貨・ブロックチェーンの基盤である楕円暗号（第476号コラム参照）は、哲学者加藤尚武先生に興味を持っていただいたように、技術系の中でも理念と現実が完全に一致する稀有な例である。数学を理念（イデア）とし、「数学こそが、真なる現実的実在への訓練をもたらす」と考えた古代ギリシャのプラトンに、「完全な円に対応するRSA暗号は、円に無限に近い楕円に対応する楕円暗号に比べて、同じ安全性確保のためには、約10倍の鍵長を要する（無限小とゼロとは全く異質である）という計算結果」を、あの世で見せて喜ぶ顔を見たいものである。

（デジタル・フォレンジック研究会「IDFコラム」2018年11月9日）

資料11　暗号の安全性と量子ストリーム暗号
——Y00をご存じですか

はじめに——本文で訴えたいこと

どの専門分野も分かり難いものですが、現代暗号もその1つです。「量子コンピュータが実用化されると、現在、社会基盤となっている暗号が解読されてしまう」という話題が、新聞などのメディアを賑あわせていますが、暗号に関わる方に誤解されるような記述もありますので、簡単に全体像を描いてみたいと思います。素人の方にも分かり易く、初歩的なことから説明します。

I　暗号の目的・用途と方式

暗号の用途から簡単に説明しましょう。暗号は常に社会的要請から生まれています。数千年の昔から1970年頃まで、暗号と言えば、送りたい情報を秘匿するのが目的でした。用途は、主に軍事や外交でした。敵に解読されないように秘密情報を届けるため、送信者と、遠くにいる受信者（味方）との間で共通の鍵を共有する必要があります。現在、共通鍵暗号と呼んでいますが、公開鍵暗号が発明される1970年代までは、味方同士で共通の鍵を持つことは当たり前なので、共通鍵暗号という言葉はなかったようです。

公開鍵暗号は、自分だけが所有する秘密鍵と、その秘密鍵に対応して、多数の人に共通に使って貰うための公開鍵の2種類の鍵から成り立っています。公開鍵の中に秘密鍵が数学的に埋め込まれています。情報化・デジタル化の時代になると、手書き署名に代って、「この文章は、自分が書いたことに相違ない」というデジタル的な証明が必要になります。これを電子署名と呼びます。1970年代後半、アメリカで、電子署名を目的として、公開鍵暗号が生まれました。公開鍵暗号は、人に限らず、何百臆に上るモノ（IoT）の真正

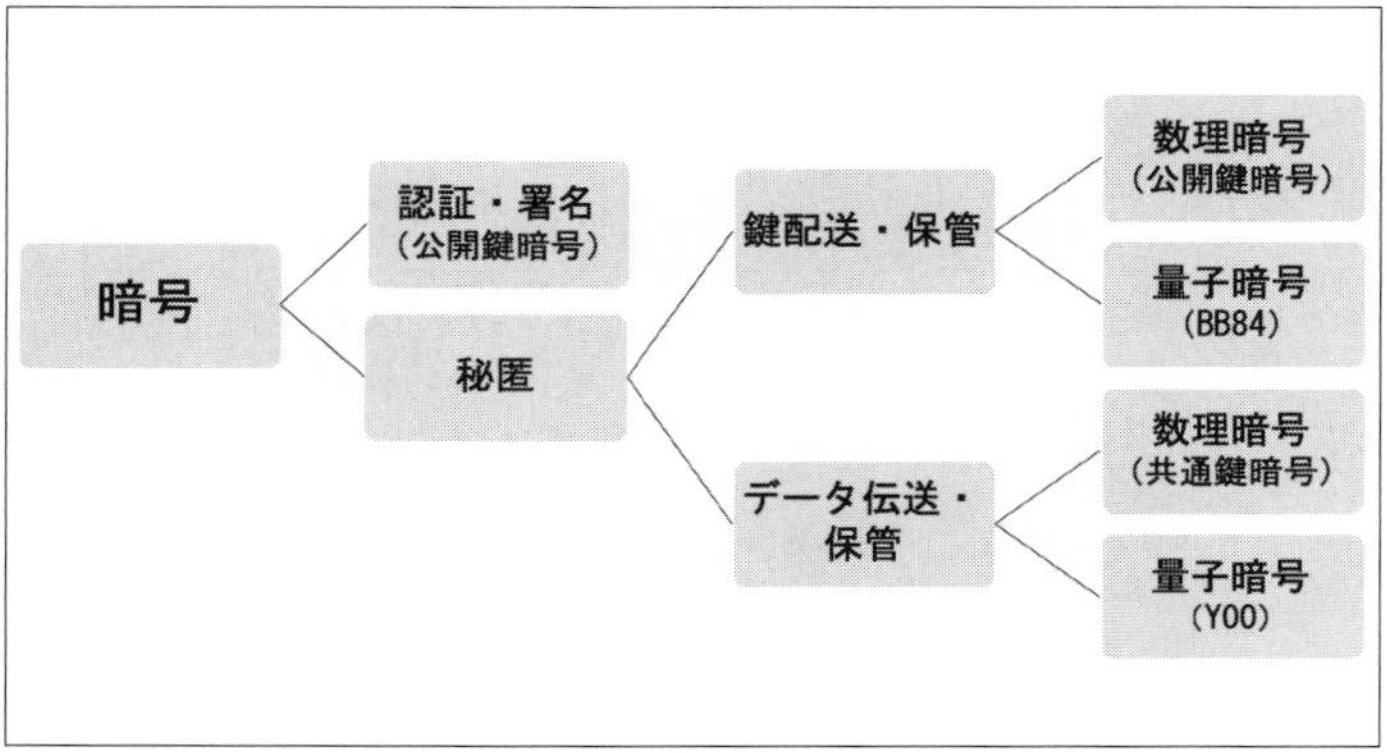

図1　暗号の分類

性保証に不可欠な認証手段になっています。

実は、1990年代になって分かったことですが、1970年代前半に、イギリスの諜報機関が、公開鍵暗号を発明していたことが公にされました。発明の動機は、電子署名ではなく、共通鍵暗号の鍵を白昼堂々と送ることでした。第2次大戦中、鍵配送に苦労したのが動機でした。芸者ワルツの文句ではありませんが、

気強く、暗号送った夜は、更けて気になる鍵の盗難。
遠く聴こえる不穏な噂、鍵の苦労が身に沁みたのよ。

という次第です。暗号鍵を確実に安全に送れる手段があったら、第1次・第2次世界大戦の戦況は随分変わっていたでしょう。

このように、公開鍵暗号には、認証・署名、および共通鍵暗号の鍵配送という2つの大きな用途があります。公開鍵暗号で、平文《ひらぶん》データ自体を秘匿伝送することも原理的には出来ますが、共通鍵暗号に比べて、伝送速度が著しく遅いので、情報伝送自体には、余り使われていません。

	数理暗号	量子暗号
鍵配送	公開鍵暗号 (RSA、DHなど)	量子鍵配送 (BB-84など)
データ 暗号伝送	共通鍵暗号 (AES、RC-4など)	Y-00量子ストリーム暗号

表１　数理暗号と量子暗号の役割

後で説明する量子暗号については、鍵配送用の BB84 暗号ばかりが、メディアなどで取り上げられ、共通鍵暗号に対応する Y00 量子暗号が一向に話題とならないのが国策上困ったことだというのが、本文を書き始めた理由です。通常の共通鍵暗号と異なり、Y00 量子暗号は、暗号文自体が盗聴されないという優れた特徴を持っており、日米が先導して研究して来ましたが、最近は中国も実用化研究を始めたようで、日本も急がねばなりません。

では、本題に入りましょう。

Ⅱ　耐量子コンピュータ暗号

素因数分解や離散対数問題などの数学的解読困難性に依拠している RSA 暗号や楕円曲線暗号等の公開鍵暗号が、10 年以内に解読される程、量子コンピュータの実用化が速いとは予想できませんが、今から設置する暗号方式が、20–30 年で解読されては困りますから、早めに備えておく必要があります。

①量子コンピュータの実用化に耐えられる暗号の種類は？

耐量子コンピュータ暗号には、理論分野的には、大きく分けて 2 種類あります。数理暗号と量子暗号です。

数理暗号とは、数理的・数学的に解くことが難しい暗号で、「Ⅰ」に述べたように、共通鍵暗号と公開鍵暗号があります。量子現象は

利用しないので、量子力学的知識は全く不要です。

量子暗号とは、量子現象を利用する暗号です。私は、数理暗号系の研究者でして、量子力学的知識はありませんが、Y00量子暗号の国際的先導者である廣田修先生に教わりながら、全体像を概観してみます。

② BB84量子暗号

検索すると、「BB84は、チャールズ・ベネット（Bennett）とジャイルス・ブラザード（英語版）（Brassard）によって1984年に提案された、暗号学的な、量子通信を利用する鍵配送プロトコルである。二人の頭文字と発表年からBB84と呼ばれ、初めて提案された具体的な量子暗号のプロトコルとして有名である」と出てきます。

BB84量子暗号に使われる信号は光子で、それを1個ずつ送る必要があるため実装が難しい暗号技術です。人間が他人に見られると表情を変える様に、光子自身は観測されると状態が変化します。この量子現象を利用すると盗聴者を検知できるので、それを原理として暗号機能を実現しようとしたものです。しかし、光子を1個ずつ送る途中で、多くの光子が消去するので、データ自体を送ることは出来ず、乱数しか送れないので、鍵配送専用です。

2021年5月5日の「日本経済新聞」の1面トップに、「中国は、北京と上海の間に2千kmに及ぶ量子暗号の通信網を構築している」と掲載されています。廣田氏によれば、中継間隔は40km、通信速度は50kbitsとのことです。

③ Y00量子暗号

廣田氏によれば、「Y00暗号は『盗聴者に暗号文を傍受させない』ことを特長とする光通信向けの暗号で、暗号文として超多値変調信号（4096値が一般的）を用い、それらの信号を受信した際に発生する量子雑音による信号値に対するマスク効果を利用する。Y00暗号ではスロット毎に4096値の超近接した強度変調信号の1つが暗号文としてランダムに送信される。盗聴者は暗号文を受信するために、

それらを識別する必要がある。しかし、量子雑音効果によって信号は正確に識別できない。これは、盗聴者が暗号文を正確に受信できない状況になっていることを意味している。玉川大学の実験では、4096値の変調信号（変調速度：1.5Gb/s）を用いた。通信距離は1000kmで40km毎に合計25個の光増幅器で増幅中継する構成を用いた。この原理は米国Northwestern大学のYuen教授が2000年からのDARPA（国防高等研究計画局）プロジェクトにおいて提案されたもの」です。

Yuenと友人の廣田修氏（玉川大学名誉教授・中央大学研究開発機構教授）はYuenと連携し、Y00量子暗号の研究を始め、独自の方式を考案し、加藤研太郎玉川大学教授らと共に、実用化研究を続けて来ました。大雑把に言うと次のような方式です。

デジタル伝送と言うと、送信信号を1、0系列に変換して送るというのが普通です。つまり、1time slot毎に1ビットですが、0、1、2、3のいずれか、つまり、2ビットを送ってはどうでしょうか。雑音が余り大きくなければ、その方が伝送速度は大きく出来ますね。昔の話で恐縮ですが、光通信が普及する前の同軸ケーブルの時代、私は、このような多値伝送方式の開発をNECでやっていました。同軸ケーブルは、信号の有無に関らず、白色雑音がありますが、SN比（信号対雑音比）は大きいので、伝送効率を上げるため多値伝送を開発したわけです。

Y00量子暗号は、

①高速なデータ伝送が出来る
②暗号文自体が盗聴され難いという、ランサムウェア対策などに有効な安全性が期待されている

という特徴があります。説明しましょう。

①通常の光通信のように、基底帯域で一旦、サブ・キャリアで変調してから、光の周波数帯へ再度変調するのではなく、データで、光波を直接変調します。したがって、高速なデータ伝送が出来ます。

これが、Y00量子暗号の第1の特徴です。

②BB84量子暗号と違って、time slot当たり大量の光子が伝送されますが、それに伴って、小さいながらも量子雑音が発生します。白色雑音と異なり信号依存性の雑音です。Y00量子暗号は、この量子雑音が、正規受信者には邪魔にならず、盗聴者は、その量子雑音のため、誤った暗号文を受信するので、それらから正しい平文データを復号できないように工夫した方式です。

上に述べた同軸ケーブルの場合は、多値伝送を伝送効率の向上に利用しましたが、Y00量子暗号は、安全性向上にも使います。どうすれば良いでしょうか。盗聴者に対しては、多値伝送、正規の受信者にとっては、2値伝送としていかが？　上手いことを考えたものだと感心しています。以下に簡単に説明しましょう。

多値数は、比較的大きく、例えば、4096値、つまりスロット当たり12ビットとします。0と1のデータを送る2値の通信基底を2048個準備します。入力としての0と1のデータ系列はその都度、送受信者間で共有される擬似乱数系列でランダムに選択される2つの通信基底によって送信されます。擬似乱数を知らない盗聴者はスロット毎に4096値の内の1つが送られているように見えます。正規受信者は擬似乱数系列で選択された通信基底で送られてくる信号に対する2値判定閾値を同じ擬似乱数系列でスロット毎に定めます。送りたい平文は、スロット毎に1または0ですので、暗号文を介さず平文が出力されます。スローモーションで受信機をみれば、普通の2値の光通信の2値判定閾値がスロット毎に上下にランダムに行ったり来たりしているように見えます。

正規受信者の1か0かの判定には、量子雑音効果が全く影響しないように設計されており、エラーなしで復号できます。盗聴者はスロットの閾値を知りませんので、1、0の判定は出来ず、暗号文である4096値の光信号を識別することになります。その際、量子効果が効いて、盗聴者は暗号文を正しく盗れないように工夫されているとのこと。現在、サイバーセキュリティでは、ランサムウェアが国際的にも深刻な課題となっていますね。暗号文が正しく盗れな

ければ、人質の意味がありません。鍵配送と合わせて、Y00がお役に立つと良いですね。

数理暗号の場合、暗号文を解読できなくても、暗号文を得るだけで、正当でない行為が実行出来る場合があります。例えば、暗号文が、平文に比例するような方式（エルガマル暗号）を使って競争入札するとしましょう。A社が、100万円で入札するという平文を暗号化して送るとします。競争会社Bは、その暗号文を得るだけで、A社が100万円だということを知らなくても、A社の暗号文を1.01倍して入札すれば、1パーセント高い価格で、競争入札に勝つことが出来ます。楕円曲線暗号でも、同様の不正が可能です。

これは、1つの例ですが、暗号文自体を盗まれないことは、大事なことなのです。

④安全な暗号とは――大坂城落城に喩えれば

暗号の安全性には、いろいろなレベルがあります。平文が全部解読されて、暗号文が破られたという定義もあり、2048ビットの内、1ビットでも解読されたら、その暗号は破られたと定義する場合もあります。攻撃のレベルも様々です。

大坂城に喩えれば、秀頼・淀君が自決して初めて落城したと考える場合もあれば、城の瓦1枚飛ばされても落城と考える場合もある、ということです。攻撃のレベルには、槍と刀、鉄砲、大砲などがあります。大坂方は、冬の陣でなぜ敗れたか。直接的には、家康が外国から仕入れた大砲の弾が、淀君の近くに墜ちたからでしょう。

公開鍵暗号については、IND-CCA2が最も強い攻撃に対して、最も安全性の高い方式と定義されています。

IND = Indistinguishability　1ビットも解読されない。城の瓦1枚飛ばされない。
CCA2 = Chosen Cipher Text Attack2　解きたい暗号文以外は、どの暗号文に対する平文でも教えてくれる復号器を利用できる。

大坂城自体ではないが、同じ構造の城を使って、何度でも攻撃シミュレーションが出来る。

数理暗号では、このように精緻な安全性理論が構成されていますが、実装するのも大変です。これに対して、Y00量子暗号は、量子現象を利用して暗号文自体が盗聴されないように構成された高速ストリームですので、共通鍵暗号も含めた数理暗号と安全性・効率性の比較をしてみてはどうでしょうか。

日本発の技術が、国内では注目されず、海外で先に実用化される悪例を重ねないようにしましょう。

⑤ Y00量子暗号のサイバーセキュリティ総合科学的利点

暗号理論屋さんたちは、暗号理論の枠内で、数学的に安全性証明をして、自己満足している傾向があります。学会論文の査読でも、アイディアは良くても少しでも理論的欠陥があると採択されません。

しかし、サイバーセキュリティ総合科学の視点からは、三止揚MELT-UPを図らねばなりません。

Management、Ethics、Law and Technologyを総合的に活用して、自由の拡大、公共性・安全性の確保、個人の権利・プライバシーの互いに矛盾相克しがちな3つの価値の均衡を高度化する必要があります（というと、自由って何ですか？　と言われますが、「情報処理・活用による利便性・効率性の向上」ということにしておきましょう）。

サイバーセキュリティ総合科学の視点からは、暗号理論も、Managementに統括されるべきでしょう。

さて、平文をm、暗号文をc、乱数をK、公開の関数をF（　）としましょう。

Y00なら $c = m + F(K)$ 暗号文c自体を盗れないので、仮に乱数Kが漏洩しても、多重防御で、mは盗聴されません。管理の負担が楽になりました。

サイバーセキュリティ総合科学の視点からY00量子暗号万歳ですね。

⑥ Y00 量子暗号の利用分野

beyond5G、6G、IOWN、ゼロトラストネットワークなどによって、今後、ネットワークは大きく変貌するでしょう。任意の端末間で、随時、鍵が安全に適応的に共有できる鍵共有システムが、アドイン研究所株式会社の佐々木社長、鈴木氏らにより開発されています。こうした背景の中で、暗号文自体が盗られないようになると良いですね。

（デジタル・フォレンジック研究会「IDF コラム」2021 年 5 月 30 日）